Lorenzo Magalotti

Relazioni di viaggio in Inghilterra, Francia e Svezia

Texte et illustration de couverture : © domaine public
Edition : Culturea (Hérault, 34)
Contact : infos@culturea.fr
Retrouvez notre catalogue sur http://culturea.fr
Imprimé en Allemagne par Books on Demand
Design typographique : Derek Murphy
Layout : Reedsy (https://reedsy.com/)

Dépôt légal : janvier 2023

ISBN : 9791041967650

RELAZIONE D'INGHILTERRA

dell'anno 1668

Il formare un giudizio accertato della positura presente dell'Inghilterra è cosa tanto impossibile a un uomo che arrivi nuovo e senza conoscenza a quella corte, che, a meno di trattenervisi un lunghissimo tempo, mette più conto il trascurare le notizie più intrinseche delle massime da cui depende il rigiro di quel governo, e contentarsi di quelle che risguardano i caratteri particolari delle persone e de' ministri più riguardevoli. Imperciocché, volendosi fissare nel primo oggetto, lo spazio di poche settimane non basta per passar più oltre della superficie delle cose, e nondimeno richiede il sentir tanti e il domandar tanto, che non lascia luogo alla considerazione del secondo; il quale, benché non conduca sì addentro nell'intelligenza di quell'intricato sistema, nondimeno è più facile rinvenirne il vero, e serve a formare un abbozzo confuso dello stato presente del Regno e degli andamenti particolari della corte, non senza dar dei barlumi degl'avvenimenti ai quali e l'uno e l'altra son sottoposti.

Questa difficoltà d'intendere con qual arte e con qual'ingegni si dia il moto a questa macchina sconcertata e discorde, non deriva tanto dagli svantaggi che ha un forestiero abbandonato d'ogn'altro aiuto fuorché da quello della propria curiosità, quanto dalla perpetua regolare incostanza onde il tutto si governa e si volge; per lo che avviene che in quel che altri s'applica a intender le massime che occorrono, queste si mutan prima che sien finite d'intendere: e così, per sollecito indagatore che uno si creda, s'avvede ben presto d'essere sempre, come si dice, un'usanza addietro, e che la sua scienza è come quella del tempo, di cui quando s'arriva a saper l'ora, di già quel tempo che denota quell'ora è passato. Io, nel breve tempo che mi son trattenuto in quella corte, mi son ingegnato di trattar con persone di diverse gerarchie, con la sola avvertenza di scerre di ciascheduna quelli che, o per ragione d'esperienza o di professione o d'impiego o d'animo disappassionato, ho creduto poter essere o i meglio informati o i più sinceri; eppure, o la verità in Inghilterra è diversa da se medesima o ella non è palese a veruno, tanto ho trovato discordi fra di loro i pareri delle cose presenti ed incompatibili i giudizi dell'avvenire.

Pure, a fine di non lasciare i ritratti delle persone che son per dipingere a V.S. sul fondo scuro della tela, farò come quei pittori i quali, per dar loro un po' di forza, vi fanno vicino un po' di veduta di camera o di paese, quanto serve per maggiormente spiccare, protestandomi che quanto m'ingegnerò di finire e di ritrovare i più minuti lineamenti de' volti, altrettanto mi converrà lasciar tutto il resto abbozzato o imperfetto.

LA PRESENTE COSTITUZIONE D'INGHILTERRA

Il re d'Inghilterra non è nel suo Regno quel che sono ordinariamente i re e i principi ne' loro stati; anzi, egli non è nemmeno quello che vien creduto essere eziandio da coloro che nell'intelligenza di quella monarchia intendono molto avanti. Egli non è altro co' suoi sudditi che fonte di grazie e d'onore; e benché apparentemente dalle leggi fondamentali del Regno non gli sia dato con sì gran tara il titolo di monarca, facendolo arbitro della pace e della guerra e lasciandoli tutto l'arbitrio di non voler per sé e di non voler ch'altri vogliano ciò che ei non vuole, nondimeno e nell'uno e nell'altro è costretto da una legge più forte (e tutta depende dalla violenza delle congiunture) a regolare con tal discreto avvedimento l'uso di questa sua sovranità, che non può dirsi che ella risegga interamente in lui, essendo per lo meno costretto a moderarla col freno della propria circospezione, senza poterne mai abbandonare il governo all'esigenza dell'interesse o al trasporto della passione.

Due cose hanno a mio credere condotto il re nello stato presente: l'autorità suprema divisa con troppa uguaglianza tra il re e i sudditi, ed il mutamento della religione. La prima, alterando per natura della propria incompatibilità l'antico governo del Regno, lo rivoltò in tanto favore del re, che quello, per assicurarsene il possedimento, venne coll'estremo del rimedio a farlo divenir seme di nuovo male; il quale, insensibilmente aumentandosi, è ritornato nel primo stato di quel primo pericoloso equilibrio d'autorità tra il re e i sudditi, onde ogni giorno si può temere che arrivi il punto in cui cominci a operare l'ordinaria incompatibilità di questo governo. Con questa differenza però: che dove nel primo combattimento la religione militava dalla parte del re, in questo gli sarà contro; e dove prima il re vinse ed esterminò i suoi nemici con apparenza di beneficarli (onde non pensaro alla difesa se non dopo che furono affatto in terra), ora gli converrà vincere col sangue e coll'armi: e queste gliel'hanno a somministrare i suoi nemici stessi, o ha da aspettarle per merito di una saggia condotta dall'opportunità delle congiunture. E che sia il vero, le ricchezze, il seguito e la forza della nobiltà, che aveva altre volte deposto il re, fece sì gran paura ad Enrico VIII (che senza adularsi riconosceva il debole de' suoi dritti alla corona), che l'obbligò, per assicurarsene, a disunirla e distruggerla. Ciò, come ho detto, gli riuscì di fare con apparenza di benefizio: poiché, risguardando allo stato di ultima oppressione nel quale si ritrovavano i nobili, attesa la soma insopportabile degli eccessivi debiti impossibili a sodisfarsi con gli avanzi delle rendite annuali, repugnando la legge alla distrazione de' fondi, dispensò sotto specie di paterno affetto al rigore di quella; e in un tempo medesimo, coll'impoverimento dei più potenti, parte rimasti esausti dai pagamenti parte dalla divisione delle famiglie, per l'uguale scompartimento dei beni liberati dai vincoli delle primogeniture, dissipò tutte l'ombre de' suoi sospetti ed assicurò, coll'aggiunta dell'autorità mancata ne' nobili, la sussistenza di quella che, per esser troppo egualmente spartita, lo rendea mal sicuro.

Questi beni però, cominciando a poco a poco a venir nelle mani d'un'altra sfera di gente inferiore, che per la via del traffico aveva ramassato gran quantità di danaro, cominciò a risvegliare in essa qualche spirito d'ambizione; e portò la congiuntura ne' tempi susseguenti che, venendo da Scozia il re Giacomo nuovo e forestiero nel Regno, non stimò di potersi meglio assicurare che col proccurar di formarsi un nuovo partito suo dependente. Per lo che, trovando nello stato popolare molte ricchezze assodate colle compre degl'antichi fondi de' nobili, giudicandole perciò capaci d'alimentare di lustro bastevole quelle dignità che nei posseditori di esse avesse collocate, cominciò a sollevarne molti ai primi offici della corte e ai primi gradi del Regno, e ad ampliare i privilegi di già troppo cresciuti della Casa de' comuni, in discredito sempre maggiore di quella de' grandi, ridotta oramai ad un maestoso tribunale di giudicatura suprema, ma, per quel che tocca le deliberazioni importanti degli affari del Regno, spogliata d'ogni ornamento di credito o d'autorità.

Ecco per qual maniera l'estremo del rimedio, che da principio consisteva nell'abbassamento dei nobili, s'è fatto seme di nuovo male, mentre per lenti ed insensibili aumenti l'autorità, caduta tutta nelle mani del re, è andata talmente crescendo in un nuovo partito popolare, che, ritornata un'altra volta all'equilibrio, non solo ha fatto al re quel che egli aveva fatto alla nobiltà, d'abbassarla, ma l'ha distrutto e dato vita a un principio di repubblica: la quale, sebbene è morta in fasce, egli è stato perché coloro che dovevano notricarla colla propria moderazione e col disinteresse, sono stati i primi ad opprimerla e far luogo un'altra volta al re; il quale, se avesse tenuta stretta quell'autorità che nello stato fluttuante dell'Inghilterra gli cadde da principio nelle mani, non è dubbio che al presente potrebbe esser considerato anch'egli come gli altri prencipi negli stati loro. Ma l'altrui malizioso interesse lo consigliò a governarsi con tali misure, che a poco a poco quest'autorità è ritornata a spartirsi, e al dì d'oggi si ritrova così vicina a quella pericolosa uguaglianza, che (sì come ho detto un'altra volta) possono arrivare ad ogn'ora gli effetti solita a produrre per sua natura: mentre, essendo così necessaria l'una parte all'altra, come si son l'un all'altro il re e il parlamento, è impossibile che, trovandosi ciascuno repugnante a fornire il compagno di quell'autorità che gli manca per operar validamente ciascuno secondo le proprie esigenze, non si rendano scambievolmente intollerabili, e non si pensi da ambidue le parti a liberarsi per sempre da sì necessaria e noiosa soggezione. Quando questo avverrà è molto incerto, qual ne sia per essere l'evento, e qual parte abbia a riportare il vantaggio che per l'addietro è stato giornaliero, una volta seguendo il re contro i sudditi nobili e un'altra i sudditi popolari contro il re.

È bene infallibile anche questa parte del mio primo assunto: che questa volta il re non averà in suo favore la religione, qual'ebbe Enrico VIII, e che il partito che egli ha da vincere non è tale da abbattersi, come fu quello, con apparenza de' benefizi, ma gli converrà farlo con l'armi, il nervo delle quali essendo il danaro, di cui si trova affatto sprovveduto, bisogna che l'abbia da' suoi nemici o che, rinnovando tutte

4

le massime della sua passata condotta, si metta in tale stato di poter senza l'aiuto di essi usar con profitto dei favori della fortuna, per quando le piacesse aprirli di quelle strade che finora non appariscono.

E che sia il vero, se si considereranno i due fondamenti più stabili per la sussistenza della monarchia, si troveranno tutti deboli e infermi. La nobiltà, come ho detto finora, è povera, manchevole e destituita d'autorità. La religione, benché quella che si professa nel Regno s'accordi meglio d'ogni altra, dopo la cattolica, colla sussistenza del re per la dependenza de' vescovi, nondimeno bisogna considerarla come una cosa immaginaria e che sussiste nel culto esterno e nell'apparenza; mentre per la condotta de' vescovi ell'è la più scandolosa ed abborrita di tutto il Regno, essendo le massime di quelli l'avidità del guadagno, la sordida tenacità del danaro, la trascuranza dell'uffizio pastorale, la sollecita applicazione per le loro cose domestiche, il fasto e la superbia, l'ipocrisia, la crapula e le lascivie, il favorir quelli del partito contrario alla loro religione e la propria sussistenza, e, sopra tutto, il riserbarsi dei beni delle lor chiese tanto terreno quanto può servire per l'ordinario consumo delle loro case, e pigliar sopra il resto tutto il danaro che trovano, dandolo a livelli eterni, per goder così dei frutti che renderanno molt'anni dopo la lor morte, con pregiudizio grandissimo dei beni della mensa e di quelli che dopo loro succederanno nel vescovado. V'è di vantaggio che fra lor medesimi son discordanti negli articoli della religione, la quale perciò diventa una cabala che non s'intende, regnando di mano in mano le credenze più conformi alla dottrina di quel vescovo che sta meglio col re. Cresce il lor odio dal vedere come negli spessi bisogni che ha il re di danaro, tutte le imposizioni si posano sui secolari, riuscendone sempre illeso, o per un verso o per l'altro, lo stato degli ecclesiastici.

Tutte queste cose fomentano nei protestanti, col disprezzo dei loro superiori, una vita licenziosa e bestiale, e una tal confusione di massime e dogmi ed opinioni, che nella gente bassa è superstizione e nella nobiltà è ateismo. L'erezione degli altari, gli abiti sacri, le musiche, gli organi, le preci molto conformi alla Chiesa Romana, le litanie, benché senza l'invocazione dei santi e le formalità delle cerimonie, sono tutto il forte di questa religione e servono nell'istesso tempo ai nemici di essa--che sono altresì quelli del re e gli amici delle novità e delle sedizioni--del più forte argumento per render persuasi i popoli del disegno che hanno i vescovi, di ricondur l'Inghilterra sotto il giogo di Roma e nelli errori dell'antica romana superstizione. Così si proccura, coll'esterminio della riforma anglicana, di metter la falce alla radice della monarchia, e ciò perché il genio avaro e superbo della nazione, in quel breve tempo di libertà, conobbe quel che sarebbe il Regno senza il re: e ricordandosi d'aver conquistata la Francia colle sole proprie forze del Regno, non può star sotto ad aver perduto tanto coll'Olanda, in una pace susseguente a una guerra in cui hanno guadagnato più battaglie che non hanno fatto i loro nemici, e ciò in un tempo che per l'affluire del traffico si posson dire assistiti dalle forze d'Asia e d'America, nonostante la profusione di un tanto tesoro dell'erario del re, dove è entrato più danaro del Regno in questi otto anni dopo il suo ritorno, che non ha fatto nei tempi di tutti i suoi antecessori.

Accade per maggior male che il partito dei presbiterani ha questo credito, d'aver qualche religione, onde le genti ignoranti gli crede; ed essendo costoro la maggior parte gente di spirito, di rigiro e di macchine, ha troppo gran vantaggi con quelli, cui l'abbandonamento all'ubriachezza e ai piaceri rende incapaci di difesa contro le loro arti. E di qui avviene che, quantunque il parlamento sia composto la maggior parte di protestanti, nondimeno quel piccolo partito di presbiterani occulti ci fa star talora il più forte.

La fortuna del re è stata finora che la maggior parte di costoro amano la monarchia: ma considerando essi il bisogno che il re ha di loro, e che ogn'altro parlamento che, sciolto questo, si trattasse di ragunare, sarebbe tutto presbiterano, ed il primo atto sarebbe l'abolizione del vescovado, diventano ogni dì più insolenti e domandano al re tali cose che, concedendole, viene insensibilmente, dall'equilibrio per se stesso abbastanza dannoso della sovrana autorità, a far traboccare la bilancia dalla parte del parlamento. Dall'altro canto, la perpetua necessità in cui egli si ritrova di danaro, lo forza miseramente a ballare al suono dei capricci di quella inquieta canaglia: per lo che è difficile l'andare innanzi senza che una parte o l'altra ne tocchi, se non s'apre qualche nuova strada che per mera necessità riduca le cose in più proporzionato temperamento.

Sono così confidenti delle lor proprie forze i presbiterani, che non diffidano con qualche tempo di tirare anche il presente parlamento all'abolizione dei vescovi; e credo che la loro speranza si fondi sulla considerazione che, crescendo giornalmente il loro partito, quando sarà a segno formidabile, niuno dei parlamentarii averà renitenza ad abbandonare una religione che essi anche presentemente non credono. Così si ritroverebbe il re un altro parlamento con aver sempre mantenuto l'istesso; e a questo risico non può negarsi che egli non sia sottoposto, e che l'insussistenza della religione protestante non renda in qualche parte fondate le speranze dei presbiterani, ai quali, secondo che cresce il loro partito, non è dubbio che s'accresceranno ancora le migliori teste del Regno. Perché le religioni in Inghilterra non tengono molto attaccati gli spiriti, e dove questo freno non opera ciascuno ama naturalmente di mettersi da quel partito che si vede venir su in speranza di credito e d'autorità.

Presentemente (che non può domandarsi la soppressione dei vescovi perché il re e il parlamento si domanderebbon fra di loro la soppressione della religione che professano e che giurarono solennemente) si mette in campo, in quello scambio, l'atto della comprensione, che importa, oltre alla libertà delle coscienze, l'esercizio libero d'ogni altra setta, se pur la sola religion cattolica (com'è verisimile) non restasse esclusa. Non è dubbio ch'e' era ... di proporre il negozio l'istesso giorno che egli v'entrò: ragunatosi di buonissim'ora, passò un atto dirittamente contrario a questo disegno; onde il re, intesa abbastanza l'inclinazione degli animi, non venne al cimento. Non per questo disperano i presbiterani di poter fare il colpo, ben sapendo che non il zelo della religione, ma i danari e i rigiri e le pratiche dei vescovi infiammano di tanto fervore i petti di costoro, fra i quali non lasciano d'esser anche dei presbiterani, corrotti dai loro donativi; i quali però non averanno più tanta forza quando il re sarà persuaso di trovare la vera congiuntura per ottener quest'atto dal parlamento, essendo certo che allora prevarrà, all'allettamento di qualche danaro che potessero tirare dagli ecclesiastici, la considerazione degli avvantaggi che potranno sperare molto maggiori nell'esercizio libero d'una religione che, per esser affatto indipendente dal re, è abile a seminar fra i popoli, senza timore di punizione, le massime più adeguate allo stabilimento dei loro disegni.

Quello che sia per accadere al re quando quest'atto di comprensione sarà corso, è molto difficile a giudicarsi: prima, per esser cosa lontana e non potersi prevedere in quali congiunture egli sia per correre; e poi perché, dopo corso, in caos così confuso infinite cose possono nascere in un momento abili a farlo divenir vantaggioso o dannevole a questa o quella parte, contro ogni dritto di anticipata ragione. Certa cosa è che da principio il re vi troverebbe il suo conto, per l'immenso danaro che ne ritrarrebbe: e se egli pigliasse la congiuntura d'una guerra desiderata dal Regno, dopo aver aùto dal parlamento grosse assegnazioni di danaro per mantenerla, onde si trovasse armato in sul mare, e nell'istesso tempo consentisse all'abolizione dei vescovi, incorporando e subito vendendo i beni delle chiese, facendo a tutto questo, contro ogni espettazione de' suoi sudditi, succedere immediatamente la pace, è molto verisimile che egli si trovasse in uno stato tutto affatto diverso dal presente. E questo perché, dopo dispersa e impoverita la nobiltà da Enrico VIII, dopo scacciata la religion cattolica sotto la regina Elisabetta, dopo screditata e divenuta ludibrio dei grandi e degli infimi la religione episcopale, e dopo confuso e sconvolto tutto il Regno con la libertà di formar ciascuno nuove religioni a suo senno, non riman più altro braccio per la monarchia che la forza del danaro, la qual metta il re in stato di poter far senza il parlamento; da cui gli conviene al presente mendicare indegnamente il modo di sostener le guerre che egli intraprende, eziandio per l'avvantaggio de' proprii sudditi, i quali, paurosi non meno del proprio principe che de' nemici esteriori, l'armano a misura della necessità, e amano meglio di temer qualche cosa al di fuori che il non temer qualche cosa al di dentro. Di qui è che al presente la massima del re d'Inghilterra non è l'esser generoso, non l'esser clemente, non savio, non giusto, ma l'esser ricco e l'esser in concetto di soldato e di bravo: il primo, per assicurarsi sulla forza, e il secondo per profittare del genio vano e superbo dei popoli, che non sanno disistimare né disamare un principe che gli abbiano in concetto di gran capitano.

Un'altra cosa potrebbe megliorar lo stato del re, perché ell'è una di quelle che, perdendosi, l'ha indebolito. Questa è la religion cattolica, la quale non è dubbio che senza i consigli del cancelliere poteva al ritorno del re rimettersi in tale stato (con premere la libertà d'esercitarla, secondo l'intenzione che n'aveva il re) che al presente questo rimedio, che ancor è in erba, comincerebbe a dar colore di maturità. Ma secondo che il cancelliere era tirato dall'interesse che egli trovava intero nel ristabilimento de' vescovi, pauroso di ricondurre per questo mezzo il Regno sotto l'obbedienza di Roma, e dall'altra parte invaghito d'una certa gloria d'aver piuttosto nel Regno un modello che una copia di religione, distolse la mente del re dall'esecuzione de' suoi buoni pensieri, il che gli fu facile, insinuandogli un terror panico di nuove rivolte e di nuove e più irremediabili inquietudini.

Non è per questo che, essendosi egli accorto che quest'ombra di religione anglicana, in cambio di pigliar corpo andava sempre più dileguandosi, non avesse opportunamente incominciato a voltarsele contro favorendo i presbiterani, per non vedersi crescere a ridosso un partito formidabile, senz'aver con esso alcun merito d'aver contribuito alcuna cosa, dal canto suo, all'accrescimento della sua grandezza. Ciò facev'egli ancora, senza pregiudicarsi le paghe ordinarie ch'ei ricavava della sua protezione prestata ai vescovi; anzi, a misura ch'egli favoriva il partito contrario, le ritraeva più avvantaggiate, secondo che, quanto cresceva in essi la paura, altrettanto scemava la tenacità: ed egli sapeva così ben maneggiarsi nella discrepanza di questi due impegni, che senza il fulmine dell'indignazione del re durerebbe ancora nell'autorità, egualmente sostenuto dagli uni e dagli altri.

Ma tornando a quello che ci sia da sperare per la religione cattolica, son differenti i pareri. Credono i cattolici che l'impossibilità di veder pigliare mai alcuna buona piega quel disordinato governo, abbia finalmente a ridurre li spiriti alla necessità d'accordarsi in una religione che non sia incompatibile con la monarchia e col parlamento: e questa asseriscono non poter esser altra che la cattolica. Io non dubito punto che non dican bene: ma credo che, sì come i disinganni non si ricevono dall'altrui rimostranze ma si pigliano col proprio ammaestramento, ci voglia un così lungo tempo a disingannare l'Inghilterra, che un pezzo prima possa succedere tal mutazione di cose, che sbilanciando un'altra volta l'uguaglianza a queste due incompatibili autorità del parlamento e del re, non abbia più ad apprendersi per necessario l'andar cercando di quella religione che può essere più adeguata per collegarle, potendo bastar quella che sarà la megliore e la più confacevole cogli interessi di quella parte che rimarrà superiore.

Dicono i cattolici che il lor numero cresce ogni giorno e che l'atto di comprensione sarebbe il più vero mezzo di restabilire la religione nel Regno. I presbiterani si promettono l'istesso avvantaggio per la loro. Per dir chi s'inganni, ci vorrebbe altra intelligenza che non è la mia: tanto più che io non posso servirmi per regola della qualità delle persone che ho consultato, riconoscendo gli uni per cattolici troppo creduli, e poi gli altri per presbiterani troppo appassionati e perversi. Credo ben di poter dire che la nobiltà sarebbe cattolica e la gente ricca presbiterana: questa, non è dubbio ch'ell'è assai più considerabile di quella, ma non è per questo che non potesse rimanerle al di sotto, quando alla prima s'aggiugnesse la più gran parte della plebe; la quale in tal caso si arebbe da considerare com'una mandria di bestie esposta a due compratori, de' quali non c'è dubbio che i presbiterani, spacciando l'esca dell'interesse e lo spavento della tirannia del papa e del re, avrebbe qualche vantaggio, se non fusse per buona sorte che il genio della nazione (che per se stesso apparisce, come si vede che la libertà del credere, piuttosto che sciorla dall'ateismo, l'allaccia sempre più in nodi di nuove religioni) si lascia portar volentieri alla superstizione, onde averebbe per avventura meno inclinazione alla nudità della chiesa presbiterana che agli ornamenti sponsali di cui la cattolica si riveste, a più perfetta imitazione di quella nuova Gerusalemme creduta scender dal cielo in abbigliamento di sposa reale.

Parrà gran cosa che in questa sconcertata costituzione di religione e di stato non vi sia alcun rimedio profittevole al re per le cose sue: ma la ragione di questo s'intende assai presto se si considera il re intorniato dai suoi più fieri nemici, riconciliati a lui non da pentimento o da amore, ma dall'ambizione o dall'interesse. E questa fu massima del cancelliere nel restabilimento del re: di ripigliar con le cariche e cogli onori gli spiriti più inquieti e più turbati, le persone più popolari, gli uomini insomma più ambiziosi e più avari, e trascurar quelli che avevano azzardato e vita e avere per servizio del re: col supposto che questi tali, poiché s'erano riconosciuti onorati nei giorni dell'afflizione, lo sarebbero stati altresì in quei della gloria, e poiché avevano avuto tanto zelo infino a quell'ora, averebbero aùto nell'avvenire altrettanta discretezza da compatire il re, se nella violenza delle congiunture gli conveniva lasciare indietro i suoi buoni e fedeli sudditi per assicurarsi, colle mercedi dovute a loro, di quei nemici che non poteva distruggere il ferro; dandosi in tutto pace nell'espettazione di tempo migliore, in cui fusse lecito al re di ricompensare in abbondanza l'indugio delle loro rimunerazioni. Questa cattiva massima non era tanto appoggiata sulla fede e la discretezza di costoro, quanto sulla loro impotenza; la quale, essendo principalmente originata dall'aver ben servito il re, in cambio d'attirar loro avvantaggi, attirò disprezzo e confidenza di profittarne impunemente, in derisione dei loro meriti e delle loro speranze.

L'effetto si è che, sebbene questi tali soffrono costantemente i pregiudizi di un sì dannoso riscontro, non deve per questo il re pigliar le misure di prima sulla loro fedeltà quando le cose mutassero. E di tanto è misera la sua condizione, che senza poter mai credere d'acquistar, come ha fatto delle persone, anche i cuori de' suoi nemici, non può liberarsi dalle loro mani né remunerare gli amici: poiché è tanto il numero di quelli che lo tengono sì strettamente assediato, che non può nemmeno riempiere i luoghi che vacano per la morte naturale di essi ad arbitrio del proprio genio o piuttosto della giustizia, mentre gli conviene sempre disporre secondo le impertinenti intercessioni di quei che rimangano. Tanto che, a meno che non s'accordino a morir tutti in un tempo medesimo, non v'è apparenza che il re abbia per lungo tempo a disfarsi di simil razza di gente o d'allievi venuti su sotto la loro scuola, imbevuti delle loro massime, legati con gli stessi interessi, attaccati agli stessi partiti, fortificati colle medesime intelligenze, e finalmente persuasi dell'istessa verità: che il re né deve né può fidarsi di loro, che il fondamento della loro sussistenza appresso di lui non è e non può essere altro che il tenerlo abbandonato di amici in cui possa fidarsi, l'aver le mani nei parlamenti, il fomentar partiti, l'alimentar inquietudini, il mantenersi l'aura popolare, e insomma il rendersi necessari col tener il re in continua apprensione della loro condotta.

Questo è quel poco che della presente costituzione d'Inghilterra m'è parso di riconoscere così in generale; e sebbene è poco per impossessarsene l'altrui intendimento, può servir nondimeno per formar un giudizio accertato di quel che posson importare in progresso di tempo, in questo teatro, le qualità più intrinseche de' personaggi che vengo a descrivere.

RITRATTI DELLA CORTE D'INGHILTERRA

Il re e la regina.

Il re d'Inghilterra, se fusse un privato cavaliere sarebbe brutto, ma perché egli è re arriva a passar per uomo ben fatto. Ha la vita nondimeno assai bella, ed in ogni suo gesto è sciolto e avvenente della persona. Il suo colorito è bruno, ma d'un bruno che dà nel nero, neri i suoi capelli e nerissime le basette e le grosse ciglia. Gli occhi son chiari e lustranti, ma incassati stranamente nella fronte, il naso grande ed ossuto ma però ben fatto, la bocca larga e le labbra sottili, col mento corto e le guance segnate a traverso sotto gli occhi da due righe o grinze risentite e profonde, che partendosi dalla metà del naso s'avanzano verso l'estremità degli occhi, benché, a poco a poco assottigliandosi, prima d'arrivar svaniscono. Porta parruca quasi del tutto nera, la quale, per esser molto granata, in sulla fronte gli accresce tristezza, senza però darli alcuna tintura d'orrore: essendo bensì la sua aria funesta, ma non orrida; anzi, che una certa apparenza di riso, che gli viene dalla larghezza della bocca, rischiara e rammorbidisce talmente il crudo delle sue fattezze, che piuttosto alletta che atterrisce.

Della religione se la passa con disinvoltura: ma quando fosse obbligato a rifletterci, non crederebbe che fussi salute fuori della cattolica. Ha spirito grande e capace, e collo spirito maturità di senno e chiarezza meravigliosa d'intendimento. Niuno meglio di lui intende gli affari e niuno maneggia con più padronanza il politico. L'affabilità, la bontà, la clemenza, la mansuetudine sono in lui senza pari, ed ha buona legge nell'amicizia. Conosce a fondo il temperamento de' suoi sudditi, e in breve tempo sa ritrovare a ciascuno il suo tenero, e ritrovare il modo di farlo operare.

Dall'altro canto, i suoi più fieri nemici son l'applicazione e il negozio: idolatra i comodi, i piaceri e le burle, odia irreconciliabilmente tutto quello ch'è negozio ed ama con trasporto di genio tutto quello che è giuoco e divertimento. Gli uomini seri l'atterriscono, i faceti e gli allegri lo rapiscono. È generoso, perché non vuol la fatica di dir di no; del resto, sa odiar senza nuocere e sa voler bene senza giovare: quindi cresce in immenso il numero degli amici suoi, perché gli costan poco, e quelli che son più sfacciati a chiederli son più fortunati nell'ottenere.

Il solo amore lo fa liberale per elezione, e in questo caso non ha misura nel dare. Le sue inclinazioni son piuttosto lascivia dell'animo che brutalità de' sensi, godendo più del commercio dello spirito che di quel del corpo. Non è però che ancor questo non abbia voluto la sua parte: ora però, da qualche tempo in qua, pare che al diletto della sensualità subentri quello del bere in compagnia d'amici, senza osservar sempre, con sì esatto rigore, le misure della sobrietà.

Dicono che la cortesia e l'affabilità non sian talmente effetto di regia magnanimità, che non v'abbia qualche poca di parte l'abito fatto nella sua gioventù alle maniere troppo dimesse di povero e privato cavaliere: dal che forse avviene ancora, che nei princìpi della sua inclinazione si lasci talmente trasportare dall'impeto, che nelle finezze d'amante si scordi del decoro di re.

Degli esercizi del corpo il più odiato è la caccia, il più gradito la palla a corda. Si picca di grand'intelligenza nelle fortificazioni, per facilitare l'uso delle quali pretende aver trovate nuove regole, che in due figure di linee ha fatto improntare nelle faccie d'una medaglia. A sentirlo discorrere, mostra aver gran diletto d'ogni nobile curiosità, non escludendone quello delle nuove esperienze e delle cose naturali; ma se pur n'arriva ad aver qualche tornagusto, non arriva ad aver alcuna stima né delle cose stesse né di coloro che le professano.

La regina (mi disse un amico mio, al quale ne domandai avanti di vederla) è bella, perché non s'è mai sentito in questo mondo che una regina sia brutta. Nondimeno, chi la considerasse in qualità di dama privata ci troverebbe qualche cosa da dire. Primieramente, la sua statura per donna è piccola e per nana è un tantin grande. Il viso dal mezzo in giù è assai stretto, onde il mento ne rimane aguzzo: la bocca è grande e i denti spaventevoli. Arriva per disgrazia ch'ella gli mostra sempre perché sempre ride, ed accompagna il riso con certi scontorcimenti di testa e sporgimento di viso in fuore da cui, per tema di non pregiudicare al suo decoro, s'asterrebbe. Il naso è un poco piccolo, ma ben contornato, tondo assai, gli occhi sono angelici per la grandezza e per lo splendore delle pupille nerissime, la fronte grande, maestosa ed i capelli bruni e lucenti, in grandissima copia. Il colorito è un po' bruno per Inghilterra, ma candido per Portogallo, se pur non v'ha parte qualche piccola industria secondo l'uso dell'uno e dell'altro paese. Il portamento è giusto e l'abito ordinario, e più da vedova che da giovane principessa.

La sua educazione fu da principio sotto gli occhi d'una prudentissima madre; e poi, secondo lo stile di Portogallo, che non esclude le figlie reali tra le monache, in un convento. Il re don Giovanni suo padre lasciò morendo che, pervenuta all'età di maritarsi, fosse data al giovane duca d'Aviero. La regina madre, per vendetta d'antiche nimicizie colla madre del duca, non volle dargliela; ond'egli disgustato, subito che intese le prime aperture di trattato con l'Inghilterra, pensando di guastare ogni pratica fece intendere al cancelliere che l'infanta, per la gracile corporatura, per l'adusta tempera della complessione e per la straordinaria frequenza e abbondanza di mestrui, era resolutamente giudicata inabile alla generazione.

Questi ragguagli, che si vedono pur troppo veri, trovarono il cancelliere di già rivolto con ogni suo spirito alla conclusione del matrimonio di Portogallo, portatovi fin allora dal solo motivo di distrugger quello di Parma, non tanto per fuggire un'alleanza spagnola, quanto per deludere i negoziati del conte di Bristol, cui egli cercava, non meno per la via del discredito che per ogni altro mezzo, di rovinare. Ora aggiunto, per le suddette relazioni del duca, a questi due motivi di politica con la Francia e di vendetta contro Bristol, il terzo e quello efficacissimo dell'interesse della figliola, di già divenuta moglie del duca di York, mentre la sperata sterilità della regina assicurava la corona al suo sangue: non frappose un minimo indugio alla conclusione del matrimonio, che rimase effettuato con dote delle due piazze di Tanger e di Bombaim e di 2.000.000 cruzadi, metà all'arrivo della sposa e metà tra lo spazio d'un anno, benché questi secondi non sien ancora stati pagati. Fu promesso all'incontro dalla parte d'Inghilterra una continuata assistenza al Portogallo, fino ad ottenerli, o per via d'armi o di negoziato, una pace sicura e onorevole.

È la regina di spirito mediocre, per inclinazione portata alla pietà, o piuttosto alla superstizione: messe, rosari, vespri, sermoni e compiete fanno l'intero d'ogni sua applicazione. Fuor di questo, il suo maggior impiego è il ritrovarsi mattina e sera al cerchio, e quivi, su una sedia, tenere il fermo per tre o quattro ore del giorno ai cicalecci delle donne, dispensandone alle volte per giocare all'ombre. Ciò fa ella nell'istessa camera, e chiama indifferentemente al gioco e dame e cavalieri. Il resto del giorno lo passa o in dir avemarie o in taccolar con femmine, non dilettandosi né di lettura né di musica né di pittura né di cosa immaginabile che sia. Non ha né tra gli uomini né tra le donne della sua corte persona capace di governarla, non acquistando ella mai verso alcuno né confidenza né amore. S'irrita bene fuor di proposito e, presa una volta una dirittura d'aborrimento verso di un servitore, non v'è rimedio. Ha grandissima opinione di sé, della sua casa e del suo paese: di qui è che la riesce inflessibile nelle sue determinazioni, avendo per aggiunta alla dote ordinaria dell'ostinazione, che ha come portoghese, quella che le viene dall'esser donna e regina. È pericoloso con esso lei di entrare in paragoni tra le cose e i costumi di Portogallo e quelli degli altri paesi, perché, a meno d'abbassar questi sotto terra e innalzar quelli di là dal cielo, non si dice abbastanza per compiacerla, anzi si fa d'avanzo per offenderla. Non è già questa sua massima inganno della mente, ma affettamento dell'ambizione, che non vuol mostrare d'aver lasciato meno a casa il fratello, di quel che l'abbia trovato a casa il marito.

È per natura sensibilissima ai piaceri; ma, o sia virtù o dapocaggine, non solamente si contenta di quelli col re, ma si tempera dall'uso di essi il più ch'ella può: poiché, riconoscendo che l'uso troppo continuo, sia per soprabbondanza di sangue o per eccesso di diletto, le provoca purghe straordinarie e fuor de' suoi tempi, teme di rendersi troppo presto in istato di disperata figliolanza. Con tutto ciò non ha riguardo a mangiar le vivande piene di condimenti caldissimi, credendo di rimediare abbastanza coll'astenersi dal vino: e de fatto non bee che una sol volta alla fin della tavola, facendo allora una grandissima tirata d'acqua. È sottoposta a grandissime febbri ardenti, per una delle quali è stata una volta all'estremo. E questa fu la cagione che mosse il cancelliere a indurre il duca di Richmont a sposare la Stuard contro la volontà del re, mentre riconoscendo egli nella sua bellezza un alimento per lungo tempo ai fervidi amori del re, e nella chiarezza del suo sangue discendente da progenitori reali un sufficiente splendore per esser regina, il re non avesse così subito dove voltarsi con apparente sicurezza di successione ma gli convenisse cercar fuori del Regno la moglie, con perdimento di tutto quel tempo che porta seco la conclusione de' matrimoni reali; con l'aggiunta di tutto quello che egli in avvantaggio dei figlioli del duca si prometteva di far correre, inutilmente frapponendo ostacoli alla conclusione d'ogni partito. E questo fu il suo maggior equivoco perché, toccato il re nella parte più sensitiva, cominciò a dar orecchio a di quei rapporti del cancelliere che per innanzi non aveva voluto udire; e indottovi per questa via a riconoscerne la sussistenza, gli trovò veri.

Ha la regina di suo appannaggio dal re sessantamila lire sterline: di queste il re ne ritiene ventimila e piglia sopra di sé la tavola per lei, per le sue dame e per tutti quelli che devono averla della sua corte, la stalla, le livree, i salari della servitù bassa, e una parte delle provvisioni della servitù nobile, che terrebbe una regina eretica, perché per quelle cariche che ella ha di più per esser cattolica ho detto che alla servitù nobile il re paga una parte delle lor provvisioni, e per questa parte s'intende l'antico emolumento che avevano quelle cariche, secondo le vecchie tasse della casa reale, quando il danaro era in Inghilterra più scarso e per conseguenza valeva più. Ora però essendo cresciute tali provvisioni, tutto il di sopprappiù resta a carico della regina. Il maggior peso poi che le resti è il mantenimento della sua chiesa, che oltre alla cappella privata di Whitthall ha nel palazzo di Giacomo, dove va tutti i giorni di festa attraversando il parco. Questa (compreso il convento de' francescani portoghesi, fabbricato da lei di pianta, che sono undici sacerdoti compresi i domenicani e i benedettini, che fra tutti sono altrettanti e ha ciascuno fra due abiti l'anno da secolare, comprese le provvisioni del grand'elemosiniero, di quattro elemosinieri ordinari e di sette o otto tra cappellani e chierici) importa da ottomila lire sterline. Vi sono poi i regali che si fanno alle figlie d'onore, e gli straordinari quando si maritano, benché in questo non ci sia altra regola che del proprio genio e della propria generosità.

E a questo proposito dirò che l'uso di questi regali alle figlie d'onore, soliti a farsi tanto dal re quanto dalla regina, sono introdotti per supplire alla tenuità degli assegnamenti ch'elle hanno dalla casa del re, che consistono nella tavola, nelle stanze e in dieci lire sterline l'anno, con obbligo di vestirsi del loro.

Niuna però in quella corte è così goffa che non sappia procacciarsi degli alimenti e straordinari, e le governanti, la cui paga è di quaranta lire sterline l'anno, sono assai discrete per lasciarli godere i frutti della loro industria. Avanti d'uscire di questo proposito dirò che alla corte d'Inghilterra non è l'istesso figlia e dama di onore (anco lasciando da parte la prima dama d'onore): poiché le figlie hanno da esser fanciulle o almeno non maritate, e queste non solo non possono entrare in camera della regina, ma di rigore (il che una volta si praticava; benché nell'inclinazione del re, abilitandone or una or un'altra, abbiano messo generalmente la cosa in abuso) non doverebbero entrare nemmeno nel gabinetto o camera di parata, ma stare in quella di presenza, che noi diremo del baldacchino. Le dame d'onore entrano in camera, e queste sono delle principali della corte e del Regno, che non cavano da tal titolo altro che l'onorevolezza.

Tornando adesso all'appannaggio della regina, parrebbe che ella avesse d'avere in avanzo un grandissimo danaro, non delettandosi di nulla e nulla spendendo d'attorno alla sua persona. Con tutto ciò non ha mai cento lire nello stipo, dando tutto a tutti che gli chieggono, pur che sian portughesi: così non ce n'è grande né piccolo, né prete né frate, né donnicciuola né marinaro, né barcaruolo di quella nazione che non viva, sin che ce n'è, a spese della regina. Un grande scolo per la sua borsa è don Francesco di Melose e la sua sorella. Questa venne a Londra per esser sua prima dama, benché, sorpresa da una debolezza di vista che s'avanza a gran passi all'intera cecità, non entrasse nemmeno in possesso della carica, ma si ritirasse in una casa particolare, dove sta tuttavia, occupata sempre in esercizi di pietà, senza veder mai nessuno, venendo rarissime volte, scusata dalla sua infermità, a veder la regina. Il fratello, che al presente si ritrova all'Aia e che verisimilmente, finita quell'ambasceria, ritornerà con l'istesso carattere a Londra, vive ed è vissuto, si può dire, da che egli uscì di Lisbona, in sulle braccia della regina, invaghita della vanità d'avere un imbasciadore di Portogallo alla corte d'Inghilterra; alla quale non avendo mai voluto accudire il conte di Castel Migliar, benché cugino di don Francesco, ella, seguendo il costume del suo genio ostinato, s'esibì di sostenerlo a sue spese e n'ebbe la grazia.

Per i servitori inglesi, riscosse che gli hanno le loro paghe non c'è da sperar altro: e per quel che tocca gli effetti della protezione in qualche occorrenza, non vi sia né inglese né portughese che se l'aspetti, tanto è ella lontana dall'ingerirsi o da riscaldarsi per chi che sia, mercé dell'adombramento che le fanno ancora nell'animo le paure fittele dal cancelliere per levarle ogni animo dall'intraprendere alcuna cosa. Non è per questo che, s'ella volesse, non fosse capace di far fare al re molte cose: non per gran condotta che sia in lei, ma per quella natura che è nel re, di sapere scuotere il giogo a qualunque ha l'ardire di mettergielo, e di lasciar fare anche ben bene una cosa quando trova che un altro si mette a farla per lui. S'aggiugne ch'ei l'ama per la sua bontà e, sebbene non arriva ad averne stima, glien'acquisterebbe quando ella cominciasse a tormentarlo con l'importunità e col domandare. Da principio passarono delle freddezze reciproche, perché, trovatasi ella a far muso, s'accorse presto che il re nella materia di amore muta natura, non ammettendo burle né suggezione. Ora però s'è accomodata a portare in pace la sua croce, ammettendo di buona voglia e con disinvoltura alla sua presenza, con madama di Castel Main, i suoi piccoli figli ancora.

Il duca e la duchessa di York.

Il duca di York ha le fattezze del viso più contraffatte di quelle del re: con tutto ciò ne risulta una certa fierezza, che sostituisce l'idea di principe feroce all'aria, che gli manca, di bel cavaliere. La sua statura, benché minore notabilmente di quella del re, è nondimeno giusta e il colorito si può dir chiaro; del resto, tutti i contorni del volto son risentiti: la fronte quadra, gli occhi grandi, gonfi e turchini, il naso piuttosto grande e curvato, le labbra pallide e grosse col mento un poco aguzzo. Porta parrucca tra bionda e bruna, e bionda ha la barba e le ciglia; solo il portamento non accompagna, non accordandosi punto con quel carattere di maestà severa che serve in lui di bellezza: cammina frettolosamente, curvo e senza decoro, e la maniera del vestire, sempre positiva e trascurata, accompagna la poca avvertenza di tutti i suoi movimenti.

Abbiasi religione o non l'abbia, l'animo suo non acquista né perde tranquillità, lusingandosi con la credenza che, se la religione è necessaria a salvarsi, ogni religione è buona. Il concetto ch'egli ha di bravo gli ha nociuto assai più che la morte del padre, la povertà e l'esilio: poiché, accreditato dalle sue azioni nelle guerre di Fiandra, dove comandò un reggimento servendo alla Spagna, appresso i popoli d'Inghilterra arrivò ad esser desiderato re in concorrenza del fratello, e fino in tempo di Cromuell s'adoperarono (impediti dalle pratiche maneggiate da un gesuito) per farli sposare una sua figlia e stabilire in lui la corona, supponendo che il benefizio di farlo ingiustamente re potesse prevalere alla offesa d'averli ammazzato il padre ed oppresso iniquamente il fratello. Questi motivi d'amore e di stima, procacciatili dall'opinione del suo coraggio--che, come ho detto altrove, è l'esca più propria per allettare alla suggezione del loro prencipe i popoli d'Inghilterra--, risvegliarono tal gelosia nell'animo del re al suo ritorno, che per renderlo altrettanto odioso e aborrito promosse il matrimonio colla figliola del cancelliere, allora figlia d'onore della principessa d'Oranges, insinuandogli un appetito di gloria nel mantenerle, per atto di generosa gratitudine, collo sposarla ciò che le aveva promesso, per impeto di fervida concupiscenza, in goderla.

Tutte le difficoltà, che i barlumi della ragione svelarono in quest'affare alla mente giovenile del duca, furono supite dall'arti del cancelliere e dal poco zelo de' suoi più cari servitori. Pure, la cosa è qui e forse il re n'è pentito, prevedendo che la sterilità della regina non è talmente ricompensata dalla fecondità della duchessa che possa (attesa la bassa qualità del suo sangue) tener sotto abbastanza gli spiriti inquieti del Regno; molti de' quali si darebber pace né andrebber con sua presente inquietudine facendo il letto alle sedizioni avvenire, quando vedessero per mallevadore della regia stirpe un principe nato di sangue reale, senza infezione di popolarità e di vassallaggio. Ed è certo che, venendo a mancare il re, come si trova al presente, senza figlioli, quand'anche si trasportasse quietamente la corona sopra la testa del duca e senza interrompere il riposo della pubblica tranquillità, l'averla a lasciare ai figlioli avuti dalla duchessa gli costerebbe almeno qualche applicazione di vantaggio, che non farebbe forse quando gli avesse avuti d'un'altra donna in cui non fusse la tara del vassallaggio.

È il duca impetuoso e violento, e per conseguenza il più delle volte inconsiderato ed irragionevole; nelle cose politiche non penetra molto addentro, perché il suo spirito rozzo e impaziente non lascia fermar gran tempo nell'esame delle cose, ma lo determina a seguire alla cieca gl'impulsi delle prime apprensioni. Si fa nondimeno bene spesso dei padroni, e dopo la prima elezione non gli è così facile il sottrarsi dal loro imperio: ed ha sempre la mente, com'una cera, presta a ricevere e ritenere indelebilmente ogni leggera impressione delle loro massime, senza reflettere se la ragione o l'interesse o la malignità o l'ambizione le somministri. Ad ogn'altro fuor che a costoro è inflessibile, vengasi pur chi che sia armato, non che di ragione, dell'istessa evidenza. Vive in buona unione col re, né tutto per forza né tutto per elezione. Ama la moglie, ma non l'idolatra com'una volta: ed ella, che conosce il suo debole, gl'ha messa una briglia che, sebbene talora s'allenta, è però difficile che arrivi del tutto a sciogliersi. La disapplicazione in lui sarebbe uguale a quella del re, se in quello l'obbligo, tanto maggiore, ch'egl'ha del continuo, non la facesse apparire in lui incompatibilmente più grande. Nelle inclinazioni della sensualità egli è a rovescio del re, mentre, poco curando i più nocenti preparativi delle dolcezze, non vede l'ora di venire allo sfogo d'una velenosa brutalità. Si picca straordinariamente nell'intelligenza del suo mestiere, nell'esercizio del quale risente con senso delicatissimo gli stimoli della gloria, la quale non può indursi a spartire con chi che sia. È grandissimo cacciatore, tira benissimo per aria e quasi sempre da cavallo. È cortese ed affabile co' forastieri, parla diverse lingue, ma tutte dentro la mediocrità, e nel discorso è poco felice in esprimersi, poco nel gestire, e in nulla ha maniera e carattere di principe.

Presentemente apparisce quieto, dopo grandi agitazioni eccitate in lui dalla moglie per l'avvenimento del suocero, e forse non andrà molto che Conventry ritornerà seco nell'antica pace e confidenza; con tutto che l'onnipotenza di quella donna e la sua scoperta maniera di cooperare alla rovina del cancelliere l'abbiano precipitato dal posto ch'egli teneva nella sua grazia. Il che quando segua, sarà un effetto di quell'impotenza che è nel duca, di liberarsi da uno a cui s'è dato una volta.

La duchessa è la più schietta e sincera donna del mondo, perché discopre apertamente nel viso tutto quello che ha di dentro. Per non perder gran tempo nel suo retratto, basterà, per vederla effigiata nel vivo, qual dovrebb'esser nel di fuori una donna che internamente non ha né religione né fede: una donna ostinata, superba, vendicativa, iraconda, sfacciata, ingannatrice, disprezzante, crudele, e idolatra della gola e dei piaceri. In queste poche parole si rinchiudono tutte le relassazioni che passano per una verità confessata generalmente per bocca di tutti e accreditata dall'odio e dall'aborrimento universale de' suoi servitori più interni (ai quali ell'è insopportabile per il disprezzo, per la ingratitudine e per l'alterezza), della corte, della casa e di tutt'a tre i Regni. Del resto, ben si può credere che una simil natura non può sussistere senza gli alimenti di un grande spirito, che le sfavilla fino per gli occhi, con un lume di baleno che in cambio di confortare spaventa. Dicono che sia stata assai bella, e ben lo rende verisimile la poco accertata resoluzione del duca nello sposarla. Ora però il soperchio grasso, ond'ella di giorno in giorno va raggiugnendosi, ha talmente alterato la proporzione d'una bellissima vita e di un vaghissimo viso, che a gran pena si raffigurano nell'altezza della statura, nella delicatezza del colorito e del petto (perché le guance sono un poco irruvidite da qualche macchia di vaiolo) e nel diluvio dei capelli castagni.

Tanto si può dire di questa donna, a non voler offendere indegnamente la verità per misurare con troppo rigore gli ordinari temperamenti, inventati per pubblicar con rispetto i vizi e i mancamenti dei grandi.

Il principe Ruberto.

Il prencipe Ruberto, cadetto della casa elettorale di Eidelberg, ha dai primi anni seguitato sempre la fortuna della casa d'Inghilterra, dove venne fino dal tempo del morto re per procacciarsi la sua. Nelle guerre civili ebbe qualche comando, finché, ribellatisi alcuni pochi vascelli del parlamento, egli ne fu fatto ammiraglio; e andato con essi nell'Indie Occidentali per vedere d'assicurare al vivente re, che allora si trovava in Francia, qualcuna di quelle piazze, sopraggiunto da uno urcan in vicinanza d'una dell'Antisole, si salvò con un paggio e un valletto di camera sopra uno schifo, e vedde perir davanti a' suoi occhi il vascello. Tornato in Europa e sbarcato a Marsiglia, seguitò poi sempre il re, approfittandosi di tutte l'occasioni che ebbe durante l'esilio della famiglia reale, d'ammaestrarsi nell'armi. Dopo il ritorno del re ha comandato più volte in mare, e in ogni occasione ha dimostrato un prodigioso coraggio, che sarebbe ancora più riguardevole se fosse tutto effetto d'animo obbediente all'elezione di una mente intrepida, e non ci avesse (come molti vogliono) una grandissima parte l'inconsideratezza e la temerità. Di qui avviene che le operazioni della sua testa non si stimano nelle battaglie a un gran pezzo quanto quelle del suo cuore, benché in ogni esecuzione sia infaticabile e che il posto di capitano non gli serva per esentarsi, anche senza bisogno, da ogni minuta obbligazione di soldato privato e di marinaro. E veramente è incredibile la sua perizia nell'arte della marineria e in quella dell'ingegnere, arrivando a perfezionare con le proprie mani--che per l'uso continuo della lima, dello scalpello e dell'ascia son sempre mai ferite e callose--qualunque artificio meccanico che gli venga in testa di fare. Si diletta di odori e di chimica ed intende assai bene molte cose dell'istoria naturale. È affabile, cortese e obbligante, senza abusar punto il decoro di prencipe nell'uso de' modi, che son più propri di gentil cavaliere. Entra in parlamento come duca di Cumberlant e cavalier dell'ordine, entra nel consiglio privato senza però aver le prime participazioni negli affari più intimi; ha quartiere in palazzo e tira dal re una pensione di quattromila misere lire sterline l'anno. V'è chi lo mette in cielo per l'ottimo discernimento nelle materie politiche, ma di quelli ai quali mi sono abbattuto a domandarne, ho trovato che i meno sono di questa opinione. Nell'ultima battaglia, dopo la vittoria, sdrucciolando disgraziatamente sul vascello, cadde e battendo la testa su un chiodo ne fu ferito, onde bisognò trapanarlo ed ebbe che fare a guarire. Ora apparisce che non stia bene: credo però che la parte sia remasta debole, e vi porti di continuo qualche difensivo occultato dalla parruca. È il prencipe forse in età di 51 anni (ma in questo posso ingannarmi), altissimo di statura, scarso e svelto di vita, ha aria nobile ma non bella, avendo il viso lungo, secco, bruno e macchiato dal vaiolo, gli occhi bianchi e profondi, il naso aquilino, la bocca grande e le labbra sottili. Il suo vestire è presentemente positivo e trascuratissimo a maggior segno, e il trattamento di gran lunga inferiore a quello di molti principali cavalieri di Londra. La sua qualità non gli fa pigliar suggezione di nulla, andando con tutti e per tutto, sino a mangiare nei pubblici ordinari della città, pagando ancor egli il suo scotto, com'è lo stile anche della prima nobiltà in Inghilterra. Nasce questa sua libertà parte da disinvoltura, parte, può anch'essere, da spender meno di quel ch'ei può: il che si vede ancora dalla moderazione con cui si governa ne' fervori eziandio delle sue inclinazioni, le quali (almeno da un pezzo in qua) non gli costano grand'applicazione né gran tesori. Quanto alla religione, bench'ei sia calvinista non lascia d'intervenire col re alle preghiere de' protestanti, essendo in questa materia il suo genio facile ed accomodativo.

La regina madre.

La regina madre si contenta presentemente della figura che ella ha fatto e dell'autorità che ella ha àuto altre volte in Inghilterra; e, paga del potere avuto sul genio del marito insieme col disinganno, apportatole dall'infelice fine di quello, che le sue massime non son buone per dirigere i re d'Inghilterra, si dà pace del suo presente riposo da tutti gli affari: e si chiama contenta di quegl'atti di riverente stima ch'ella riceve giornalmente dalla persona del re nel suo palazzo quand'ella si ritrova in Londra, e d'ottantamila lire sterline l'anno che, dovunque ella sia, le son pagate profumatamente, metà per ragion de' frutti dotali e metà per pensione lasciatale dal morto re.

Se ne vive ella da un pezzo in qua quasi sempre in Francia, data talmente allo spirito che riesce, non meno che alle sue dame e figlie di camera, indiscreta e intollerabile esaminatrice d'ogni minuta fragilità di ciascheduna della sua corte.

Il duca di Monmouth.

Giacomo, duca di Monmouth, figlio naturale del re, nacque in Francia d'una donna inglese che s'era dedicata ai diletti dell'una e l'altra nazione. Conosciuta carnalmente dal re nel tempo de' suoi travagli, si scoperse gravida e gli accreditò il figliolo per suo. Fu perciò dato ad educare a un bastardo del duca di Bellegarde chiamato La Soccarière, benché passi universalmente sotto il nome di m.r di Montbrun, appresso il quale stette sempre, fin tanto che il re suo padre fu richiamato nel Regno. Allora chiamollo a sé, facendolo duca e cavalier dell'ordine; e quando fu in età di quattordici anni gli fece sposare una privata dama di Scozia, giovanetta ancor ella di prima età, non bella di fattezze ma bella di leggiadria, erede della sua casa e ricca di seimila lire di rendita, le quali son tuttavia amministrate independentemente dalla suocera. Perché, quanto al duca, si renderebbe in breve con nulla: di suo non ha altro di fermo che mille lire sterline della carica di gentiluomo della camera.

Bellissimo di vita e di volto, dove appena appariscono i primi segni di barba, ma debolino, ignorantello e freddo a maggior segno. Infelicissimo nel discorrere e nel complimentare, con tutta la scuola di Francia, la pratica della corte e la conversazione di tanti prencipi. Il genio lo porta ai piaceri del senso e del vino: in quest'ultimo da qualche tempo in qua è più rimesso, nei primi è di facile contentatura, e bene spesso ha pagato nelle mani dei medici la pena della sua troppo vile e incauta sensualità. È ora tornato nuovamente dal viaggio di Francia, dove ha dato maggior sodisfazione alla vista delle dame che ad alcun altro de' loro sentimenti, essendo in lui maggior la pompa che l'utile, in riguardo ai maggiori bisogni di quel sesso.

Del motivo del suo viaggio ci sarà luogo altrove di discorrerne. Il re ne vive perduto e mena smanie di non poter cavare alcuna bella forma d'uomo da così bella materia di giovane: averebbe desiderato di metterli attorno qualche uomo di garbo, acciocché gli stillasse con la conversazione il diletto del sapere; ma la sua natura, che ama più le pratiche di persone basse e insensibili allo strapazzo, che d'uomini di condizione e d'onore, è stata cagione che qualcuno, a chi n'era stato dato de' tasti, se n'è ritirato con buon modo, prevedendo che con esso seco o bisogna tornar ragazzo o perder il credito, o tollerare strapazzi o finalmente rompersi. Quanto ha potuto impetrare il re è stato un piccolo principio d'applicazione, che presto è svanita, allo studio delle lingue, delle quali non parla se non quelle due che egli ha apprese per necessità. Con tutto ciò il re non sa moderar punto il suo tenero amore verso di lui, che lo sforza talora abbracciarlo e baciarlo pubblicamente. Ha quartiere in palazzo, ch'è quanta prerogativa gli porta la mescolanza che è in lui del sangue reale, non distinguendosi nel rimanente in alcuna cosa, secondo lo svantaggioso costume che si pratica in Inghilterra co' bastardi del sangue reale, che non si considerano e non si riconoscon per nulla. Il re gli ha data un'arme, dov'è fra l'altre inquartata quella d'Irlanda, e nel parlarli, tacendo sempre il titolo di duca, lo chiama sempre col proprio nome.

Il generale Monk.

Il generale Giorgio Monk duca d'Albemarle, famiglia inglese della provincia di Devincer, fatta grande in persona del vivente duca, è d'età di 66 anni: corto e grosso di statura, senza garbo di cavaliere e senz'aria di gran capitano. È un buon uomo e così pieno di coraggio, che non rimane in lui alcun luogo per dar ricetto ad altre virtù, fuori che a quella della costanza verso il re e della sincerità verso gli amici suoi. La grande esperienza, però, l'ha reso uomo che intende meglio d'ogn'altro il paese. Anzi, la sua condotta non varrebbe l'istesso altrove, non avendo fuori d'Inghilterra veduto molto. La sua maggior taccia è la lentezza nel risolvere, ed il suo maggior pregio è la celerità nell'eseguire, anzi, l'esser egli mai sempre il primo all'esecuzione; vive contento delle sue ampie mercedi, s'ingerisce di poco, ama il riposo: ha l'ambizione, al pari dello spirito, moderata; fuma, beve ed ascolta tutti.

Lord Arlington.

Milord Arlington, di casa Benet, fa presentemente la figura di primo ministro, e per verità ha gran potere sullo spirito del re. Fu da principio semplice aiuto del duca di Bristol, sotto la di cui scuola prese le prime notizie degl'affari; di poi fu segretario del duca, si trovò ne' maneggi di tutti i negozi del re in Francia, passò alla corte di Madrid, dove eseguì con lode le sue commissioni servendo utilmente e con somma fede il suo principe. Fu sempre del partito del duca di Bristol; al ritorno del re fu tesoriere della borsa privata, fin tanto che, a dispetto del cancelliere, fu fatto segretario di stato.

È egli generoso amico degli amici e assai affabile nel trattare, quantunque da alcuni, fuori al parer mio di tutta ragione, sia tacciato di troppo altiero. I suoi talenti son più vicini alla mediocrità che alla maraviglia: con tutto ciò non sono tanto inferiori al bisogno, che con l'aggiunta della sua fede il re non ne possa esser contento. La sua maggior imperfezione è l'esser poco paziente nell'ascoltare il soperchio degl'altrui consigli e la gran presunzione di se medesimo. Con tutto ciò merita d'esser considerato per il miglior servitore che abbia d'attorno il re, il quale vogliono alcuni che abbia avuto, oltre ai sopraddetti, due altri motivi d'amarlo: il primo, l'avergli messa ...; l'altro, l'avergli revelato molti andamenti del duca nel tempo ch'egli era suo segretario. Quello che è ammirabile in lui è la moderazione colla quale si vale col re medesimo del suo favore, quantunque ei conosca meglio d'ogn'altro quanto potrebbe tiranneggiarlo, attesa la sua natura inabile a difendersi dalle violenze di tutti quelli ai quali si getta in braccio. Si comporta ancora con gran rispetto verso il duca, secondo ch'ei considera con discreto avvedimento anche il tempo avvenire e le cose possibili a succedere in quello.

Gioseppe Williamson.

Non per ragion di posto, ma bensì di ragione e di stima e di stretta unione con milord Arlington, di cui è presentemente primo commesso, parlerò in questo luogo del cavaliere Gioseppe Williamson. Questo è gentiluomo, di quei che in Inghilterra (come dirò trattando della nobiltà inglese) chiamansi di costume. Visse un tempo nella sua gioventù scolare in un collegio di Oxford, assai povero compagno: fu per mezzo del vivente arcivescovo di Cantorbery, allora vescovo di Londra, dato a servire nella segreteria di stato, avanti di milord Arlington. Questo giovane, essendo accorto e diligente, arrivò a esser suo primo commesso: e secondo che il cavaliere era assai vecchio, egli, che di già aveva viaggiato in Francia in qualità di governatore d'un privato gentiluomo chiamato Tomas Lee, e possedendo assai bene la lingua francese, con qualch'altra ch'egli aveva studiato per istinto di mera curiosità, instrutto di qualche conoscenza degl'affari del mondo, arrivò in brevissimo tempo a rigirare egli solo tutti i negozi della segreteria. Intanto, reso il signor Niccolas sempre più inabile dalla sua età all'esercizio della carica, ingannato da qualcuno nella credenza che il re fosse per conferirla al figliolo, si lasciò indurre, senz'averne altra sicurezza che la speranza, a renunziarla nelle mani del re, che immediatamente la diede al cavalier Benet suo tesorier privato, che è milord Arlington presentemente.

Questi, la prima cosa ch'ei fece fu il levar subito il cavalier Williamson dalla segreteria considerandolo come creatura intima del suo antecessore: ma riconoscendone ben presto la necessità per le cognizioni ch'egli aveva degl'affari, lo richiamò in poco tempo nel posto di prima, dove seguita ancora, ritenendo seco strettissimo legamento di massime e di confidenza. Di qui nasce la stima verso di lui del re e della corte, la finezza e le dimostrazioni d'ossequio dei ministri e dei principi, e finalmente i grossi emolumenti che egli tira dalle sue cariche, avendo, oltre a quella della segreteria, quella d'esser guardiano degli scritti del re, o per dir meglio, della corona,--la produzione de' quali essendo spesse volte necessaria alle Camere de' parlamenti e alle persone private, gli vale un danaro considerabile,--e inoltre sottosegretario del consiglio: che in tutto, con altri minuti vantaggi, si dice avergli fatto un peculio di quarantamila lire sterline di denar contanti.

Egli è uomo di grande statura e d'assai buona presenza, accorto, diligente, ossequioso, affabile; parla bene l'italiano, lo spagnolo e il francese, scrive con ogni possesso il latino; non presume di se medesimo, e perciò è curiosissimo d'informarsi da chi che sia delle cose che ei non ha intese; ha aura d'ufficioso e di saper conservar con rispetto e con fede i suoi vecchi amici. Molti se ne lodano, altri se ne dolgono: chi dice che finge le sue buone parti e chi sostiene che le sieno radicate nel fondo più cupo della sua natura. Non ha gran fondamento fuori di quelle cose che per natura della sua carica gli son passate fra mano; e la filosofia e la teologia scolastica studiata in Oxford è quasi tutto il forte della sua erudizione: e insomma non ha posto o fortuna quella corte d'Inghilterra, di cui egli oramai non sia giudicato capace.

Il conte di Bristol.

Son due soggetti in Inghilterra che meritano con giustizia il titolo di grandi, benché né l'uno né l'altro faccia presentemente la sua figura.

Il primo, che è il conte di Bristol, dell'antica famiglia di Digby, l'ha fatta in altri tempi, e il mondo gl'ha fatto giustizia con gli applausi dovuti. Egli è cattolico senza suggezione, buonissimo soldato e buonissimo politico. Nel suo primo mestiere di segretario di stato non è creduto aver molti pari: milord Arlington e Francesco Slinsebey, già suoi commessi, attestano, scrivente lui, aver loro dettati nell'istesso due dispacci per Francia e per Irlanda: uomo indefesso nello scrivere altrui.

Fu nemico del cancelliere, ed il principio dell'inimicizia fu in Francia quando c'era il re; s'avanzò grandemente in Fiandra e divenne irreconciliabile sull'affare dei due parentadi del re e del duca. È un pezzo che ei si provò a rovinare il suo nemico colla temeraria accusa, non provata, di tradimento, di vendite d'uffizi al ritorno del re, di mezzi indegni per il matrimonio della figliola col duca, e del fine di pregiudicare alla successione reale con l'elezione dell'infanta di Portogallo. Dicono che in tale occasione mutasse religione: che che si fosse dell'interno, certa cosa è che in Inghilterra, a voler esser sentito in parlamento, basta non esser provato ricusante.

È sfortunato nei figli. Il primo, che è maritato, è impotente: s'è tagliato la pietra ed è quasi fuor di cervello. Maister Digby, che è il secondo, è capitano di vascello ed è il meno infelice. Andò a Roma per battersi col conte di Sunderland della famiglia Spenser, che furono favoriti al tempo d'Oduardo secondo. Questo, trovandosi in punto di dover sposar la figlia secondogenita del conte, partì improvvisamente d'Inghilterra e se n'andò in Italia, benché dopo il duello s'inducesse a sposarla, dopo essere stata rifiutata dal conte d'Oxford e da altri. Le figliole son tre: una maritata al baron di Pola in Fiandra, non veduta dal padre; la seconda è Sunderland, detta di sopra, e la terza è fanciulla.

La caduta del cancelliere ha dato campo agli amici suoi di richiamarlo dall'esilio, in cui è stato pellegrinando per il Regno, sconosciuto, sotto varie forme, durante il tempo della sua disgrazia. L'apparenza è stata di mera generosità del re; ma il braccio più forte è stato quello di milord Arlington, che riconoscendo da lui i princìpi e gli avanzamenti della sua fortuna, gli professa gratitudine; ed è cosa rara e degna di grand'ammirazione il rispetto con cui ne parla.

È finalmente il forte del conte di Bristol la spada, la penna, gl'ornamenti, la poesia; il debole, la prodigalità e le lascivie.

Robert More.

L'altro soggetto non è tanto conosciuto di qua dal mare, ma questo che vengo di nominare non si sdegnerà per avventura di vederselo così d'appresso. Egli è il cavalier Robert More, famiglia principale di Scozia, benissimo imparentato e fatto cavalier dal vivente re: buon soldato, buon dottore, buon ministro; generoso, caritativo, magnanimo, non si cura di nulla, niun'ambizione, indifferente a ogni avvenimento di fortuna. L'uomo è per temperamento il più iracondo del mondo, e non veduto mai in collera da nessuno. Accusato dal cancelliere e da altri suoi nemici, di mago e di nemico del re, non scapitò mai nulla. È presbiterano, ma come buon suddito e buon consigliere del suo prencipe, lo persuade per suo bene a sostenere i vescovi. È uno de' tesorieri del Regno di Scozia, di dove va e viene; ma il re lo tiene volontieri là, come uomo nettissimo di mano e di cui si fida. L'averebbe fatto conte, ma egli non mostrò di curarsene.

Nell'armi s'è ammaestrato in Francia, dove ha servito prima luogotenente e poi colonnello (s'io non erro, che non lo credo certamente) del reggimento scozzese. Ama ed intende ogni sorte di letteratura, ed è stato uno dei principali promotori della Società Reale. È sempre lodata la sua fermezza nell'amicizia e la sua generosità nel sovvenire agl'amici. Uomo insomma, detrattone l'error della religione, ornato di quelle virtù morali che hanno reso illustri gli uomini più riveriti nel cristianesimo. Tutto il suo debole consiste in un odio troppo apparente, e non punto necessario a tal segno, contro di Roma e del papa, portando sempre appresso di sé un catalogo di tutti i luoghi della Scrittura che possono stirarsi a stimar Roma Babilonia, e il papa Antecristo; col quale nome il re è solito chiamarlo continuamente per piacevolezza.

Il duca di Buckingam.

Giorgio Villers, secondo duca di Buckingam, dopo il titolo conferito a suo padre dal re Giacomo, di cui fu favorito, è un uomo pieno di vizi e pieno di virtù. Da giovane rovinato nel partito del re, perduti i beni, visse gran tempo fuggiasco per l'Italia e la Francia, fintanto che, avendo gl'amici suoi rivolto a suo favore il Fairfax, questi domandò ed ottenne dal Cromuell il suo ristabilimento. Gli diede per moglie una sua figliola così deforme, che poi, per meritare la continuazione degli abbracciamenti del duca, gl'ha servito e gli serve di fida ed efficace mezzana per il contentamento de' suoi più alti desideri.

È il duca ancora assai giovane e bellissimo della persona. Si tratta alla grande, veste e mangia con lusso, gioca benissimo a tutti i giochi, fa a maraviglia tutti gli esercizi cavallereschi; intende molto addentro nella geometria e nelle meccaniche, nella filosofia segue la via sperimentale e le operazioni chimiche; informatissimo degli affari del mondo e giudiziosissimo nella discussione delle materie politiche. Cortese, affabile, generoso, magnanimo, liberale fino alla prodigalità dove si tratta di donare, tenace fino alla sordidezza dove si tratta di pagar quel ch'ei deve. Mirabile è la sua facondia nel dire, ed incontrastabile per la sua persuasiva, agevolmente efficace e discreta. Bravo della sua persona, come ha dimostrato in molte occasioni ed ultimamente nel famoso duello col conte di Shreusbery, che in sustanza è morto della sua ferita; uomo insomma adorato dal popolo e amato e applaudito dalla nobiltà.

Dall'altro canto, ateo, bestemmiatore, violento, crudele e infame per le lascivie nelle quali è così rinvolto, che non c'è sesso né età né condizione di persona a cui la perdoni. Il suo genio però lo porta agl'abbracciamenti più vili: di qui è che i bordelli più appestati sono i suoi rigiri più graditi, ed i lacchè più ribaldi le sue delizie più care, onde fra l'uno e l'altro ha fatto raccolta di mal franzese infinito. La natura, che forse prevedeva l'abbandonamento di questo cavaliere alle più sfrenate sensualità, cercò di renderlo inabile alla concupiscenza de' maschi, con un sì discreto artifizio che potesse renderlo altrettanto più proprio e gradito alle donne. Ma, al vedere, non ha servito, perché egli, senza alcun discreto riguardo, ci lascia pensare agl'altri; come ben lo sa un ballerino, impedito ultimamente per qualche tempo dall'esercizio del suo mestiere, e un povero lacchè franzese che, ridotto in grado miserabile, onde gli era necessario il mettersi sui pubblici spedali, una mattina si trovò scannato sulla strada di Londra.

Dicono che il duca non faccia altro presentemente che ricattarsi di quel che fu fatto a lui nella sua più tenera età, con questa differenza però: che niuno fece mai a lui quel che non volle, dove egli fa spesso ad altri quel che essi non vorrebbero. In materia di coraggio una sol volta diede materia di meraviglia, con la sua non necessaria tolleranza. Andava il re incontro alla principessa reale sua sorella che veniva d'Olanda, e rimontato a cavallo su non so qual posta, dove per la scarsità delle cavalcature bisognava trasportarne molti degli stracchi, arrivato il prencipe Ruberto e vedendo il duca di Buckingam di già rimontato sul cavallo fresco senza farli alcun atto di civiltà in offerirglielo, piccatolo da principio assai discretamente di poco cortese e quello rispondendo piuttosto in modo da maggiormente irritarlo, accesosi il prencipe lo prese per una gamba e, tiratolo in terra, montò su egli e tirò innanzi. Veramente si trovava il duca in quel tempo impedito dal braccio diritto, ed avendogli il re immediatamente aggiustati, non poteva con giustizia proseguir la querela. Poteva bene, al parer d'ognuno, passato qualche tempo, proccurarne una nuova: tanto più che, essendosi battuto in Francia il cavalier Leveston, in oggi milord Naiburg, col prencipe Odoardo fratello d'esso prencipe Ruberto, non si poteva allegare alcuna inconvenienza che impedisse il mandare una disfida a un cugino del re. Non per questo si deve far torto alla bravura del duca il quale, essendosi tant'altre volte cimentato con lode per cagioni leggerissime, essendo la maggior parte delle sue querele derivate da amori e da gelosie, altro non si può dire se non che in quell'occasione s'ingannasse nella scelta d'una resoluzione troppo rispettosa verso il suo prencipe.

L'arcivescovo di Cantorbery e il vescovo di Rocester.

Gilberto, arcivescovo di Cantorbery, è di nascita assai ordinaria, com'è la maggior parte di tutti i vescovi d'Inghilterra. È uomo finissimo, e che ha spirito e talento grande; l'apparenza è tutta mansuetudine ed il di dentro tutto malizia. Era amico del cancelliere, ed ha proccurato di sostenerlo in faccia del re: perciò non è presentemente benissimo visto alla corte. Si tratta bene, fa gran tavola e vive con delizia nel suo palazzo e giardino di Lambet dall'altra parte del fiume. A Oxford fabbrica a sue spese un magnifico teatro di pietra viva, per tenervi le conclusioni che al presente si tengono nella chiesa dell'università. Questa credo che si possa contare per l'azione più zelante ed apostolica di quel prelato, il quale nel resto è come tutti gli altri di quel paese. M'ha detto una persona ben informata, che senza barba non si stimerebbe gran cosa sicuro il rigirarseli d'attorno.

Essendo entrato a parlar d'ecclesiastici, dirò due parole del vescovo di Rocester, divenuto considerabile da poco in qua per uno spiritoso attentato ch'ei fece di voler metter le mani nel fesso davanti a' calzoni di milord Mun, giovanetto proprio per l'età ma non per la bellezza del volto, e d'accreditare le cattive interpretazioni date dalla corte all'intenzione di questo prelato. L'effetto si è che il pover uomo è in assai misero stato per lo scandolo universale che l'indiscrete ciarle di quel giovane hanno seminato tra quella canaglia dei presbiterani, i quali non solo hanno operato di farlo assentare dall'incarico che aveva, d'esser uno de' vescovi assistenti alla sedia del re in cappella, ma volevano farli perdere la chiesa. È ben vero che, s'ei non fusse stato sì stretto amico del cancelliere, la cosa non sarebbe andata tanto al palio com'ella è ita; ed è fatto, mi dicono, che non è questo il primo sentore che si ha dell'inclinazioni di questo prelato. Pure la cosa è qui, ed egli paga per questo verso più la costanza verso l'amico vecchio che la fragilità verso il giovane. Fu ridicola, a questo proposito, la risposta che diede un solenne presbiterano in parlamento a un fratello di questo vescovo. Si discorreva dell'atto di comprensione, dal quale il presbiterano protestava che non dovess'esser esclusi i cattolici, sostenendo ciò con efficaci motivi di ragione. Quand'ebbe finito, disse il protestante a quello che gli era allato, in modo però da esser sentito: «Si vede che questo signore ha il papa in corpo». Levatosi su il presbiterano: «Certo», rispose, «assai più volentieri il papa in corpo, che il vescovo in culo».

Il conte di Manchester.

Il conte di Manchester, ciambellano del re, subalterno del conte Lindesey gran ciambellano, è il vero retratto dell'accidia: e veramente niuno può dolersi di lui se dopo averlo veduto in viso ne rimane ingannato. Per descriverlo in poche parole, anch'egli s'è messo dalla parte del re quando non poté far di meno: fu ben de' primi a discostarsi dal prencipe e dal resto (delle forze) più nemiche della monarchia. S'egli è uomo da bene ha gran disgrazia, perché, quantunque le sue parole, i suoi gesti, i suoi risi sian tutti dolcezza, tutti innocenza, tutti umiltà, nessuno gli crede e anzi mostrano d'esser tutti persuasi ch'egli sia uno de' maggiori furbi del mondo e che in quella testa non ci sia altro che il far danari in qualunque modo. Dal re ha tutto quel che domanda, benché glielo dia malissimo volentieri. Egli, se lo sa, non perciò si disgusta: piglia allegramente, e dopo una cosa ne dimanda un'altra, ottenuta anche quella si rifà da capo.

Il duca d'Ormond.

Giacomo Butler, duca d'Ormond, viceré d'Irlanda, s'introdusse col re nelle sue disgrazie, benché nel consiglio e nel maneggio delle cose pubbliche e private si mostrasse in ogn'occasione uomo di poca intelligenza e di mediocre accorgimento. Fece il soldato in Irlanda, in Francia, in Inghilterra, e da per tutto lasciò poca reputazione di valoroso. Ritornato col re, fu quasi l'unico de' suoi servitori che ricevesse mercede, essendo prontamente stato rimunerato col titolo di duca e con la carica di primo maiordomo della casa, e finalmente viceré d'Irlanda, che è il maggior grado, per dignità e per emolumento, che conferisce alcun prencipe cristiano europeo a' suoi servitori. In tutti questi maneggi ha mostrato il duca venalità infinita, facendosi conto che in sei anni che egli è stato in Irlanda, contro la massima fondamentale di non lasciarvi allignare il viceré oltre il primo triennio, sia per riportarne 60.000 lire sterline. Grandi sono stati i richiami e le strida dei popoli, ma lo sforzo del favore l'ha sostenuto. Si crede non sia per aver la terza conferma nella carica, ma che in quello scambio sia per darglisi quella di gran tesoriere, che vaca presentemente per la morte di milord Southampton, benché vi aspirino il vescovo di Londra, milord Ascheley e milord Hollis. Per ora viene amministrata da cinque commissari deputati dal re, che sono il generale milord Ascheley, il cavalier Tommaso Clifford, il cavalier Conventry e il cavalier Giovanni Duncombe, creatura intima di milord Arlington.

Milord Robertz.

Milord Giovanni Robertz, guardiano del sigillo privato, è uno di quegli uomini che s'è messo nel cuore di voler vedere quanto sa veramente campare un poltrone. La sua condizione è bassissima, venendo addirittura da un padre conciator di pelle, il quale, avendo con la sua arte rammassato di grandissim'oro, poté opportunamente sovvenire il re Giacomo in qualche suo bisogno, onde fu da lui per ricompensa fatto cavaliere e barone. Questo suo figlio, adunque, essendo divenuto cognato di Manchester, per esser le prime moglie dell'uno e dell'altro sorelle, ne' tempi delle rivoluzioni seguì sempre la sua fortuna, non in favore del re né del parlamento (benché fossero stati de' primi autori delle rivolte), ma formando un terzo partito, pronto ad accudire ai vantaggi dell'una e dell'altra parte, secondo il miglior riscontro che avessero trovato i loro interessi. Ritiratisi pertanto nella provincia di Cornovaglia, dove per la situazione de' loro beni sono essi, per così dire, i signori e vi hanno grandissimo seguito ed autorità, levarono quivi un piccolo corpo d'armata sotto il comando di Manchester (questo è l'istesso di quel di sopra) e la luogotenenza di esso Robertz, che non vedde mai faccia di nemico: e la sua gente fu in brevissimo tempo dispersa. Chiariti pertanto da questo e da altri avvenimenti, s'applicarono seriamente a stabilirsi col re e a travagliare al suo ristabilimento, patteggiando con esso, come tutti gli altri, ricompensazioni alte e indiscrete. Ciò venne lor fatto molto bene, e a Robertz toccò il sigillo privato, offizio molto considerabile in Inghilterra, dovendo passare per le sue mani tutte le materie di grazie personali e che non passano in perpetuità nelle famiglie, poiché quelle debbono passare sotto il sigillo grande del Regno. Da questo è assai facile intendere i due capi principalissimi onde questa carica è riguardevole, portando necessariamente seco l'adito continuo appresso il re e le ricompense e i donativi di tutti quelli che ricevono grazie, le quali può egli tassare a suo arbitrio. Egli però si vale con gran moderazione del primo e disprezza interamente il secondo: il che dicono alcuni non nascere in lui da virtù, ma da abbandonamento d'animo ai propri piaceri e da trascuraggine e disapplicazione alle cose sue, benché per altro sia uomo sottile ed accorto e procuri di tenersi bene con gli altri principali ministri.

È ben il vero ch'ei se ne vive quasi sempre a Gelsery, in una sua villa discosta da Londra un miglio in circa; di dove dicono, a proposito della sua infingardaggine, che volendo il re due anni sono, all'avviso dell'ingresso della flotta olandese nel fiume Chathan, raunare il consiglio, e perciò mandatolo a chiamare su un'ora un poco straordinaria, egli recusò d'andarvi per non interrompere il suo passatempo di giocare alle pallottole. È il suo temperamento ostinato, superbo, rozzo, indiscreto; ingordo di vivande, di tabacco e di vino, grand'amator di dame, e solamente vago degli agi e dell'oziosità del vivere.

Non è già così il figliolo, essendo egli giovane savio, cortese, giudizioso e aggiustato, e che già fa assai buona figura nella Camera bassa. È ben curiosa l'istoria del suo accasamento. Al ritorno del suo viaggio d'Italia cominciò egli a praticare in casa della moglie d'un certo Butteville, la quale ne' tempi addietro fattasi amica di Cromuell e di quanti soldati desiderarono la sua amicizia, si separò dal marito o, per dir meglio, ei medesimo se n'allontanò dichiarando la seconda delle due figlie, che aveva bellissime, per non sua. Questo giovane, praticando domesticamente in questa casa, dove si viveva con libertà proporzionata a un bordello, s'innamorò fieramente di questa seconda, contro la quale, oltre la presunzione disfavorevole dell'esser figlia d'una tal madre, militavano ancora diverse chiacchere, fomentate dalla passione che per lei avevano tre giovani cavalieri, tra' quali più particolarmente il conte di Cesterfil. Pur ei la sposò. Il padre sulle furie stette tre o quattro anni senza volerlo vedere, ed il suocero parimenti non ne voleva saper nulla. Questo giovane, disperato, monta un giorno a cavallo, se ne va in Cornovaglia dov'era il padre, se gli butta ai piedi, gli mostra il ritratto della moglie e gli dice che costei fu la cagione del suo fallo. Il buon vecchio, che non aveva finalmente il cuor di pietra, guardatala e riguardatala, gli entrò a traverso e, scusato interamente il giovane, ritornò seco da quel punto in tranquillità ed in pace. Per lo che, tornato il figliolo con la moglie in casa, il padre rimaritato di poco con una giovane e bella donna, trovarono il modo di star d'accordo (vogliono dire alcuni) per la discretezza del padre e per la saviezza del figlio. S'aggiustorno poi anche col padre di lei, in questa forma: che egli lascierebbe erede questa figliola, essendo l'altra di già morta, con che Robertz pagasse un tanto l'anno a lui e un tanto (se non erro) alla moglie, benché in divorzio, obbligandosi di più a dar al figliolo mille lire l'anno per mantenimento suo e della moglie. È ben vero che, venuto quest'uomo a morte, instituì un altro erede, lasciando solo quattromila lire alla figliola per sua legittima, la quale essendo stata fatta apparire maggiore per l'onnipotenza del Finkio, che in questo caso ha messo sottosopra cielo e terra, è stato giudicato invalido il secondo testamento, e Robertz è entrato in possesso di tutta l'eredità, che sarà intorno a duemila lire d'entrata. Di suo averà da sedicimila scudi.

Padre e figliolo son presbiterani ed ambedue gelosissimi, sapendo forse che razza di donne egli hanno alle mani. La madre di lei per certa malattia perdé il naso, ed essendo stata a curarsi in Francia, ne tornò con un posticcio così galantemente aggiustato, che con tutti i cinquant'anni che ella ha sulle spalle non lascia di apparire una bella e fresca donna.

Il conte di Lauderdal.

Giovanni, conte di Lauderdal, scozzese, commissario deputato dal Regno di Scozia appresso al re, si può dire che sia la serpe tra l'anguille, e tutto il suo male consiste nell'esser troppo conosciuto. I suoi talenti naturali son grandi, le maniere d'operare son soprafini: niuno meglio di lui sa inventare, ed è l'uomo più proprio per formar partiti e distruggerli secondo l'esigenza de' propri fini. Nelle sue mani è tutto il rigiro della religione e dell'interesse del suo paese, e la sua carica portandogli la domestica introduzione col re, gli dà campo d'insinuar le sue massime e di far provare l'efficacia delle sue arti: dicono, assai più spesso in pregiudizio de' suoi nemici, e forse talora degli indifferenti, che in vantaggio degli amici. Tutti gli voglion male ed egli vuol bene a pochi. Il suo impiego ordinario è di fumare e di bere, ma né il tabacco né il vino lo cavano mai di scherma, anzi si serve dell'ubriachezza per farsi meglio valere col re, il quale si piglia gusto de' suoi discorsi, particolarmente quando lo vede in tale stato: egli s'accorge di servir di trastullo, ma si fa pagar caro il trattenimento che altri piglia di lui, anzi fa mercanzia del far ridere. Nei tempi andati fu contro il re, ed una lunga prigionia l'ammaestrò nella cognizione dell'istorie, per l'assidua lettura ch'ei prese a farne; ed al presente è questo il forte de' suoi adornamenti, come l'astuzia e il rigiro è quello delle sue abilità e, può dirsi, della sua presente fortuna.

Lord Ascheley.

Milord Ascheley Cooper dicono che sia di nascita oscurissima, arricchito per l'eredità d'uno di questo cognome. Cominciò con l'ipocrisia a rendersi necessario ai rigiratori delle turbolenze. Cambiò poi molte volte di partito secondo il vento e fu sempre infedele a tutti, finché, resosi necessario al re nel suo ristabilimento, ne ha riportato per quest'ultimo servizio la ricompensa che non meritava per la sua passata condotta. Egli è fatto ora barone e pari del Regno, del privato consiglio, e tesorier delle prese, la più bella carica per rubare che sia in Inghilterra, con cent'altri impieghi che l'hanno fatto ricco. Uomo scaltro, che fa il semplice e non lo è, fa l'amico di tutti e non l'è di niuno, ha parole melate e cattivissimi fatti, non ha alcuna politura d'erudizione né abilità che trascenda la pratica delle cose ordinarie del Regno, non essendosi mai internato nel maneggio degli affari stranieri. È presbiterano, ed il suo maggior talento è d'introdurre un negozio e di venirne a fine secondo il suo intento, non già per una superiorità di spirito ma per una prodigiosa affluenza di rigiri, di bugie, di partiti e di cabale. Ha avuto due moglie: questa che ha presentemente è bella e disinvolta in tutti i generi. Ha un figliolo unico, che dicono maritarsi adesso.

Il conte d'Anglesey.

Arthur, conte d'Anglesey, è un uomo che tra la natura e la gotta hanno reso una figura ridicola, non potendosi dire né stroppiato né sano. Egli è alto di statura, ha capelli corti e ricciuti, la testa è quasi calva, il viso lungo e macilente, il colorito tra pavonazzo e verde, gli occhi spaventosi: ha la bocca aperta, come se sempre volesse ridere, benché mai non lo faccia. È reputato uomo di pochissimi talenti, bugiardo, avaro, ingannatore, che in tutte le sue cariche è stato lacerato dal popolo, stimato affatto senza religione, che non ha mai servito il re se non quando non ha potuto farne di meno e che ha creduto trovarvi il suo utile.

Tutto il lustro maggiore della sua famiglia comincia in lui, come anche la sua ricchezza è divenuta in poco tempo grandissima, e la tesoreria d'Irlanda amministrata da lui per molti anni può renderne buon testimonio. Adesso il re gli ha fatto scambiare la sua carica con quella di tesoriere dell'armata navale, posseduta dal cavaliere Giorgio Carteret, indotto a levarla a questo per sodisfare alle strida de' soldati e de' marinari della flotta, i quali, necessitati dalla fame che la di costui avarizia faceva loro stranamente soffrire, sono stati più volte in procinto di gettarlo in mare e di scannarlo in terra; il che averebbero fatto se gente del suo partito non se gli fosse levata in aiuto. Anche il parlamento l'intendeva male contro di lui e voleva procedere a una rigorosa revisione de' conti delle somme immense passate per le sue mani in quest'ultima guerra: tanto che, non meno in riguardo del primo che di questo secondo motivo, è convenuto al re levarlo di quella carica, mandandolo in quello scambio (tanto può il partito di questa gente con quel povero prencipe) a dilapidar l'erario d'un altro Regno.

Due cavalieri.

Il cavalier Guglielmo Maurizio, segretario di stato, nell'istessa riga di milord Arlington, è un vecchio decrepito, consumato negli affari e che alle volte ha fatto gran figura alla corte, ma ora il favore del suo collega lo rende affatto scuro e di niuna considerazione, rimanendoli appena l'esercizio della sua carica nelle cose di niun rilievo.

Il cavalier Conventry, della casa Willielms, figlio cadetto d'un conte Conventry che fu tesoriere del Regno, è uomo civile, ornato di belle lettere, e che mostra grand'affabilità. Ne' tempi passati, dopo aver viaggiato gran parte dell'Europa, ridottosi in Inghilterra sui principi delle guerre civili e mescolatosi negl'affari, in tutti i maneggi che egli ebbe, prima contro e poi in favore del re, acquistò titolo di prudente. Servì da principio nella carica di segretario della marina, e fu sua creatura diletta. Ora però è in disgrazia, per esser anch'egli entrato nella cabala con milord Arlington, il duca di Buckingam ed altri nemici del cancelliere per rovinarlo. È stimato uomo di abilità ma di poco cuore e di spiriti bassi, benché, a dire il vero, non abbia mai fatto azione d'acquistarsi tal fama. La sua mira è d'arrivare un giorno a esser segretario di stato. La sua taccia è d'ingrato e di simulatore.

Lord Hollis.

Denzil milord Hollis è fratello d'un conte e per conseguenza (come chiamano in Inghilterra) nobile d'estrazione. Dalla sua gioventù è stato sempre impiegato negli amori e nei negozi. Ha viaggiato il mondo, è intendentissimo dei paesi, dei costumi e degli affari stranieri. Introdotto dall'anno quaranta nella Camera de' comuni, fu dei capi più principali delle sedizioni ed uno dei più fieri nemici di quel povero principe, il quale avanti la sua ruina volendo perderlo, si vedde sollevar contro tutta la plebe di Londra per coprirlo dalla sua vendetta. Riconoscendo egli poi che la fortuna non gli manteneva a un gran pezzo le sue promesse nel governo popolare, dopo aver vissuto un tempo ripentito delle sue macchine, ridotto a vivere con sospetto di Cromuell e del governo, gli venne fatto di rimettersi nel servizio del re, ed inviato in Francia con titolo d'ambasciatore, ha dimostrato, tanto in quell'ambasciata quanto in quella di Breda, d'essere uno spirito sottile, ferace di partiti e di temperamenti, e atto al maneggio de' grandi affari. Il suo tratto è disinvolto, ed anzi troppo rispettoso che poco cortese. La sua generosità è splendidezza, e piuttosto da prencipe che da privato cavaliere. Comincia ad essere attempato, ma né i negozi né gli anni gli hanno potuto mai levar del capo la galanteria.

Il conte di S. Albano.

Arrigo Germain, conte di S. Albano, cadetto della sua casa, che non è grandissima, fu paggio della camera di presenza della regina madre d'Inghilterra: bellissimo giovane, che per merito di bellezza fu sempre grato alle donne. Ottenne per primo frutto di qualche nascente favore, d'esser fatto cavaliere, di cavaliere amante; d'amante, seguitando con gran costanza le avverse fortune della sua dama, arrivò, finite quelle, al titolo di barone e finalmente alla carica di primo maiordomo della regina, che tuttavia ritiene. Uomo splendido, fortunato, liberale, giocatore: uomo, insomma, che ha l'aura de' cortegiani ma non la stima de' soldati né quella de' ministri; la prima pregiudicatasi in qualche occasione, la seconda nel maneggio di questi ultimi negoziati, corsi avanti l'ultima guerra tra l'Inghilterra e la Francia, che tutti passarono per le sue mani. Presentemente non fa gran figura alla corte, avendo contribuito unitamente a screditarlo il baron de Lisola e l'ambasciator d'Ispagna, facendogliele apprendere, com'egli è in effetto, per un uomo che ha giurato nelle massime del consiglio di Francia e che non opera con altra mira che di promuovere a qualsivoglia costo dell'Inghilterra i vasti progetti di quella corona. Egli però, senza l'ambizione della corte, trova di che vivere, abbondantemente contento nelle sue delizie e ne' suoi piaceri, all'uno e all'altro de' quali è dato straordinariamente; e la borsa della regina madre, che sta sempre aperta a tutte le sue voglie, gli somministra ampiamente il modo di sodisfarsi. Comincia ad esser attempato, è assai corpolento, ma con tutto ciò se gli riconoscono nel volto i tratti d'una maravigliosa bellezza.

Samuel Morland.

Il cavalier Samuel Morland è un uomo che per ragione di qualche straordinaria abilità nell'aritmetica, nelle meccaniche e nell'intelligenza delle cifre è in qualche considerazione col re. Egli era studiante nell'università di Cambridg quando Cromuell, assaporati casualmente i suoi talenti, lo tirò appresso di sé per fare un allievo; e crescendo ogni giorno verso di lui la confidenza e l'amore, lo messe a parte degli affari. Maturato con questa pratica e rischiarito con questi lumi l'intendimento del giovane, fu inviato a Turino in qualità di residente, di dove passò a Ginevra col titolo di ambasciatore appresso quella repubblica, per accreditare con queste speciose apparenze il falso zelo del suo signore. Ritornando in Inghilterra per la strada di Francia, si legò di parola col padre d'una giovane normanda, ugonotta di religione,--della quale era venuto con animo d'innamorarsi sulle relazioni avutene in Ginevra da una sua cugina,--di tornarla a sposare; e benché allora gli convenisse passare il mare per la fretta che gli faceva il Cromuell, nondimeno non passò un anno che le nozze seguirono. Aveva egli in quel tempo uno stipendio di sopra tremila lire sterline, con promessa d'esser avanzato alla carica di segretario di stato alla morte di quello che allora ne godeva il titolo e l'apparenza. Niuna cosa giunse mai a sua notizia di cui egli, con suo rischio infinito, non facesse consapevole il re, fino a salvar la vita a lui e al duca suo fratello, che doveva essergli tolta in vicinanza di Londra in casa di un traditore. Era costui stato guadagnato dai partigiani del re, per riceverlo nascosamente in una sua villa in compagnia del duca; ma considerando egli il caro prezzo che poteva cavare di questi due prencipi, fu a trovare il cavaliere e, pattuito un prezzo di quarantamila lire sterline, gli scoperse la pratica. Il cavaliere ne spedì subito avviso al re, che non aveva per anche passato il mare, e poi si portò a significare al Cromuell il suo negoziato con quella buona persona, che fu benissimo ricevuto; ma la cautela dei prencipi, anticipatamente avvertiti, fece riuscir vana l'espettazione del protettore. Morto il Cromuell e rimasti divisi i corpi dell'armate, cominciò ad accorgersi il cavaliere che i fini del Monk erano favorevoli al re; ma conoscendo lo svantaggio delle sue truppe, e che venendo a giornata col Lambert e col Fairfax sarebbe stato battuto senza fallo, seminò opportunamente tali differenze e intimò tali gelosie reciprocamente tra questi due capitani, per l'addietro unitissimi, che non solo gli venne fatto d'indebolire le loro forze, ma di sfiorire eziandio e quasi affatto sbandare le loro truppe in avvantaggio di quelle del Monk, sulle di cui forze affidati i popoli cominciarono a gridare «Viva il re!» da per tutto il Regno.

Pochi giorni avanti la chiamata del re il cancelliere volle pigliare una riprova infallibile de' suoi sentimenti verso di lui, in questa maniera. Gli scrisse una lettera colla cifra ordinaria del re ed in persona dell'istesso re, nella quale gli domandava, per compimento di tanti e sì rilevanti servizi resigli, volesse dirli schiettamente come s'era portato il suo cancelliere, e quanto poteva promettersi della sua fede nell'avvenire. Il cavaliere, che amò meglio l'esser fedele al re che al ministro, gli rispose che, quanto alla fede, l'aveva riconosciuta sempre integrissima, che del resto non aveva il cancelliere per il maggior politico del mondo, e che avrebbe desiderato in lui maggior circospezione nel parlare: non perché avesse mai mancato, ma sulla sola considerazione che il silenzio era l'anima de' grandi affari. Ciò diceva egli perché il cancelliere, vanissimo millantatore d'ogni suo pensiero, appena concepiva una cosa vantaggiosa per il re, che la gola d'esserne applaudito l'induceva a farne tante confidenze a questo o quello, che o prima o poi inciampava nella spia del Cromuell, e il bel disegno svaniva. Ora chiaritosi il cancelliere per questo verso del Morland, ed assicurato con qualche artificio ch'ei non tornerebbe a parlare al re sopra questo particolare, non gliela perdonò mai. Procurò il cavaliere con un viglietto di scusarsi seco: confessando il fatto e giustificandosi il cavaliere fece sempre a lui credere che l'ingannasse. Basta, che le sue remunerazioni finirono in un titolo di cavaliere baronetto ed una pensione di 500 lire. Il suo temperamento è maninconico e un poco eteroclito, e le sue applicazioni hanno dato campo a' suoi emoli di screditarlo col re, facendolo passare per filosofo: onde, toltone il divertimento della curiosità, non ha di lui grandissimo conto; e per verità i talenti nel politico non son maravigliosi.

Ambasciatori alla corte.

Don Antonio Messia de Tovar y Paz, conte di Molina, ambasciator cattolico alla corte d'Inghilterra, è un garbatissimo cavaliere per quel che risguarda l'affabilità, la gentilezza, la generosità e la cortesia; ma il suo mestiere non è quello di ministro, perché sebbene cerca di supplire con l'applicazione e con la diligenza a quel ch'ei non può arrivare con gl'avvantaggi d'un grande spirito e con una certa superiorità a' negozi, in ogni modo si richiederebbe qualche cosa di più, particolarmente in una corte dove, per lo scompartimento dell'autorità tra il prencipe e i sudditi, ci vorrebbe uno spirito operativo e rigiratore. Il suo mestiere è stato sempre in cose dell'azienda reale, e quando passò in Inghilterra partì da Brusselles dove esercitava la carica di *veidore*, la quale aveva tenuta già molti anni: anzi, l'unico motivo di mandarlo a Londra fu per avervi una persona accettata al re e grandemente benemerita di esso, atteso i rilevanti servizi che mediante l'imprestito di grosse somme di danaro aveva reso quando visse in Fiandra, non altrimente che in qualità di privato e di povero cavaliere.

È il conte piccolo di statura, pieno di vita e assai bianco in volto. La sua età, secondo l'apparenza, passa di poco i quaranta anni. Ha moglie brutta. Si tratta nobilissimamente: fa tavola, usa con rispetto e cortesia infinita verso di tutti, il che alla corte gli ha acquistato benevolenza universale. Ha un mendo, ossia infirmità, attribuita ordinariamente dai medici a sublimazione di vapori ipocondriaci, che obbligandolo spessissimo a chiuder fortissimamente l'occhio destro e a torcer la bocca verso quella parte, gli contraffà stranamente il viso facendolo parere apopletico.

Del conte di Dona, imbasciatore di Svezia, ne diedi ragguaglio quest'inverno mentr'ero all'Aia, dove egli si trovava con l'istesso carattere d'imbasciatore agli Stati Generali: per lo che, tralasciando il discorrerne, trapasserò al baron de Lisola, inviato straordinario dell'imperatore. Questo degnissimo soggetto non ha bisogno né d'esser dato a conoscere né d'essere lodato da me, essendosi egli reso abbastanza riguardevole co' scritti e co' suoi negoziati in tutte le corti d'Europa, benché si potesse forse dire che la sua missione sia stata di mal augurio a tutti quei prencipi appresso i quali è andato a risiedere in qualità di ministro, non mancando chi attribuisca a' suoi negoziati l'estremo pericolo di Danimarca nell'assedio di Coppenaghen e l'invasion della Pollonia. Egli è uomo che, a giudicarlo dall'esteriore, non è molto lontano dai sessant'anni, di statura giusta, macilente di vita e di volto, e d'aria piuttosto tetra e funesta. Il negozio è la sua applicazione, il negozio il suo sollievo, il negozio il suo nutrimento. Parla come nativo le quattro lingue: spagnola, francese, italiana e todesca, benché sia della Franca Contea. Scrive a meraviglia e parla sempre come egli scrive, infervorandosi così presto nel ragionamento che, lasciando la forma di discorso familiare e passando agli argomenti, deduce le sue ragioni con sì belle prove e le illustra con sì belli esempi, che par piuttosto di sentir leggere un libro che parlare un uomo. Conosce però quel ch'ei vale, ed è grande svantaggio di chi si ritrova seco ed ha le mani negli stessi affari, potendo esser certo che la figura la vuol far egli; e spesso si scorda troppo interamente del compagno per salvar l'apparenza, com'è intravvenuto ora in questi negoziati di lega tra l'Inghilterra e l'Olanda, nei quali il conte di Molina, con tutto il carattere d'ambasciatore, ha ricevuto gli oracoli dall'inviato cesareo, benché si agisse principalmente dell'interesse del suo padrone.

È il barone uomo di somma religione verso Dio e di zelo ardentissimo verso il suo prencipe; del resto è uomo onnipotente, e che non ha misura nella forza delle sue parole e nella efficacia dei maneggi ch'egli inventa per operare. Insomma il maggior ministro che abbia forse la casa d'Austria e forse l'Europa tra le corti dei prencipi. È ammogliato e la moglie, che comincia a esser d'età, benché raffinata seco in tutti i viaggi, in tutte le corti e fino per l'armate di Pollonia e negli assedii, dove si trovò la regina o il marito, con tutto ciò non ha quel tratto né quella nobiltà di maniera che da una tal donna s'aspetterebbe. Ha una figliola unica di grandissimo spirito, la quale ha maritata ultimamente al baron Spran fiammingo, nativo di Lovanio, giovanetto di diciassett'anni ed assai bel cavaliere.

Monsieur de Ruvigny, inviato straordinario di Francia, è avanzato nell'età ed ugonotto di religione. È uomo attentissimo ed indefesso nell'applicazione del ministero, si trova sempre per tutto e pensa a tutto, ed è difficile occultare a' suoi occhi cosa che sia. Mentr'ero in Inghilterra la qualità di ministro francese non gli arrecava grand'aura nella corte: onde si riduceva più volentieri nel gabinetto della duchessa, che tuttavia si considera come francese, che in quello della regina, e la sua quotidiana conversazione era in casa del conte di S. Albano, chiamato universalmente l'inglese ambasciatore di Francia in Inghilterra. È Ruvigny cortese, savio e posato, e in niuna cosa, fuori che nella vivezza dello spirito operativo, se gli riconosce alcun carattere di francese.

Trapasso gli ambasciatori d'Olanda perché, non vedendosi mai in alcun luogo, confesso il vero che non m'è troppo sovvenuto domandare quel che si sieno: è ben vero che, per quanto ne ho sentito casualmente discorrere, non ho trovato chi abbia gran concetto della loro sufficienza, e certa cosa è che non fanno figura corrispondente al lor posto.

Forastieri alla corte.

Dirò adesso di qualche forastiero che ho trovato alla corte. Mi sovviene in primo luogo, come persona di già stabilita in Inghilterra da parecchi anni, un certo personaggio italiano che si fa chiamare degli Ubaldini. Come egli si sia nato, non lo so: so ben quel ch'ei s'è fatto di poi. Presentemente professa la religione protestante, e a quattrocchi si confessa ateista; c'è chi dice ch'egli sia stato frate e, dato nell'apostasia, andasse in Constantinopoli e quivi, fattosi circoncidere, tentasse la sua fortuna, ma che trovandola poco favorevole, dopo aver fatto vari mestieri in diverse parti d'Europa e in varie corti de' prencipi eretici, se ne venisse a Londra: dove, spacciando la nascita a prezzo di qualche superficiale erudizione, ottenne qualche sussidio dal re e qualche pensione dai vescovi, con le quali anche presentemente si sostiene. È giovane forse di 32 anni, ma straordinariamente grasso e che col tempo si ridurrà affatto inabile al moto. Non ho ammirato in lui gran rarità di talenti, e particolarmente v'ho osservato un discorso, affluente bensì, ma disordinato, confuso e che non tiene il fermo, passando sempre d'una cosa in un'altra senza terminarne nessuna. La sua lingua fende senza misericordia, e in tutti i suoi ragionamenti affetta l'impietà e fa gala dell'ateismo. Si picca di uomo morale, ed ho qualche riscontro che abbia qualche sorte di legge con gli amici. È dedito, per quanto ei dice, fuor di modo ai piaceri di tutti i generi.

Prima di uscire degli Italiani dirò del marchese Giuseppe Malaspina d'Olivola, fratello della marchesa

Malaspina, stata figlia d'onore di madama di Toscana ed ora monaca nelle carmelitane scalze di Genova. Questo cavaliere, desideroso di uscire dalle solitudini di Lunigiana, passò al servizio della regina di Svezia in qualità di suo gentiluomo della camera, poco tempo avanti che ella partisse di Roma. Andato con essa in Hamburg l'anno passato, ottenne licenza d'andar a medicarsi all'acque di Spa, di dove con nuova licenza passò in Inghilterra e venne a Londra. Quivi introdottosi in una casa inglese, egli piacque ad una fanciulla protestante e a lui piacque una dote figuratagli di 8000 lire, la quale considerando di gran lunga superiore a quella ch'ei poteva sperare nel suo paese attese le sue mediocri facoltà, cominciò a trattare il matrimonio. Da principio la donna si mostrava renitente ad abbandonar la sua religione, ma non a passare in Italia: onde per mantenimento d'un ministro e altre sue particolari occorrenze intendeva ritenersi qualche parte della sua dote; al che il marchese era quasi disposto di consentire. Ma sentito il parere di qualche amico suo, che gli messe in considerazione l'impegno, dove egli entrava, d'aver a tener moglie eretica in Italia, era quasi disposto a non ci far altro. Ho poi inteso che la dama concorse risoluta a farsi cattolica, e solo le rimaneva lo scrupolo della comunione sotto tutt'a due le spezie, onde tengo per fermo che il marchese ci cascherà. La nascita di lei è buona e buoni sono i costumi, per quanto si può promettere d'una donna inglese: è bruttissima e d'uno spirito piuttosto feroce che vivo. Il marchese è un buonissimo cavaliere, ma, toltane la nascita, non ho riconosciuta in lui alcuna cosa che passi la mediocrità.

Trovasi in Londra un gentiluomo lucchese di casa Pagnini, giovane di 22 anni incirca, che aveva già fatto un gran giro per la Pollonia e per l'Alemagna, ma con poco profitto, conservando tuttavia una compassionevole povertà di spirito.

Il marchese di Flammarens, cavaliere francese di Normandia, son già intorno a quattr'anni che sta a quella corte, dopo aver perduti tutti i suoi beni in pena del duello in cui egli si battè per secondo contro i due fratelli marchesi della Frette. Il primo suo refugio fu all'Aia, di dove partì per imbarcarsi sulla flotta olandese quando uscì per la prima battaglia: e, giunto a vista dell'armata inglese, passò sur una piccola barca sull'ammiraglia d'Inghilterra dove era il duca di York. Dopo la battaglia passò a Londra, e introdottosi con milord Arlington, questo gli ottenne dal re un aiuto di costa di 300 lire. Di poi è stato sempre alla corte, dove è benissimo visto dal re, che l'ammette spessissimo alle sue cene in casa la duchessa di Monmouth e, talora, alle sue scapigliature in materia di bere. Dicevano ultimamente che fosse cominciato a venirgli a noia e che gli desse soggezione, ma che facendo il marchese le finte di non se n'accorgere, il re al suo solito non avesse animo di liberarsene in qualche modo. Ha ben fatto il possibile per il suo ristabilimento in Francia, ma il re se n'è sempre scusato, allegando lo scrupolo della coscienza in contravvenire al giuramento fatto di non perdonare i duelli. La duchessa di Chaulnes, sorella di quelli della Frette, pensava ultimamente di interessarci il papa per levar al re questo specioso pretesto. È il marchese bellissimo cavaliere, piace alle donne e le donne piacciono a lui: si discorreva d'un parentado molto ricco con una dama cattolica. È bravo, giudizioso, aggiustato e cortese, insomma non merita per nessuna cosa i pregiudizi della sua presente fortuna.

Del marchese di Sainctot, francese, scrissi al suo arrivo le cagioni della sua venuta in Inghilterra: cioè per esser incorso nella indignazione del re e per aver perduta la carica di luogotenente delle guardie, per non esser andato all'impresa della Franca Contea, non so veramente se per violenza delle tenerezze materne o per aver conosciuto nella passata campagna, dove toccò una moschettata in una coscia, il mestier della guerra poco confacevole al suo umore. Certa cosa è che se il re gli dava tempo, egli intendeva di vender la carica; ma presentemente è fuora di questo pensiero. Questo giovane è stato a Roma qualche tempo, ed in ogni luogo il vino ed i piaceri in ogni genere sono stati il fondamento di tutti i suoi pensieri, di tutti i suoi discorsi e di tutte le sue applicazioni.

Il sig. di Beringhen, francese e ugonotto di religione, di natali molto mediocri ma figlio d'un padre assai ricco, si trovava in Inghilterra da qualche mese. Egli è giovane di 25 anni incirca, tirato innanzi per l'avvocatura mediante gli studi legali, venutone alla corte subito dopo la pace di Breda di compagnia di *monsieur* de Ruvigny, dove si introdusse alla cognizione di molti segreti andamenti. È stimabile per la sua curiosità e applicazione nel profittar de' viaggi, ma ridicolo per le sue sordidezze, ma intollerabile per la sua prosuntuosa vanità e sfacciataggine, dandosi ad intendere, come egli dice per tutto, di aver con la sua savia condotta e discreta moderazione ristabilito la fama e, se è possibile, superato l'avversione naturale alla nazione francese in Inghilterra.

Fra le camerate del conte di Dona v'è in primo loco il nipote, che porta l'istesso cognome. Questo è un giovane di 24 anni, bello, ma d'una bellezza senza veruna lega di nobiltà d'aria né di fierezza di spiriti. Non lascia però d'esser pieno di vanità e crede esser cagione di gran sospiri a tutte le dame della corte. Il re gli fa cortesia e per conseguenza ne trova in casa del duca e della duchessa. Io l'ho trattato poco, ma in quel poco l'ho riconosciuto impertinentissimo e di natura soprastante. Attacca volentieri discorsi di religione e affetta gran disprezzo de' cattolici.

Il conte di Brodereden, olandese anch'egli, nipote dell'ambasciatore, è un vero olandese, rozzo, mal all'ordine, poco civile e astratto, se non stordito: gli amori con una vedova e il vedersi passare innanzi dal cugino nel favore del re, lo teneva in grande inquietudine e malinconia.

Il baron Spran, giovanetto svedese, di nobilissima famiglia, ma di facoltà assai mediocri, non avanza con alcuna rara prerogativa di spirito l'ordinarie imperfezioni della sua tenera età.

Il conte di Wrangel, figliolo unico del contestabile, sento che sia morto in pochissimi giorni. Non è dubbio che questa perdita sarà inconsolabile al suo povero padre, i di cui magnanimi spiriti traevano un vigoroso alimento dalla vita di questo figliolo per le sue grandi speranze. È ben vero che a considerar questo soggetto senza la passione di padre, si trovano assai facilmente i motivi da consolarsi, mentre il suo spirito, ch'egli aveva non meno stravolto degli occhi, e l'animo non men contraffatto della sua persona, non prometteva né più alte né più nobili inclinazioni di quelle che in tenera età avevano gettate così profonde radici nel suo core: erano queste l'ubriachezza, il bordello, il giuoco e talvolta la bestemmia. Pure sarebbe stato più tollerabile se il cervello gli fosse stato sempre in un istesso grado; ma sento che alle volte pativa delle caligini assai torbide.

Dirò per ultimo come nel conte Gustavo Adolfo della Gardie, figliolo primogenito del gran cancelliere di Svezia, in due mesi di continua conversazione, che ben presto divenne strettissima e confidente amicizia, non ho mai saputo ritrovarne altra imperfezione che una eccedente delicatezza e una troppo fissa applicazione in materia di onore, la quale si potrebbe anche ridurre a virtù se nascesse tutta in lui da elezione della mente, senza che vi avesse alcuna parte l'influenza d'un temperamento serio, maninconico e solitario. Da questo in fuori, la cortesia, la modestia virginale, l'attenzione, la puntualità, la finezza, la disinvoltura è accompagnata a un rispettosissimo riguardo; l'aperta libertà di cuore, la nobile curiosità, l'erudizione, il diletto di tutte le cose belle, lo studio, il giudizio, la maturità de' discorsi e delle riflessioni me l'hanno reso un cavaliere stimato, e a tal segno, che ripongo la sua amicizia tra gl'acquisti maggiori che io creda esser capace di riportare da' miei viaggi. Ho nuove ch'egli si ritrovi al presente in Olanda, per incominciare il suo giro per l'Alemagna e di là venir in Italia e trovarsi a Firenze l'estate avvenire.

INTRIGHI DELLA CORTE D'INGHILTERRA

Entrando a parlare degli intrighi della corte d'Inghilterra mi bisogna fermare una massima, della cui verità o falsità mi dichiaro nell'istesso tempo di non poter rispondere. O vera o falsa, però certa cosa è che a me fu posta per indubitata. La massima è che in tutta la corte d'Inghilterra non vi fosse allora altra donna da bene che la regina, che però era universalmente in concetto di debole e poco accorta. Dicansi però quel che vogliono tutti quei maligni che non credono che in questi generi s'operi per virtù, ma attribuiscono ogni virtuosa astinenza dall'uso de' piaceri o a povertà di spirito o a freddezza di complessione: bisogna ricordarsi che la regina d'Inghilterra è di Portogallo, e tra le Portughesi può passare più di un temperamento straordinariamente caldo ed adusto; e che sia il vero, soprabbonda in lei in tanta copia e con tanta effervescenza il sangue, che è sottoposta spessissimo a purghe straordinarie, fors'anche in pregiudizio della sua fecondità, come ho accennato un'altra volta parlando di lei in queste memorie. È vero che ella non beve se non acqua, ma ciò che ella acquista col bere lo perde a sette doppie coll'uso smoderato delle spezierie spolverizzate nelle vivande, dell'ambra e del muschio nelle confetture. Ma quando tutte queste cose fosser vane per accreditare la sua virtù, la stessa moderazione ond'ella si tempra negl'abbracciamenti del marito ne fa irrefragabile testimonianza, e prova concludentemente ch'ell'è di sua natura fuor di modo sensibile ai piaceri. Vi trova il re provveduto dalla natura di strumenti molto propri per eccitarglieli: e che sia il vero, la dolcezza ne viene in lei così estrema che, dopo lo sfogo ordinario di quegli umori che la violenza del gusto spreme anche alle donne, dalle parti genitali ne viene in sì gran copia il sangue che talora non resta per qualche giorno. Con tutto ciò, può tanto in lei l'attenzione di non pregiudicarsi alla figliolanza, che recusa spessissimo gli abbracciamenti del re, che dorme ogni notte con lei; e quando si dispone a riceverli, vi si prepara con dieta straordinaria, e nell'atto medesimo proccura di sfuggire tutte quelle delicatezze che altri ricerca per muovere con maggior veemenza il caldo della lussuria.

Non è già per questo che manchino di quelli li quali la credon soggetta alle sue tenerezze, interpretando per effetto d'inclinazione amorosa tutte le dimostrazioni di cortesia e di familiarità ond'ella distingue da tutti gli altri milord Ossory, figliolo del duca d'Ormond. Questa opinione non è solamente ingiuriosa alla virtù della regina, ma anche al di lei buon gusto, non essendo questo cavaliere egualmente il caso per amante che per innocente amico, per una gran prencipessa, mentre, oltre all'esser piuttosto brutto, è anche ammogliato. Questo l'ho detto per non tacer nulla di quel che si dice: ma per farne altrettanto di quel che si crede, mi convien dire che non ci è nella corte, fra le persone di buon senso, che non creda questa una malignità e non confessi ed ammiri al più alto segno la savia moderazione di questa buona e virtuosa prencipessa.

Il re non è così scrupoloso, ed è già nota per ogni parte d'Europa la sua lunga e continua pratica con madama di Castel Main. Costei è in un posto che non può occultare le sue pessime qualità. Ella nacque protestante ed ebbe infuso il puttanesimo per antico retaggio della sua linea materna. Prima di venire alle mani del re passò per quelle di molti, e, fra gli altri, il duca di Buckingam con tutta la parentela non fu degli ultimi a prevalersene. Venutane voglia al re, ella s'abbandonò subito a' suoi piaceri senza fargliene quasi punto cascar da alto. Milord Gereest, che in quel tempo teneva la borsa privata e dormiva in camera del re, n'ebbe la prima confidenza; e perché da principio il re se la faceva venire in camera, avanti che se la mettesse in palazzo, intrigato una notte che s'attaccò il fuoco vicino alla sua camera, si trovò intornato dalle guardie e da tutta la corte accorsa per estinguerlo, mentr'egli si trovava la dama in letto, la quale convenne consegnare ignuda nelle mani di Gereest, che si prese il pensiero di metterla in salvo, profittando ancor egli, come alcuni vogliono, dell'occasione. Il marito di lei non volle mai acconsentire a godersi in pace la ricompensa del vituperio che il re gli offeriva in diecimila lire sterline l'anno, ma, abbandonata la moglie ed uscitosene dal Regno, è andato da per tutto pubblicando il suo disonore per troppo zelo di giustificarsi.

Il re ne ha avuto gran dispiacere, perché così si è resa più scandolosa la pratica di questa donna, e in Inghilterra gli scandali di questa sorte son capaci di produrre pessime conseguenze, tanto più che non è mancato tra i presbiterani chi abbia fatto fissare gli occhi del popolo e della plebe ignorante in questo abbandonamento del re a un sì sfacciato e palese adulterio, e fattolo considerare come un baratro dove si assorbiscono quelle ricchezze che con sì gran peso de' popoli vengono contribuite per la salute e la sicurezza del Regno. E a dire il vero, passa ogni misura e vince ogni fede la prodigiosa quantità del danaro dissipato da questa donna, la quale non ha regola né misura nelle sue voglie: tutto ha chiesto ed ottenuto, ed ottenuto l'ha speso, anzi non pure speso ma dilapidato e lasciatosi tòrre senza saper da chi, nutrendo un numero innumerabile di parenti, d'amici, di servitori, di serve, di uomini, di donne, di ragazzi e d'ogni sorte di generazione. Con tutto ciò si è trovata sempre in estrema penuria, tanto è stato in lei senza esempio il pessimo governo e la più profusa prodigalità. L'amicizia del re non l'ha tanto rimutata da' suoi costumi ch'ella non si sia presa delle licenze, secondo che le son venuti i capricci. Si dice di più d'uno, ma di Arrigo Germain, nipote del conte di S. Albano, non par che si revochi in dubbio ch'ei non l'abbia fatta vedere al re allora eziandio ch'egli era nel maggior caldo delle sue fervide inclinazioni.

La regina in sul principio ebbe con esso lei delle difficoltà, ma accortasi di non far altro che esarcerbarsi l'animo del re, si tolse giù dall'impegno ammettendola come l'altre donne d'onore alla sua presenza insieme co' suoi figlioli. V'è chi crede che quand'ella si fece cattolica intorno a quattr'anni sono, non avesse altro fine che di ripigliar la regina; ma io sono stato assicurato da chi può saperlo, che nissun fine politico si mescolò in questa sua resoluzione, insinuatale unicamente dalla paura della morte, alla quale in una pericolosa infermità si riconobbe vicina: anzi fu così pressante il timore e così estremo il pericolo, che gli furono amministrati i sacramenti della nostra religione senza istruirla sufficientemente, il che fu fatto solo dopo la malattia. Ho ben saputo che per la Pasqua ed altre feste solenni, in cui la regina, e per conseguenza tutta la sua corte cattolica, comparisce in pubblico a far le sue devozioni, madama di Castel Main ha avuto di gran difficoltà per non trovar confessori che si curassero di sentir la sua confessione, essendocene in Inghilterra pochi e quei pochi dependenti dalla regina, appresso la quale in quel paese importa troppo lo screditarsi. Quest'anno però son certo ch'ella s'è comunicata, avendola veduta co' miei occhi comunicare in coppia con Bernardino Guasconi, che furono gli ultimi due che s'accostassero alla comunione la mattina di Pasqua nella chiesa di S. James sotto gli occhi della regina. M'è stato detto per cosa certa che un gesuito le aveva dato l'assoluzione.

Presentemente questa dama non è molto bella, benché se gli riconoscono i vestigi d'una bellezza maravigliosa. Non si può portar mai peggio la vita di quel ch'ella fa: il che è veramente difetto comune di tutte le dame inglesi, le quali, come se si muovessero per una virtù interna solamente dal mezzo in giuso, si trascinano dietro le coscie e le gambe in una forma ridicolosa. In lei, spero, c'è questo di vantaggio: che non solo nel portamento, ma in ogni gesto delle braccia e delle mani, in ogni atteggiamento del viso, in ogni girata d'occhi, in ogni movimento di bocca, in ogni parola vi si riconosce la sfacciataggine e il puttanesimo. Alle volte dà in terribili crepacuori, e la gelosia che aveva della reintegrazione della duchessa di Richmont, di cui con tutte l'apparenze dei passati sdegni ha ella sempre creduto il re fieramente acceso, le attossicava l'animo di così mortale amarezza, che spesso in su quelle furie si chiudeva nelle sue camere, ricusando di cenar col re: l'obbligava a mangiar solo o dalla duchessa di Monmouth, il che da quattro mesi in qua ha poi sempre seguitato a fare.

L'uso è così: s'apparecchia una tavola con la sola posata del re; sulla credenza però ne stanno molte, le quali si portano di mano in mano che il re chiama la gente con cui vuol cenare. Gli ospiti fermi sono il duca, quand'è in Inghilterra, e la duchessa di Monmouth e madama di Castel Main. Gli altri poi sono dame e cavalieri, secondo che al re piace chiamarli. La duchessa di Buckingam tra le dame vi va assai frequentemente, tra gli uomini il principe Ruberto, il duca di Buckingam, milord Gerard, Ruvigny, Flammarens ed altri della corte indistintamente. Or quivi il re relascia, quivi è interamente nella sua bocca, quivi insomma tanto si ricord'egli d'aver un Regno quanto il più privato cavaliere che sieda in quella mensa. Le visite che si facevano a mio tempo a madama di Castel Main erano regolarmente due volte il giorno. Il re n'era stufo al maggior segno, ma pure tirava innanzi, parte per impegno e parte per violenza di quella sua buona e piacevol natura che non sa scuotere il giogo che altri ardisce una volta metterli. Credo veramente che il gran scalpore che faceva di questo scandolo per tutto il Regno quella devota canaglia de' presbiterani gli facesse qualche motivo nell'animo, e, non meno in riguardo di questo che del raffreddamento della sua propria concupiscenza verso di costei, avesse cominciato da qualche tempo certe più pubbliche dimostrazioni, come quella di farsi vedere del continuo in carrozza seco al passeggio di Haid Parc e alla commedia sul suo palchetto.

Era anco un pezzo che si discorreva che egli avesse pensiero di comprarle un palazzo, con un vasto giardino, vicino alla casa di S. James, e per conseguenza comunicabile con Whitthall per via del parco; ma essendogli, per quanto mi fu detto, messo in considerazione quanto avrebbe dato che dire una siffatta compra, in tempo che il Regno sanguinava per ogni parte delle piaghe ancor fresche di tante e sì gravi contribuzioni, e ciò nel tempo medesimo che si stimolava il parlamento ad imporne delle nuove, parve che il pensiero si raffreddasse: ed a me fu detto da persona ben informata, la sera avanti alla mia partenza: «Sentirete presto lo sfratto delle nostre puttane, avendo il re risoluto in ogni maniera di liberarsene». «Come?» soggiunsi, «dunque il re s'è confessato?». «No», mi fu risposto, «vuol far peggio che prima, ma come lo fanno tutti i galantuomini, segretamente e senza tener la puttana sotto il baldacchino».

Quello che sia succeduto dopo quel tempo io non lo so: ho ben sentito la reconciliazione con la duchessa di Richmont e le frequenti visite che il re le va quotidianamente facendo. Vi è chi dice che ella serva di pretesto, e che in realtà tutta l'inclinazione presente sia per mademoiselle Stuarda, sua sorella. Può esser ogni cosa: ma reflettendo io all'antichissima fiamma che sentì per lei il re quand'ella era in corte fanciulla e semplice figlia d'onore, le smanie che egli menò nel suo non saputo accasamento, le gelosie di Castel Main, che ben si posson credere appoggiate a saldi fondamenti, le cabale del conte di Bristol per reintegrarla nella grazia del re, dopo aver guadagnato con un'assidua servitù e confidenza gli animi di lei e del marito, e finalmente sopra ogni altra cosa la di lei angelica maravigliosa bellezza, non punto offesa dal passato vaiuolo, e la mediocrità di quella della sorella, mi rendono affatto inverisimile questo supposto. Molti vogliono che sia un effetto di scrupolo e fermo proponimento di staccarsi affatto e di non inciampare un'altra volta in un secondo adulterio. La prima cosa, o egli è scrupolo di religione o egli è di politica. Se di politica, c'è pronto il rimedio nella tolleranza e nella presenza del duca, la quale è sufficiente a levare alle persone sediziose la materia di insinuar lo scandolo; e dalla di lui tolleranza tengo per fermo che il re si potrebbe quasi promettere le sue voglie, attesa la sua estrema debolezza ed il suo disastratissimo stato, incapace di regger per lungo tempo alle sue prodigalità, dopo aver sostenute quelle del zio. Se poi lo scrupolo si riduce a esser tutto di mera religione, torno a dire che tutto può essere: ma io non stimo di far torto al re a non creder in lui tanta virtù quanta ne bisognerebbe a un uomo, come gli altri, impastato di carne, a mantenere in un quotidiano cimento ferma e costante la saldezza di questa religiosa resoluzione.

L'opinione che corre della duchessa è stata sempre di somma virtù e di somma saviezza co' privati: col re, si discorreva diversamente. Dopo l'accasamento, infino al tempo ch'io stetti in Inghilterra, non si sospettava nemmeno per ombra, anzi ed ella e il marito erano in positiva disgrazia: e sebbene a lui un mese avanti la mia partenza fu permesso il venire alla corte, a lei si continuò l'esilio inremissibilmente. Nel tempo ch'ella stette in corte, si sa che il re n'era innamorato fieramente e che passava molt'ore del giorno, da solo a solo, nelle sue stanze. Questo basta ad alcuni per pronunziare temerariamente contro la di lei onestà, aggiugnendovi il motivo che dà loro infinita estrema passione, ond'ella sopportava la sua disgrazia e la sua relegazione dal palazzo. A me però fa molto più forza la qualità delle persone che m'hanno assicurato del contrario in avvantaggio della sua saviezza, per quanto si può assicurare in materie così occulte e segrete.

Ha poi il re qualche altra volante inclinazione, di cui non si può render conto, variando di continuo senza arrivare a risplendere agli occhi della corte. Di ciò due soli potrebber render conto: l'uno è il Mais, l'altro Cephin. Il primo è il tesoriere della borsa privata e primo assistente della seggetta, carica di grandissima confidenza e capace da esser esercitata da ogni privato cavaliere. Quest'uomo è di buona natura, di massime onorate, voto di malignità e pieno di discretezza: si dice che egli occupa presentemente il posto di milord Fiscardin, che morì nella prima battaglia contro gli Olandesi, nella grazia della contessa di Suffolk della casa Howard, donna oramai di quaranta e più anni, e cameriera maggiore della regina. Cephin è un semplice valletto di camera, di condizione assai ordinaria, ma vecchio ed affezionato servitore del re: anzi l'unico, forse, che vuol bene a lui e non alla corona. Costui ha un casino nel parco di S. James, dove si fanno tutti i minuti contrabandi, a' quali non è ammesso alcuno fuori che i due sopraddetti e le mercanzie che di mano in mano si trafficano.

Dicono che il re tra la gente bassa di rado si mescoli con donne che non sian fanciulle, di che credo aver qualche riscontro. Era in voga tre mesi sono una commediante inglese, non straordinariamente bella ma graziosissima ballerina. Al re ne venne voglia e le fece anticipatamente un regalo di mille lire ed un altro d'un anello di diamanti. Finalmente fattasela condurre, quando egli volle abbracciarla, ella piena di timore se gli gettò a' piedi e piangendo gli dichiarò di non esser vergine. Il re volle sapere chi l'avesse deflorata: ed inteso essere stato il duca di Monmouth, se ne partì turbato senza mai più cercarne. La corte però credeva che il re l'avesse conosciuta, e molti averebbero giudicato che la pratica ancor durava: ma la verità credo di poter dire che non sia altrimenti.

Per certe conversazioni di mera allegria si è alle volte servito il re d'un casino di milord Arlington, posto fuori del barco di S. James: ma quivi non ho mai saputo che abbia condotto donne, ma semplicemente qualche cavaliere, che egli ha voluto trattare con domestichezza. Così fece due anni sono all'ambasciator di Spagna, il quale bevé bravamente come tutti gli altri; ed io so da uno, che verso il giorno s'abbatté nel parco a vederli tornare dopo cena a Whitthall, che il re e l'ambasciatore e una mano d'altri, gettate via le parrucche, se ne venivano ballando e saltando al lume della luna, preceduti da tutta la banda de' violini, ad imitazione del re David innanzi all'arca, e che per la strada

> chi gettò 'l vino per diversi spilli,

> e chi arrivò facendo billi billi.

Prima di uscir del discorso del re mi convien dire d'un certo lacchè inglese chiamato Booten. Costui m'ha dato di terribili apprensioni circa quello che potesse essere il suo mestiere. Egli è un paggio di sedici anni, bello, sbarbato, spiritoso, impertinente, fornito in qualche parte più da gigante che da ragazzo, e che ha l'adito della camera del re a tutte l'ore, tratta familiarmente seco ed insomma ha tutte le cattive apparenze. Finalmente mi son certificato la sua prima introduzione essere stata per la vivezza d'uno spirito pronto e d'una chiacchiera buffona e piacevole, ed osa dilettare anche maggiormente col racconto di tutte le avventure che la prerogativa delle sue gran parti gli fa trovar con le dame di Londra, nelle case e alle tavole delle quali il favor del re lo fa esser ben visto e ricevuto come ogni galantuomo. Tra questo e tra le frecciature che egli dà di continuo per la corte, gli riesce di mettere insieme una quantità considerabile di pezze d'oro. Svanitomi questo sospetto, non solo non ho osservato cosa atta ad insinuarmene alcun altro in questa materia, ma ho preso indubitate riprove della purità virginale in cui si trovano il re e il duca in ogni altra specie di concupiscenza fuori della naturale.

Di Haid York ci sarebbe da dir molto, anche dei tempi passati, quand'ella era al servizio della prencipessa reale, essendovi anche l'opinione che il duca non fosse il primo a conoscerla. Io non ho preso informazione di cose oramai scordate. Le più fresche sono le chiacchiere sopra la stretta amicizia col cavaliere Cidney, bellissimo e graziosissimo giovane servitore del duca, il quale al suo ritorno dalla battaglia data agli Olandesi si stimò in necessità di licenziarlo dal suo servizio e rimandarlo a' suoi luoghi. La morte di madama di Nam, seguita poco dopo, diede occasione all'altro discorso del veleno fattole dare da Haid per vendicarsi del discacciamento di Cidney; e quest'inverno si dubitava che il parlamento, sotto la licenza chiesta al re di parlar con libertà, non volesse pigliare informazione di questo fatto, in odio del sangue del cancelliere. Non trovo però che appo agl'uomini sensati la cosa del veleno s'ammetta per indubitata, tanto più che vi è fino opinione che revoca in dubbio se la pratica tra il duca e la dama passasse più in là del corteggio e della galanteria. In questo però sarei più proclivo a credere qualche cosa di più. Per dir tutte le chiacchiere, v'è anche chi dice che il duca per una seconda vendetta della morte della dama pigliasse apposta del mal franzese per attaccarlo alla moglie. Questa però al presente è divenuta meno gelosa del marito e pare che abbiano fatto un accordo a lasciarsi vivere in pace, senza disturbarsi l'uno e l'altro. De fatto il duca si divertisce allegramente con mademoisella Cercill, e quando partii cominciava a spuntare una nuova inclinazione con mademoisella Libonard, l'un'e l'altra assai belle e figlie d'onore della duchessa.

Questa all'incontro, conoscendo di non poter avere tutte le cose a suo modo, si sodisfà della libera sopraintendenza da poco in qua ottenuta sopra tutta la casa del duca e dell'amministrazione di tutta la sua azienda; e bisogna credere (ché così dicono i maligni) che la stretta domestichezza che ella ha col marchese di Blancfort, capitano della guardia del duca, sia tutta in ordine alla buona direzione economica, come quello che tiene la borsa privata del suo signore.

Della regina madre non si può dir altro se non che ella è presentemente piena di tenerissima devozione e d'indiscretezza. La sua passata vita è assai nota e note son l'arti ond'ella, venuta in assoluto dominio del povero re suo marito, aderendo ai sentimenti della Francia, l'imbevé di massime così tanto perniciose al suo vero interesse quanto dimostrò la sua fine infelice. Sono inauditi li strapazzi che ella gli fece poi che lo vidde preso così tenacemente dall'amor suo, ed io sono stato assicurato da buona parte che spesso gli conveniva comprare i diletti col danaro. Nota è parimente la lunga pratica col conte di S. Albano, il quale, dopo la riforma de' suoi costumi, gli divenne marito di coscienza. Con tutto questo non lascia il conte di procacciarsi di altri sfoghi: ha una pratica con una dama che egli si tiene, fattala sposare a un suo maestro di casa, chiamato Vonel. Di questa ha due bei figlioletti d'undici e dodici anni, i quali tiene al suo servizio in qualità di paggi. Era cosa stomachevole vedere il re e i fratelli in stato di mendicarsi il pane mentr'erano in Francia, e nell'istesso tempo che nella corte si faceva borsa per sostentarli, sentir perdere al conte di S. Albano mille e millecinquecento dobble per sera.

Il prencipe Ruberto ha fatto nella sua gioventù le sue caravane. Ora non lascia di divertirsi, ma non vuole che i suoi piaceri gli costino gran danaro né grand'applicazione. Ama dunque di concludere e di spender poco, e così ogni sorte di persone gli attaglia. Le sue più nobili pratiche che egli avesse dieci mesi sono erano una tal mademoisella Barthe, la quale non ho veduta, ed un'altra, Cecil, maritata (e se non erro, al figliolo del conte di Salisbury), la di cui maggior beltà consiste nella vita e nella bianchezza. Di questa raccontano un bell'accidente, ed è che stando alla commedia allato al prencipe su un palchetto che non aveva altro parapetto che di balaustri, egli, gettatovi sopra un ferraiolo a uso di tappeto, credesse di poter operare sicuramente con le mani sotto la veste della donna; ma secondo che la cornice, sporgendo in fuori, teneva assai discosto il ferraiolo dai balaustri, fu potuto comodamente osservare da una mano di cavalieri di corte tutto il progresso di una così bella e galante operazione.

Del duca di Monmouth chi volesse raccontare tutte le scapigliature, ci vorrebbe una troppo lunga perquisizione. Di lui basterà il sapere che egli e il duca di Richmont sono stati i due più fieri sbordellatori di Londra. Il duca ha sudato cinque o sei volte per curarsi il mal franzese dell'ossa, di cui non è maraviglia che egli abbia fatte così buone raccolte, non avendo mai rifiutato posta di quanto la canaglia de' suoi lacchè glien'ha messo per le mani, senza sdegnarsi d'intingere dove assai avevano prima intinto e dovevano intingere dopo lui: anzi, il suo gusto maggiore è stato vedergli operare in sua presenza e di bere in loro compagnia a mezzo il divertimento. M'è stato detto che, essendo venuto l'anno passato in Inghilterra quel bastardo del duca di Bellegarde, appresso il quale egli fu educato in Francia, ed avendo condotto seco una sua puttana, il duca se ne innamorò; e non essendo potuto arrivare a cavarsene la voglia, non per altro motivo che per iscapricciarsi, se ne passò in Francia in compagnia di milord Russel, figliolo del conte Bedfort, e finalmente gli riuscise d'espugnare la di costei pudicizia. Sento poi ch'ella abbia scritto di lui grandissimi vituperi in Inghilterra, ma non ho potuto penetrare le particolarità: è ben vero che, per quel poco di lume che ho delle maniere del duca, m'immagino che tutto consista in non averla pagata. Un simil gioco fec'egli a una tal demoisella Greers, dama di gran condizione, cavata di casa il padre dal duca di Richmont e tenuta parecchi giorni in una villa con promessa di sposarla. È ben vero che, accortasi ella della sua semplicità, se ne fuggì da lui e, non arrischiandosi tornar in casa il padre, si ricoverò in casa un medico chiamato il cavalier de Veuz. Questi è figliolo di padre franzese, ma abituato in Inghilterra: ha viaggiato in Italia, e con tutto il suo privilegio di dottore credo che sappia pochissimo di medicina. È creatura intrinseca di Enrico Howard, di Norfolck, e credo che egli serva piuttosto a medicar le passioni dell'animo che le infermità del corpo. Mi do anco ad intendere che questa sua refugiata donzella si guadagni largamente le spese del suo vivere. Egli me la fece vedere e conversare: ma sentita da un altro amico un'intonatura di venti dobble, fu subito rotta la conversazione. Ora a costei promesse il duca di Monmouth cento lire sterline, ed avutone quel che volle non le dette nulla.

Questo inverno s'abbatté a essere a Parigi nell'istesso tempo che v'era il conte Vaudemont, bastardo del duca di Lorena, giovane ancor egli benissimo fatto: la decisione delle dame fu che Monmouth fosse più dilettoso a vedere e Vaudemont più utile a godere. E veramente bisogna credere queste tali ben informate, perché Monmouth in qualche parte del suo corpo è in istato troppo meschino e compassionevole. Suo gran confidente è un certo cavaliere Verne, persona di condizione assai ordinaria, ma che passa per gentiluomo, non meno per l'ordine che egli ha del Bagno che per uno stato di sette in ottomila lire sterline di rendita. Egli è un cotal biancastronaccio morbido e senza pelo, che a prima vista pare un buonissimo copertoio per una dama. L'amicizia del duca l'ha grandemente insinuato in quella della duchessa, quindi nascono subito le chiacchiere, tanto più credendosi che Verne metta fuora del danaro per dar campo al duca di cavarsi qualche capriccio. Quel che sia in verità non lo so, né m'induco a credere tutto quello che m'è stato detto in questo particolare sulla fede delle persone che me ne hanno dato i ragguagli.

Di milord Arlington è opinione che abbia una stretta dimestichezza con madama Scrup, dama d'*atours* della regina, subentrato, per quanto si dice, all'abate d'Aubigny, grand'elemosinario, di cui ho inteso con mia gran maraviglia che, oltre al divertimento delle dame, ammettesse anche il trastullo de' giovani, che in questa materia tenesse uno strettissimo commercio col duca di Buckingam. Questa opinione è tanto contraria al concetto che io avevo della virtù di questo degno ecclesiastico, che non potendone con tutto ciò la stima e la venerazione, fo violenza al mio intelletto obbligandolo a non prestar fede a così iniqui rapporti, e mi dichiaro di scriverli come eccessi della calunnia, non come ritratti del vero.

Qui si riducono gli intrighi più nobili della corte. L'entrare adesso per minuto nei rigiri e negl'amori particolari di tutte le figlie d'onore e delle dame che frequentan la corte, sarebbe opera di non venire a capo; ed io confesso, prima, di non saperli tutti, e di molti che mi sono stati detti averne perduta la memoria, come di cose che consiston nella notizia di due soli nomi--il tale con la tale, e non altro--, senza portare alcuna conseguenza né avere alcun legamento con gli interessi delle persone reali.

Mi par bene di poter fermare una massima senza far torto a chicchessia: che trattandosi delle dame di corte e di Londra, ci sia poco del netto. Nel resto del Regno mi dicono esserci più innocenza; ma nella città dominante passa per povertà di spirito, e non per virtù, la moderazione nelle donne. Amano però gente nobile, perché son superbe, e gente linda e ben fatta, perché lo fanno per gusto loro, toltone quelle che son spinte dalla necessità, le quali sono universalmente appestate. Onde in Inghilterra è tutto il rovescio del proverbio che dice: «Chi non paga la puttana paga il medico». Ve n'è qualcuna di quelle che vogliono dei lacchè, ma guai a loro se arriva mai a risapersi, poiché perdono subito il credito e la reputazione, non meno tra le donne che tra gli uomini.

GUARDIE DEL CORPO DEL RE, DEL DUCA E DEL GENERALE

Anticamente i re d'Inghilterra hanno avuto due sole guardie, l'una detta della Manica, l'altra de' pensionari. Ora, per l'atto del parlamento del 1660 passato nel ristabilimento del vivente re, se gli è aggiunta la guardia a cavallo, armata di petto e stiena borgognotta, spada, pistole e carabina: e questa fu dichiarata che dovesse essere di 600 uomini. Ell'è divisa in tre compagnie di 200 uomini per ciascheduna: la prima detta guardia del corpo del re, la seconda del duca, la terza del generale.

Offiziali della compagnia di guardia del re.

Capitano: milord Gerard. Questo è stimato de' migliori soldati d'Inghilterra: ha fatto la sua scuola nel Regno al tempo delle guerre civili, nelle quali fu luogotenente della cavalleria, e una volta in un riscontro di partite si battè con Cromuell, di cui, benché avesse maggior numero di soldati, ei rimase superiore, obbligandolo a cedere dopo aver disfatta la sua gente. Aveva innanzi fatto qualche campagna in servizio degli Olandesi, e dopo il discacciamento del re ne fece qualchedun'altra in Fiandra, servendo gli Spagnoli come volontario: nel qual tempo fu fatto milord. Nel suo rescritto di capitan della guardia il re fa accuratissima menzione de' suoi servizi, e in specie delle moltissime ferite riportate nell'occasione di renderglieli, come testifica irrefragabilmente tutto il suo corpo ricoperto di cicatrici. Nacque in bassissima fortuna, benché di famiglia non affatto oscura: da giovane si battè infinite volte; fu caro alle donne, e dicesi che una dama di gran qualità morisse per lui di disperazione e di gelosia. È uomo interessatissimo, ed i suoi soldati se lo sanno: abborrisce il vino, e l'età gli fa poco curar presentemente i piaceri del senso. Il suo maggior divertimento son le corse dei cavalli e le grosse scommesse che in tali occasioni si fanno, secondo l'uso d'Inghilterra. Una gran piena s'era volta contro di lui quest'inverno per un appello fatto al parlamento da un gentiluomo, al quale aveva convento un bene di 600 lire sterline di rendita. Pretendeva la parte, che avesse estorta la sentenza per vie indirette, come di corruttele e di falsi testimoni; ma quando io partii dalla corte pareva che le cose per lui pigliassero miglior piega e che l'accusa non fosse per sussistere.

Luogotenenti: il cavalier Gerard, il maggior generale Egerton, il cavalier Sandys. Tutt'a due l'altre compagnie delle guardie hanno due soli luogotenenti; e questa benché presentemente ne abbia tre, al primo che muore non si conferisce la carica, volendosi ridurre in tutto simile alle altre.

Il primo de' suddetti luogotenenti è cugino carnale del capitano ed è stato colonnello nell'armate del re. Il secondo servì da principio contro il re in qualità di maggior generale sotto Cromuell, di poi ritornò al suo partito e contribuì quant'ogni altro al suo ristabilimento. Il terzo è stato colonnello d'infanteria in Francia, stimato il più bel giovane del suo tempo, onde tutte le donne andavano matte del suo amore. Si batté a cavallo con le pistole e poi con la spada, in un duello di due a due di cui egli solo sopravvisse, tutto pieno di ferite, rimasti gli altri tre tutti morti sul campo: per la quale azione il cardinale Mazzarrino gli dette una pensione di 1.000 scudi, che gli fu pagata fin tanto che ei servì la Francia. È ben vero che tutte le sue qualità si riducono alla bellezza del corpo e alla ferocia dell'animo, senza che la mente agguagli con alcuna dote sì belle prerogative.

Cornetta: il signor Stanley, figliolo del conte di Derbey, al quale fu tagliata la testa insieme col duca d'Amylton dopo la morte del defunto re per ordine del parlamento. Questo è un giovane di 25 anni, che si è trovato in diverse fazioni in sul mare.

Ogni compagnia delle guardie ha, oltre ai suddetti offiziali, un quartiermastro e otto caporali.

Paghe. Il capitano ha quarantaquattro sterlini il giorno e, se vuole, ha almeno quaranta piazze forte; tra le quali e molte altre cose se ne va la sua carica da cinque in seimila lire sterline l'anno. I luogotenenti hanno ventidue sterlini il giorno, senza troppi modi di approvecciarsi; il cornetta ne ha sedici, il quartiermastro dodici, i caporali otto, i soldati ordinari quattro: l'istessa paga hanno tutti gli offiziali e soldati dell'altre due compagnie.

Offiziali della compagnia di guardia del duca.

Capitano: il marchese di Blancfort, franzese, della casa Duras, nipote del marescial di Turena. Quest'è cadetto della sua casa. Da giovane ha imparato il mestiere in Fiandra, prima sotto il suo zio e poi in servizio de' Spagnoli, in compagnia del duca suo padrone, il quale cominciò fin d'allora ad amarlo, finché crescendo di giorno in giorno il favore, è salito oggi a occupare il primo posto nella sua grazia e in quella della duchessa. Egli era luogotenente della sua compagnia quando il suo capitano, milord Fiscardin conte di Falmouth, fu ammazzato nella prima battaglia navale contro agli Olandesi, alla quale si trovò il duca .... Egli sta come gli altri capitani delle guardie del corpo, in quelle cinque in seimila lire. D'ugonotto ch'egli era, ha abbracciato la riforma della chiesa anglicana facendosi naturalizzare inglese. È tesoriere della borsa privata del duca: è giovane e bel cavaliere, saggio, sobrio e discreto; generalmente è amato dalla corte e dall'universale. Co' soldati è giusto e liberale, nel che ha posto grandissimo studio per vincere la repugnanza che hanno naturalmente gl'Inglesi a esser comandati da forastieri e in specie da francesi: il che gli è riuscito molto bene, essendone contentissimo.

Luogotenenti: il colonnello Worden, il maggior Dutton: l'uno e l'altro di questi è assai buon soldato ed esperto, per quanto poterono ammaestrarsi nelle guerre civili.

Cornetta: il cavalier Godolphin. Questo era cornetta delle guardie del corpo del duca in Fiandra, quand'egli era luogotenente generale per li Spagnoli. Quivi imparò a fare il soldato e alla battaglia di Dunkerke salvò la vita del duca ammazzando d'un colpo di pistola un inglese, in quello che, accostatosi al fianco di esso duca, stava in atto di stringere per ammazzarlo.

Offiziali della compagnia di guardia del generale.

Capitano: il cavalier Filippo Howard, fratello di milord Carlisl, che fu ambasciatore per il re in Danimarca. Egli è secondogenito della sua casa, di dove cava grand'assegnamento. È stato sempre capitano delle guardie del generale, anche prima del restabilimento del re. Da giovane ha viaggiato molto, ma la guerra l'ha imparata solamente nelle rivoluzioni del Regno. Nell'ultima guerra contro gli

Olandesi s'è trovato a tutte tre le battaglie navali, benché dalla prima potesse dispensarsene per non essersi trovato il generale. È uomo che avrà benevolenza tra gli uomini e che ama straordinariamente le donne.

Luogotenenti: il signor Monk, il signor Colinviod: il primo è cugino del generale e sempre ha servito sotto di lui fin dai tempi delle guerre passate; il secondo è ancora assai giovane.

Cornetta: il signor Waston, cavaliere di bellissima presenza, compito e stimato benemerito, e creatura molto diletta del generale.

Dopo la pace di Breda il re ha ridotto ciascuna di queste compagnie alla metà, onde al presente non sono più che di 100 uomini per ciascheduna. Si crede però che tal riforma non sia per andar innanzi e che ogni piccolo movimento di plebe persuaderà la convenienza e la necessità di ridurle al primo numero: nel che non può incontrarsi alcuna difficoltà, essendo in questo grado state stabilite dal parlamento. È ben vero che, essendo intollerabile il farlo sussistere, si corre gran risico che la riforma caschi sopra le paghe degl'offiziali e de' soldati, quando la Camera de' comuni non fornisca il re di nuovo particolare assegnamento.

Queste tre compagnie non han che far nulla col resto delle soldatesche, e in tempo di guerra marciano nel posto più onorevole di tutta l'armata. Mi è anche stato detto (è ben vero che non mi sono avveduto di pigliarne riprova) che i tre capitani di esse sotto il generale comandano *in capite* a tutti i colonnelli di fanteria e di cavalleria.

Tutt'a tre le sopraddette compagnie hanno quartiere in Londra ed ogni giorno monta di esse uno squadrone di cinquanta, che sempre seguita le carrozze del re, della regina e del duca; e quando il re va per acqua, vanno solamente in numero di sei, in una barca apposta, e allora si cavano li stivali e portano la carabina in spalla. Quando va in carrozza ne ha venticinque, la regina dodici e altrettanti il duca. Quando il re e il duca montano a cavallo per la caccia o per la campagna, gli seguitano nell'istesso numero--ciascuno di essi rispettivamente--che quando vanno in carrozza. Il re ha di vantaggio la tromba avanti all'offiziale che marcia alla testa delle guardie, che il duca e la regina non hanno.

Guardie della Manica.

Queste sono antichissime e sono in numero di cento. Portano casacche di scarlatto rosso con striscie di velluto nero davanti; nel mezzo del petto e dietro delle spalle hanno la rosa coronata, e di qua e di là le cifre del re, di ricamo d'oro. Si scelgono ordinariamente gli uomini di più alta e più grossa statura di tutto il Regno, e la loro funzione è d'assistere, come altrove, i trabanti nella prima sala e nelle funzioni pubbliche, per impedir la calca della gente. Quando non c'erano le guardie del corpo seguitavano a piedi la carrozza del re, con l'alabarda in spalla; ma ora non escono della sala, dove o mangiano o fumano o leggono la Sacra Scrittura. La lor paga è di 50 lire l'anno per ciascheduno, e i giorni che stanno di guardia, tanto bue arrosto quanto ne vogliono. Quindi per ischerno son chiamati *beefeaters*, cioè mangiatori di bue. Lor capitano è milord Grandison, della casa del duca di Buckingam e suo stretto parente. Altro non ho saputo delle sue qualità se non che egli è zio di madama di Castel Main; non so già quant'egli abbia di paga.

Guardia de' pensionari.

Questa è ancor ella una antichissima istituzione di guardia dal tempo de' primi re d'Inghilterra: consiste in una compagnia di cento gentiluomini, la lor paga è cento lire sterline l'anno, e non fanno altra cosa che l'assister ciascuno nel suo abito, o nero o di colore, alle funzioni pubbliche con piccole alabarde dorate alla mano, facendo spalliera davanti al trono del re ne' ricevimenti degl'ambasciatori o accompagnandolo quand'egli dalle sue stanze va le domeniche e le feste pubblicamente alla cappella. Lor capitano è milord Bellasis, uomo assai vecchio, che cinquant'anni sono fu da per tutto il più bel giovane di quel tempo. È stato governatore di Tanger, di dove tornò due anni sono con un peculio, si fa conto, di ventimila lire sterline. Questa carica è di grandissimo guadagno, onde tanto meno il re vi lascia allignare per lungo tempo i governatori. Milord Bellasis dunque è molto civile ed affabile, è stato colonnello in Inghilterra e in tutte le occasioni ha dato segno di gran coraggio.

Reggimenti tenuti in piede. Il reggimento di cavalleria.

I reggimenti tenuti in piede dal re d'Inghilterra sono cinque: uno di cavalleria e quattro d'infanteria. Il reggimento di cavalleria sta sempre acquartierato alla campagna, chiamasi il reggimento del re, è composto d'otto compagnie. Colonnello è il conte di Oxford, secondo conte d'Inghilterra. Egli è della casa Vere, se non la prima, però al certo la seconda di tutto il Regno. Nacque cadetto ed era primogenito, anzi unico della sua casa, non solo non avendo figlioli ma non essendo nemmeno maritato, benché si trovi avere i suoi quarant'anni. Da principio servì gli Olandesi contro Spagna, di poi gli Spagnoli contro Francia in Fiandra, e finalmente si raffinò col lungo esercizio nelle guerre civili del Regno. È povero cavaliere, non avendo più di tre in quattromila lire di patrimonio e con esse un grosso debito, benché ripartito con questo e con quello in piccole somme. È nondimeno splendido e liberale, e dicono che, oltre le sue provvisioni, non tiri alcun profitto del suo reggimento, ma che distribuisce generosamente tutti gli avanzi tra' suoi offiziali.

Paghe degl'offiziali e soldati del reggimento di cavalleria.

Il colonnello ha quaranta sterlini il giorno, il luogotenente colonnello ne ha ..., il capitano sedici, che tra una cosa e un'altra fanno valer la carica mille lire sterline l'anno, francamente. I luogotenenti de' capitani, sterlini dodici che danno in venti, non essendo questi come i luogotenenti delle guardie del corpo, i capitani de' quali facendo tutti gran figura in corte s'appropriano essi soli gli emolumenti tutti. Cornette, dieci sterlini, che ancor essi se ne vanno in quattordici. I quartiermastri, che corrispondono ai *maréchaux des logis* in Francia, sterlini otto; nondimeno trovano il modo di rendersi la lor carica più lucrosa di quella de' luogotenenti.

L'infanteria pagata dal re consiste in quattro soli reggimenti. Il primo, detto reggimento del re, è di 2.400 uomini, compartiti in ventiquattro compagnie. Di questo la metà sta in campagna e la metà in Londra. Colonnello Russel, fratello del ricchissimo conte di Bedfort: uomo di 50 anni, cadetto della sua casa, ha venti sterlini il giorno. Tenente colonnello Grey, il più vecchio colonnello d'Inghilterra; ha servito in Olanda e in Inghilterra; di famiglia ragionevole. Maggior Rolston: ha dodici sterlini il giorno. Primo capitano il cavalier Tommaso Daniel, gentiluomo di buona famiglia, soldato vecchio e che ha stima: comanda la compagnia del re, cioè quella che alza l'insegna reale. La sua paga, come quella di tutti gli altri capitani, è d'otto sterlini il giorno, che in ogni modo arrivano in quelle cinquecento lire l'anno. Luogotenenti quattro sterlini, e ne fanno sei. Alfieri tre sterlini, e ne fanno cinque. Soldati dieci soldi, che è la paga ordinaria di tutti i soldati di terra. Il reggimento del re ha i giustacori rossi sopra panno turchino, livrea del re.

Gli altri reggimenti

Secondo: il reggimento del duca di York, detto altrimenti il reggimento dell'ammiralità; è composto di quattordici compagnie, cent'uomini per ciascheduna. Colonnello, il cavalier Wrey, soldato vecchio, di buona famiglia. Questo reggimento serve per l'occorrenze del mare, e sempre è acquartierato ne' porti ed altri luoghi maritimi. A questo appartiene il visitar le navi, e negl'armamenti delle flotte si ripartisce sopra i vascelli, riempiendosi in terra le piazze di quelli che imbarcano, ed altrettanti se n'arrola: i quali intanto si dirizzano e s'ammaestrano più compagnie di quei venti che rimangono sotto la disciplina degl'altri offiziali che sempre rimangono in terra. Hanno i giustacori gialli, soppannati della medesima livrea del duca.

Terzo: il reggimento del generale; sta sempre in Londra, alloggiato verso Noborn. Colonnello Myler, soldato vecchio, antico seguace e creatura intima del generale. Questo reggimento ancor è di quattordici compagnie di gentiluomini come sono regolarmente tutti i reggimenti in Inghilterra. Giustacori rossi foderati di verde.

Quarto: reggimento d'Olanda; colonnello Sidney, soldato vecchio, di stima e di buonissima famiglia. Questo reggimento è stato molt'anni in Olanda, pagato dagli stati; ma dall'ultima guerra il re se l'è ritirato in Inghilterra, dopo averlo lasciato ammaestrar nella scienza dell'armi alle spese de' suoi nemici. Giustacore rosso, soppannato giallo.

Il reggimento del re ha l'insegne rosse, quello del duca le ha gialle, del generale verde, di Sidney rosse e bianche. A questi si può aggiugnere il reggimento scozzese, detto altrimenti della regina, comandato dal marchese Duglas. Uffiziali e soldati son tutti scozzesi. Questo reggimento da longhissimi tempi serve in Francia, ogni volta ch'ella non abbia guerra con Inghilterra: altrimenti si passa il mare e riceve paghe dal suo re, come gli altri reggimenti.

Di Duglas ho parlato in altre occasioni: ma aggiungerò solo esser egli da ragazzo stato paggio del re di Francia e aver avuto il reggimento dopo la morte del zio, in età di 20 anni, e quindi esser nutrito nell'inclinazion franzese. Quando questo reggimento passò in Inghilterra per la dichiarazione della guerra fatta dalla Francia, a quella corona, era in poco numero ed in peggior equipaggio. L'anno passato però ritornò in Francia in numero di 1.500 soldati, tutti benissimo all'ordine.

Tutte queste soldatesche son benissimo pagate: l'infanteria, settimana per settimana, la cavalleria ogni mese, e le guardie del corpo di due in due mesi. Ogni giorno montano quattro compagnie d'infanteria alla guardia delle case reali: due del reggimento del re e due di quelle del generale; e queste si distribuiscono al palazzo di Whitthall, al parco e al palazzo di S. James, solita abitazione del duca per l'estate. Un'altra compagnia entra parimente ogni giorno di guardia alla Torre di Londra. Del resto nella città non stanno d'ordinario acquartierati se non il reggimento del generale, la metà di quello del re, oltre tutte le guardie del corpo, come ho già detto di sopra.

Milizie ordinarie.

Oltre ai suddetti reggimenti ci sono le milizie ordinarie, che dicono ascendere a 100.000 uomini effettivi, de' quali la sola città di Londra ne fornisce 40.000. Hanno tutti gl'uffiziali descritti, sotto i quali ciascuna compagnia fa gli esercizi ed all'occasione, a un batter di tamburo, pigliano l'armi. Il conte di Craven è generale delle suddette milizie, uomo accreditato nelle guerre di Germania, ricchissimo al pari d'ogni altro signore d'Inghilterra, amicissimo del Monk, e che dopo la morte del Palatino fu marito di coscienza della regina di Boemia. In questo numero di 100.000 vi son compresi 20.000 cavalli forniti dai nobili, che di continuo mandano un de' loro servitori a cavallo a tutti gli esercizi, con un par di pistole all'arcione e un colletto di dante in dosso, ad esercitarsi. Dicono all'occasioni non riuscir molto inferiori all'altre soldatesche, mercé del continuo esercizio della ferocità della nazione a difendere, quando avviene che abbino a pigliar l'armi contro un nemico esteriore.

Del resto il general Monk comanda tutte le forze terrestri di tre reggimenti e la sua paga è dieci lire sterline il giorno.

FORZE MARITIME

La flotta reale d'Inghilterra è composta di tre squadre. La prima porta il padiglione rosso (che è il color d'Inghilterra) con la croce rossa in un piccolo campo bianco inquartato in un angolo d'esso padiglione, e l'ammiraglio porta di più lo stendardo del Regno, di ricamo d'oro e d'argento; la seconda squadra ha il padiglione turchino, e la terza bianco, l'un e l'altro con l'istessa croce rossa inquartata come sopra. Ciascuna squadra ha il suo ammiraglio, viceammiraglio e contrammiraglio, onde la flotta è comandata da nove offiziali principali, detti in inglese *flagofficers*, cioè uffiziali di stendardo, dai quali ricevono gli ordini i capitani che comandano gli altri vascelli. Ciò che fa il grand'ammiraglio tutti gli altri ammiragli fanno, e ciò che fanno gli altri ammiragli ogni vascello deve fare.

Gli ammiragli portano il padiglione sull'albero di mezzo, il viceammiraglio sull'albero di prua e i contrammiragli su quel di poppa.

Ogni vascello del prim'ordine serve d'ordinario per ammiraglio delle squadre: e perché oltre il primo uffiziale non v'è altro capitano, perciò se gli danno quattro luogotenenti, i quali si sostituiscono nel comando alla morte dell'uffizial maggiore e vicendevolmente fra di loro, secondo l'anzianità della loro carica. Nessun vascello del prim'ordine, quando ve ne sia più di tre, va mai in squadra con gli altri, anzi sdegna eziandio il viceammiragliato. Va pertanto in tal caso sotto il comando d'un semplice capitano e quattro luogotenenti, obbedendo, non con titolo di minore offiziale ma come volontario, al grand'ammiraglio. Accadendo poi che alcuno di essi ammiragli o sia preso o battuto o affondato o rimandato a resarcire nei porti d'Inghilterra, e che la flotta rimanga tuttavia sul mare, subentra quello a comandare in suo luogo, finché ritorni. Così successe nell'ultima battaglia, dove il *Real Sovrano*, che era volontario, supplì alla mancanza del *Real Carlo*, rimandato a Harwick per far raccomodare.

Grand'ammiraglio è il duca: ha dieci lire sterline il giorno, che in tempo di guerra se ne vanno in quarantamila e più l'anno; in tempo di pace ancora hanno un grandissimo ricrescimento, benché non tanto a un gran pezzo. Alla mancanza del duca hanno diverse volte supplito in qualità de' suoi luogotenenti ammiragli: il principe Ruberto, il duca d'Albemarle, il conte di Sandowish. Di quest'ultimo mi vien ora da dire qualche cosa, non avendolo nominato altrove. Egli è di sangue chiarissimo, ma cadetto della sua casa. Servì la repubblica e Cromuell in qualità d'uno delli ammiragli. Inviato da Cromuell a pigliar a' Spagnoli la flotta d'argento, e questa ritiratasi nel porto di Tenariffa guardato da buonissima fortificazione, egli nondimeno ci entrò con la sua squadra, e una parte ne prese e quasi tutto il resto ne messe a fondo. Nella guerra contro gli Olandesi fu ammiraglio in compagnia dei generali Balake e Monk, e nella battaglia dove rimase il Tromp fu ascritta a lui grandissima parte della vittoria. Di poi, mandato da Cromuell con una flotta di 30 vascelli comandata da lui *in capite* al Sundt per assistere agli Svezzesi all'assedio di Coppenaghen, essendo venuti dall'altra parte gli Olandesi in soccorso di Danimarca sotto il comando d'Opdam, egli (avendo così gli ordini di Cromuell) lasciò fare agli Olandesi tutto quello che volsero, senza nemmeno dar fuoco a un solo pezzo; per lo che il re di Svezia fu costretto a ritirarsi. Al tempo del ritorno del re comandava egli la flotta *in capite*, e contribuì, non meno degli altri, al suo buon servizio, onde n'ebbe in ricompensa l'esser fatto conte e cavalier dell'ordine con titolo di luogotenente ammiraglio. Sotto il duca si trovò anco alla prima battaglia di quest'ultime guerre, dove fu il duca di York in persona. Ma l'origine delle sue disgrazie fu l'impresa commessali della presa dei vascelli della compagnia orientale d'Olanda, in cui diede occasione di creder esser stato corrotto con grandissimo tesoro dagli Olandesi. Il fatto passò così. Era egli uscito verso il nort per incontrar la loro flotta dell'Indie, rinforzata di più di 30 navi di Smirne, mandate a riscontrar con buonissimo convoio di vascelli da guerra: quando, incontratala tutta disfatta dalla tempesta, onde l'impadronirsi di tutta era in suo solo arbitrio, egli nondimeno, contento di quei soli vascelli che non potè far di meno di pigliare, richiamò col cannone tutti quei capitani che s'avanzavano a nuove prede. Furono per tanto i vascelli presi non più che due di quei dell'Indie (venduti in Londra per 300.000 lire sterline) e un altro messo in fondo, venti delle Smirne e otto da guerra, tutti, per così dire, senza sparare un pezzo. Poco avanti aveva lasciato passare il Ruyter con una piccola squadra di 10 soli vascelli da guerra, quando egli era vicinissimo con tutta la flotta e padrone assoluto del mare. Per tutte queste contumacie fu dunque privo della carica di luogotenente ammiraglio e mandato per un onorevole esilio per ambasciatore in Spagna, dove si trova al presente con qualche merito per la parte avuta nella conclusione della pace col Portogallo. Dicevano, mentre io era in Londra, che ne sarebbe ritornato verso la fine dell'estate presente.

Viceammiraglio dello squadron rosso il cavalier Roberto Holmes. Questi è l'uomo che, di tutti gli offiziali che hanno comandato la flotta nell'ultime guerre, ha fatto parlar più di sé. Da giovanetto egli fu paggio del prencipe Ruberto, sotto il quale fece il suo noviziato in sul mare, trovandosi sempre seco nel tempo che egli corseggiava con quei tre o quattro vascelli che, abbandonato il partito di Cromuell, si voltarono in favor del re. Egli poi si fu quello che in sul principio del novembre 1664 cominciò la guerra agli Olandesi nella Guinea, cacciandoli (come si crede, per ordine del re, benché egli poi disapprovasse tutto l'operato di lui) da tutti i posti di quella spiaggia con una piccola squadra di vascelli che aveva per crociar quei mari: nella quale occasione ragunò di grandissime ricchezze, essendo quelli i soli contorni di dove l'Inghilterra cava il suo oro. Di lì a poco avendo gli Olandesi domandato sodisfazione delle cose operate da Holmes, il re, non giudicando allora opportuno il rompere, lo fece cacciar nella Torre; ma in breve, intraprendendosi le cose con l'Olanda, lo fece rimettere in libertà e gli diede il comando d'uno de' migliori vascelli. Nella prima battaglia messe in fondo il vascello del giovane Tromp, il quale, picco di reputazione, concepì verso di lui un'emulazione sì grande che lo disfidò, per la prima battaglia che seguirebbe, a battersi da solo a solo con vascello uguale. In questo mentre fu dal re creato cavaliere e contrammiraglio e datoli un vascello che non aveva per anco toccato l'acqua, chiamato perciò la *Disfida*, e montato d'intorno a 60 pezzi di cannone, numero uguale a quello del suo nemico. Si rincontrò con esso nella battaglia seguente e per la seconda volta lo messe in fondo, salvandosi il Tromp a nuoto su un altro vascello. Finalmente, dopo la terza ed ultima battaglia, fu egli che suggerì al duca d'Albemarle d'abbrugiare i vascelli del *Wliz*, riserbandosi per sé il comando di mill'uomini che dovevan mettere il piede a terra; ciò che egli fece senza perderne un solo. M'era uscito di mente il soggiugnere ch'egli è inoltre capitano d'una compagnia del reggimento del generale, e che ultimamente fu uno de' secondi che si batterono nel duello del duca di Buckingam e del conte di Shreusbery. Contrammiraglio del rosso il cavalier Giuseppe Jordan, soldato vecchio e di grandissimo credito, non essendo quasi in suo tempo seguita battaglia di mare dove egli non si sia ritrovato.

Ammiraglio del turchino il cavalier Geremia Smith. Quest'uomo si rese illustre per aver salvato nella prima battaglia di quest'ultima guerra il vascello e la persona del duca, di cui essendo egli secondo e vedendo l'ammiraglio d'Olanda comandato dall'Opdam venuto con gran risolutezza per affrontare il duca, egli entrò in quel mezzo ricevendo sopra di sé lo sparo di tutta la fiancata dell'ammiraglio olandese, il quale secondo la maniera di quella nazione cannonava di lontano, dove quella del duca, aspettandola di pie fermo, non tirava ancora per farlo all'inglese più da vicino. Ricevuto dunque il suddetto sparo, di cui rimasero più di sessanta uomini morti e fra essi tutti i suoi offiziali, rese il suo così fortunatamente che, dato il fuoco alla monizione d'Opdam di già ferito d'una moschettata, lo fece saltar in aria. Del resto uomo di fortuna come tutti gli altri, nato, si può dire, e allevato sul l'acqua; al presente è molto ricco, come tutti i capitani di vascello, per vantaggi che riportano del convoiar navi mercantili, e per ricompensa della suddetta azione è stato fatto cavaliere ed uno degli ammiragli. È da sapere che il grand'ammiraglio ha due secondi e una gran parte de' brulotti che lo seguono più d'appresso. Per secondi eleggono i vascelli ripieni della gente più scelta e comandati da' più bravi capitani e più esperti offiziali di tutta la flotta, dovendosi sempre per difesa del grand'ammiraglio ritrovarsi nei maggiori pericoli.

Viceammiraglio del turchino il cavalier Edoardo Sprag, irlandese, soldato di fortuna ma di buonissima famiglia. Ha servito in Francia e, ritornato a servire il suo re, fu fatto cavaliere e uffiziale di padiglione: fu egli che nella seconda battaglia affondò l'ammiraglio di Zelanda. Contrammiraglio del turchino il capitan Kempthorne, uomo assai famoso nel Levante, avendo avuto diversi combattimenti contro i Turchi e sempre riportatone vantaggio, sì che in quest'ultime guerre ha fatto parlar di sé con grandissima lode.

Ammiraglio del bianco il cavalier Tommaso Allen, bravissimo soldato e marinaro: fu egli che s'impadronì del vascello franzese chiamato il *Rubino*, comandato da *monsieur* de la Roche, il quale veduto lo stendardo bianco e credutala la flotta di Francia, andò a mettergli nelle mani, benché, avvedutosi dell'errore quando non era più in tempo a correggerlo, si difendesse per lungo tempo, piuttosto con gran temerità che con bravura. Contrammiraglio del bianco il cavalier Giovanni Harman. Servì costui in altri tempi la repubblica e Cromuell; nella seconda battaglia di questa guerra si segnalò liberandosi di tre brulotti, quando di già avevano messo fuoco in qualche parte del suo vascello e che già i suoi marinari s'erano gettati a nuoto. Egli, dunque, solo col suo luogotenente, con grandissimo pericolo e travaglio staccarono i brulotti e salvaronsi: per questa operazione fu fatto cavaliere.

Oltre li suddetti *flagofficers*, ossia uffiziali di padiglione, son rinomati sopra gl'altri soldati di mare:

il cavalier Guglielmo Penn. Questi al tempo della repubblica fu luogotenente generale di Cromuell in Irlanda e di poi servì il medesimo, di cui era creatura intima, sopra il mare, mandato pertanto all'Indie Occidentali per pigliar la flotta spagnola; e non avendo potuto riuscire a quell'impresa (che fu, si può dire, l'unica cosa della quale toccò al Cromuell partirsi la voglia), si voltò con più felice successo sopra la Giamaica per non tornare senza aver fatto nulla. In tutte le battaglie che si dettero in tempo di Cromuell agli Olandesi, egli si ritrovò in qualità di viceammiraglio. Al presente, per servizi resi al re nel suo restabilimento, come in quest'ultime battaglie, è stato fatto cavaliere, e in oggi è la creatura prediletta del duca, il quale se anderà mai sulla flotta lo condurrà seco in qualità di viceammiraglio, variandosi secondo l'occasioni e il beneplacito del re le suddette cariche, cioè gli uffiziali di esse.

Il cavalier Giorgio Askeu, nobile di estrazione, ha sempre seguitato la fortuna di Sandowish. Si trovò seco a Tenariffa e a Sundt, e per conseguenza ha contribuito ancor egli al ritorno del re, trovandosi in quel tempo viceammiraglio della flotta, di cui esso Sandowish era ammiraglio. In tempo di Cromuell comandò in capite una squadra di vascelli mandati in servizio di Svezia, per lo che fu generosamente gratificato da quel re. Nella seconda battaglia fu fatto ammiraglio del bianco e comandò il *Real Prencipe*, il quale dando in un banco a mezzo la battaglia, fu attaccato subito da brulotti olandesi, incendiato il vascello ed egli fatto prigione. Secondo le leggi dell'armi osservate nel Regno doveva egli, benché arrenato, darsi fuoco: il che per non aver fatto, fu così in disgrazia dal re, che perciò lo lasciò star prigione in Olanda diciotto mesi, dove sarebbe ancora senza la conclusione della pace, benché con una parola avesse potuto liberarlo in quindici giorni. Le leggi del mare in Inghilterra obbligano i capitani di vascello a battersi contro tre vascelli inferiori e con due uguali: per maggior numero è lor permesso il fuggire. La pena destinata all'inosservanza delle suddette leggi è l'esser loro spezzata la spada in testa d'un gran colpo in pubblico sopra un palco.

Il cavalier Freshwil Hollis, congiunto di sangue di milord Hollis, comanda in tempo di guerra i brulotti. Questa carica si conferisce a persone di grand'esperienza e coraggio e il comandante va sempre sopra il maggior brulotto. Questo cavaliere nella seconda battaglia perdé un braccio, onde fu per ricompensa fatto cavaliere ed ebbe una compagnia nel reggimento del Monk. È giovane di trent'anni, non ha servito Cromuell ed è creatura del generale. Anche questo è uffiziale, si conta per *flagofficer*, alzando ancor egli il padiglione nel suo brulotto.

Il cavalier Genning, che comandava i brulotti quando gli Olandesi vennero a Chatham, è soldato di buona riputazione e creatura del duca.

Tra i capitani dei vascelli sono in buona considerazione: il cavalier Digby, figliolo secondogenito del conte di Bristol, d'anni venticinque. Il capitano Utber: questo al principio dell'ultime guerre era *flagofficer*, ma poi per l'età grave renunziò la carica. È di buona nascita e di gran reputazione nella marineria. Il capitano O'Brien, figliolo del conte d'Incequin, irlandese: è cattolico; in tutte le battaglie di quest'ultima guerra ha dimostrato coraggio grande e condotta. Il re gli vuol gran bene e lo riguarda come un soggetto da farsi un soldato grande. Questo anno doveva esser con la flotta. Il cavalier Cidney, giovane di 23 anni, nobile e ricco: con tutto che egli sia primogenito della sua casa, andò nel mare per acquistar credito e stima; il che riuscigli così bene che fu poi fatto capitano e creato cavaliere. Milord Bellamont, primo luogotenente del sovrano, giovane di 22 anni, che cerca di far sua fortuna coll'armi. È andato al presente alle Indie Occidentali con un reggimento d'infanteria. Quasi tutti gl'altri capitani sono soldati di fortuna.

Paghe degl'uffiziali e de' soldati della flotta.

Ammiraglio, due lire sterline il giorno; e quando sono sul mare hanno dal re per tener tavola aperta a tutti i volontari e gl'uffiziali. Viceammiraglio, una lira e mezzo, con la tavola. Contrammiragli, una lira, con la tavola. Capitani del secondo ordine, scellini quindici il giorno. Capitani del terzo, scellini dodici. Capitani del quarto, scellini dieci. Capitani del quinto ed ultimo, scellini otto, come in terra i capitani d'infanteria.

Tutti i capitani della flotta, subito che sono in acqua per comandamento del re, hanno la tavola, non in contanti ma in provvisione, fornita dai vivandieri del re. L'altre loro regalie sono nelle prese de' vascelli, tutto l'equipaggio del capitano nemico e tutto quello che si trova sopra coperta, toltane l'artiglieria e i cordami.

Luogotenenti dei gran vascelli, scellini sei il giorno; luogotenenti dei mezzani, quattro; luogotenenti degl'inferiori, due. Marinai, dieci soldi il giorno. Soldati, otto.

Il re fornisce tutta la flotta di provviste, onde tutti hanno tavola. Gl'uffiziali grandi e piccoli, quando non sono in attual servizio del re, o sia in tempo di pace o di guerra, non hanno che la metà di lor paga. I soldati e i marinari non hanno niente. Questi però non s'affliggono della pace, facendo assai maggior guadagni nel traffico dell'Indie e nelle paghe che tirano dai mercanti, per servizio de' quali fanno il viaggio.

Lista de' vascelli che gl'Inglesi confessano aver perduto in quest'ultima guerra.

La *Carità*, messo a fondo nella prima battaglia: e dicono essere stato il solo perduto in essa; montato di quaranta pezzi. L'*Ettore*: dicono perduto nella tempesta, quando Sandowish prese i vascelli olandesi dell'Indie. A detta loro era vecchissimo; pezzi 46. L'*Essex*, bellissimo vascello; pezzi 60. Il *Swiftsure*, comandato da Barkley; pezzi 60. Questi due ultimi asseriscono esser i soli perduti nella seconda battaglia nelle mani de' nemici. Il *Real Prencipe*, comandato dal cavalier Askeu, arrenato durante la battaglia ed incendiato dai brulotti; pezzi 80. Oltre i suddetti tre ultimi vascelli perduti, ne furono sette o otto bruciati e messi a fondo, ma tutti di quelli presi in altre occasioni agli Olandesi, a' quali toccò la mala ventura per essere stati esposti, come di minor conto, al maggior pericolo.

Interrogati gl'Inglesi come passasse il fatto della seconda battaglia, nella quale ciascuna delle parti si crede vincitrice, rispondono che l'inganno reciproco nacque perché, oltre i suddetti loro dieci vascelli perduti, tutto il resto della flotta era in gran disordine e molti de' vascelli partiti e ritirati per risarcirsi verso le coste d'Inghilterra; dal qual disordine e mancanza argumentarono gli Olandesi la disfatta della flotta molto maggior che non era. All'incontro, essendo gli Olandesi entrati con cento vele in battaglia, dopo il conflitto di quattro giorni uscitine con quaranta per esser molte disperse sul mare, dieder occasione agl'Inglesi di creder che l'altre fusser tutte perdute: e così da questo reciproco inganno asseriscono esser derivata in ciascuno la vana credenza d'aver disfatto interamente l'inimico.

Nella terza ed ultima battaglia, la *Vecchia Risoluzione* giurano esser stato il solo vascello brugiato e perduto; nel fatto di Chatham, secondo gl'Inglesi, il *Real Carlo*, preso e menato via. Per questo vascello dicono esser nel segreto concerto o piuttosto noto fra tutti i marinari inglesi, di tentar di ripigliarlo dovunque se lo troveranno fuori de' porti d'Olanda, senza alcun riguardo alla pace. Il *Real Giacomo*, il *Loyal London*, il *Real Oke* abbrugiati e ora tutti ricominciati a fabbricare. Parmi che "oke" sia nome d'una spezie d'albero e che il vascello sia così detto dall'albero in cui si nascose il vivente re dopo la disfatta delle sue genti in Iscozia; però non m'assicuro di non pigliar equivoco. Questi furono abbrugiati nel voler difendere la catena che guardava il porto e tutt'a tre erano stati tolti in altre occasioni agli Olandesi.

Questo è quanto confessano essere stato perduto in quell'occasione, e chi dice d'avvantaggio gli fa entrare in collera. Un altro vascello inglese chiamato *S. Patrik*, montato di 50 pezzi di cannone, confessano aver perduto in questa maniera: dicono che durante l'inverno s'incontrò con due vascelli olandesi, co' quali essendosi battuto, vi morì il capitano, il luogotenente e 60 soldati; onde il restante in cambio di darsi fuoco si arrese.

Lista de' vascelli da guerra presi agl'Olandesi in quest'ultima guerra.

Uno, avanti la prima battaglia, preso come il *S. Patrik*: v'era sopra il figliolo d'Everzen. Dodici, presi nella battaglia del duca di York, e sette messi in fondo. Otto pezzi, da Sandowish, nel nort. Tredici nella seconda battaglia, ma tutti messi in fondo e nessuno preso. Due nella terza ed ultima battaglia, l'un e l'altro grande e ben armato: uno all'ammiraglio di Zelanda, Everzen, che vi morì sopra, e l'altro al viceammiraglio Bankert, che si salvò. Gl'Inglesi gli presero, ma si trovarono in tale disordine che furono obbligati a mettergli essi medesimi in fondo. Quattro da guerra ne bruciarono, tra quei tanti mercantili del Wliz.

STATO DELLA CORTE D'INGHILTERRA

Corte del re.

Carlo secondo, re.

Gran contestabile. Questa carica altre volte è stata permanente, ora però non s'usa di conferirla che per un tempo determinato, e quello brevissimo. Una delle ragioni è l'eccessiva autorità che ella ritiene in virtù del suo primo stabilimento, per la quale ha diritto sopra tutto il Regno, onde in un certo modo fa uggia alla stessa dignità reale. Il motivo di conferirla in oggi par che venga unicamente o dall'occorrenze di giudicature di pari e baroni del Regno o da funzioni solenni, come coronazioni di re e regine, nozze ed altre pubbliche solennità. Il gran contestabile durante il tempo della sua dignità porta in mano una bacchetta bianca dell'altezza di un uomo in circa, alla quale s'appoggia camminando.

Grand'ammiraglio, Jacomo, duca di York, fratello unico del re.

L'arcivescovo di Cantorbery, primate d'Inghilterra.

Gran cancelliere fu già Odoardo Haid, conte di Clarendon. Questa carica ha l'uso del gran sigillo e soprintende universalmente a tutta la giudicatura civile e criminale.

Gran tesoriere. Questa carica è vacante per la morte di milord Southampton, ed era presentemente esercitata da quattro deputati del re, de' quali s'è fatta menzione altrove. È però da sapere che la tesoreria generale fornisce tutte l'altre tesorerie del re, colando in essa tutte l'entrate regie registrate ne' libri maestri, tenute dai commessi del gran tesoriere con somma puntualità ed esattezza, essendo sottoposti a rigorosissime revisioni de' conti. Paga la milizia e ogn'altra spesa della casa, gli offiziali del re e della Corona, eccettuati quelli che son pagati da altre tesorerie minori, subordinate ad essa. Queste sono la borsa privata, la tesoreria detta della casa, la tesoreria dell'armata, la borsa del gabinetto. La prima paga tutto quello che per via di pensioni, d'uffizi, d'aiuti di costa e d'altri titoli straordinari ordina che sia pagato; e questa ha un tanto il mese d'ordinario dalla gran tesoreria. La seconda paga tutti quegli offiziali che dependono dal gran scudiere, che corrisponde al maiordom maggiore della corte d'Italia. La terza paga tutto ciò che necessariamente occorre di spesa in occasione d'armamento di flotte. L'ultima è affatto per l'uso del re, de' suoi piaceri. A queste s'aggiugne in tempo di guerra la tesoreria delle prese, la quale riceve gl'ordini dal re per l'impiego di quei danari che si ritirano dalle vendite delle suddette prese. S'aggiungono inoltre i pagatori particolari delle guardie, tanto a cavallo quanto a piedi, avendo quasi ciascuna di esse particolar tesoriere.

Guardasigilli, milord Brigeman. Questa è una spezie di carica subalterna del cancelliere. Guardiano del sigillo privato, milord Robertz.

Gran maresciallo. Questa carica è ereditaria nella casa dei duchi di Norfolck; ora però è vacante per esser questo ramo cattolico, onde non possono pigliare il giuramento di riconoscere il re per capo della religione, independentemente dal papa. Il gran maresciallo ha diritto sopra tutta la nobiltà, decidendo in tutto ciò che concerne materia d'onore e di cavalleria, sia lite di precedenza sia querela sia prigione sia duello. È però carica d'onorevolezza ma di nessuno emolumento.

Gran ciambellano: il conte di Lindesey, nella di cui famiglia quella carica è ereditaria. Questa ancora non è che di mera apparenza e non fa figura, salvo che in occasione di pubbliche e straordinarie solennità. Porta bacchetta bianca.

General Giorgio Monk, duca d'Albemarle, grande scudiere.

Il suddetto ciambellano del re, Odoardo Montaigu, conte di Manchester: corrisponde al maestro di camera; porta bacchetta bianca e chiave d'oro allato, attaccata a un nastro turchino.

Sotto ciambellano, il cavaliere Carteret, carica subalterna del ciambellano.

Gran maestro della casa Jacomo Boutler, duca d'Ormond: porta bacchetta bianca.

Controlleur della casa, milord Fiscardin, della casa Barkley: porta bacchetta bianca.

Sotto *controlleur*, il cavalier Clifford: porta bacchetta bianca.

Primo gentiluomo della camera, il conte di Barthe, di casa Grinvell: porta chiave d'oro.

Gentiluomini della camera: questi sono ordinariamente de' primi del Regno.

Primo segretario di stato, milord Arlington.

Segretario di stato, il cavalier Morice.

Cancelliere della tesoreria, milord Ascheley: depende dal gran tesoriere ed è come suo aiuto principale.

Tesorier dell'armata navale, il conte d'Anglesey: amministra tutto il danaro dell'armamento e mantenimento della flotta.

Segretario dell'armata navale, il signor Penn: depende dal grand'ammiraglio.

Capitan delle guardie di pensionari, milord Bellasis.

Capitan delle guardie della Manica, milord Grandison.

Corte della regina.

Caterina, principessa di Portogallo, regina d'Inghilterra.

Grand'elemosiniere, milord Filippo Howard, fratello del duca di Norfolck.

Ciambellano: la carica è sospesa. L'aveva milord Cornbury, figliolo primogenito del suddetto cavaliere. Si credeva potesse averla il conte di Sunderland, della casa Cidney.

Gentiluomo della camera del re: la carica dà l'uso della chiave d'oro.

Gran scudiere, il cavaliere Montaigu.

Segretario, il cavaliere Bellin.

Prima dama d'onore, la contessa di Suffolk: porta chiave d'oro.

Sotto questa sono le dame d'onore, che sono delle principali del Regno e tutte maritate, dopo le quali vengon le figlie d'onore, che averebbon a esser fanciulle, e queste hanno quartiere in Whitthall.

Corte della regina madre.

Grand'elemosiniere, milord Montaigu, fratello del conte di Manchester: questo è presbiterano, quello cattolico.

Ciambellano, Arrigo Germain, conte di S. Albano.

Gran scudiere, milord Arondell, nome di casato, non di titolo, come in casa Howard.

Segretario, il cavaliere Winter.

Prima dama d'onore la duchessa douariera di Richmont, rimaritata a un giovane della casa Howard, sorella del duca di Buckingam e zia del vivente duca di Richmont.

Corte del duca di York.

Primo gentiluomo della camera, il marchese di Blancfort, franzese della casa Duras, nipote del marescial di Turena e anche tesoriere della borsa privata del duca.

Grande scudiere, Arrigo Germain, nipote e erede del conte di S. Albano.

DELLA NOBILTÀ D'INGHILTERRA IN GENERALE

Le classi in cui si dividono le differenti sorte di persone in Inghilterra, sono tre: patrizi, l'ordine equestre e la plebe, che in inglese si dicono *Nobleman*, *Gentry*, *Yeoman*.

Patrizi o nobili son tutti quelli che son baroni, sotto il qual titolo passano indifferentemente i duchi, i marchesi, i conti e i visconti, non operando altra cosa tra essi la maggioranza del titolo che il vantaggio della precedenza; mentre nel resto la sola qualità di barone è quella che dà lor luogo in parlamento e gli fa godere tutti gli altri privilegi de' pari del Regno, il principale de' quali è che niun può esser allegato sospetto quando anche fosse nemico capitale del re. Siede questo alla barra assistito da' suoi savi da una parte, e dall'altra da' testimoni della parte avversa. Vi sono ancora alcuni del corpo legale detti *Siure*, che interpretano la legge quando ne fa bisogno, e sopra l'interpretazione corre la sentenza, dopo la quale il contestabile rompe la bacchetta bianca che porta in mano, *ipso facto*, s'intende, spirata con la sua carica la sua autorità.

Delle forme particolari di questo giudizio me ne rapporto al Cambdeno, allo Smith ed ad altri che hanno scritto *ex professo* delle cose d'Inghilterra e delle consuetudini del Regno.

Il titolo di marchese, di conte, di barone non include di sua natura pareria: e de fatto vi sono molti che hanno titolo e non son pari. Pari è solo chi è dichiarato tale dal re. Questo fa sì che un duca, benché non sia pari, fuori di parlamento precede a un conte che lo sia, ma in parlamento non solo non lo precede ma (come si è detto) nemmeno ha luogo.

Tutti i figlioli primogeniti de' pari entrano in parlamento per abilitarsi all'intelligenza delle leggi e degli affari del Regno, ma non hanno atto né deliberativo né consultivo. I figlioli primogeniti de' duchi son tutti conti, gli altri, cioè i secondogeniti e i cadetti, per una certa equità si chiaman Lord finché vivono, ma accasandosi non passa il titolo ne' loro figlioli. Lo stesso milita pe' figlioli de' marchesi, ma i primogeniti de' conti son chiamati visconti ed i cadetti *Squaier*, cioè scudieri. Finalmente i primogeniti de' visconti e de' baroni son tutti *Squaier*. I figlioli de' duchi, come conti, non precedono fra di loro con l'ordine de' padri, cioè secondo l'istituzione delle ducee, ma secondo quella delle contee, di cui portano il titolo. Insomma per votare si attende la pareria e per sedere si risguarda tra i diseguali il titolo, e tra gli uguali l'istituzione di esso titolo. È anche da sapere che nella classe de' *Nobleman* si comprendono tutti i figlioli de' baroni, così primogeniti come cadetti, per la qual ragione precedono a tutti quelli dell'ordine *Gentry* o equestre che voglia dirsi.

L'ordine equestre comprende tutti quelli che per privilegio del re o per costume compongono questa classe, la quale si divide in cavalieri baronetti, cavalieri del Bagno, cavalieri della Bandiera, cavalieri aurati, scudieri e gentiluomini. I cavalieri del Regno, che si creano solamente nella coronazione del re e nella proclamazione del prencipe di Galles e sono per lo più figlioli di nobili, nel sedere tengono l'ordine della loro nascita, senza alcun riguardo a quello della classe equestre in cui gli costituisce l'ordine della loro cavalleria. I loro primogeniti sono *Squaier* e si precedono con l'istessa regola de' loro padri. Così le femmine. Gli altri figlioli secondogeniti sono tutti gentiluomini e si precedono come i loro primogeniti.

Yeoman è tutta la plebe, così la ricca come la povera.

Le figliole de' duchi, marchesi, conti e baroni si chiamano *Lady* e si precedono con l'ordine de' loro padri: onde tutte le femmine in Inghilterra precedono fra loro con l'ordine de' loro secondogeniti, non essendo fra di esse primogenitura. L'altre son tutte *Mistresse*, che suona semplicemente «signore». Il titolo di *Madama* è generale a tutte le donne e particolarmente quando son belle, ma in rigore anderebbe solamente alle regine ed alle principesse del sangue. Intorno a che è da osservare che in Inghilterra principe e principessa del sangue non son chiamati se non quelli che son figli e nepoti di re: fino a questo grado precedono a tutti gli altri titolati, così ecclesiastici come temporali, ma da quello in qua non son considerati se non per la qualità del lor titolo; e così i nepoti del duca di York sederanno in parlamento sotto i figlioli del duca vivente di Norfolck.

Il re non ha altro titolo che *Sire*, che in inglese si pronunzia «Sar». Ai duchi e agli arcivescovi si dà il titolo di *Grace*, cioè di Grazia, parlando loro in terza persona, ovvero *Most honorable*, onorabilissimo: ma questo secondo non è troppo in uso. Alcuni per capriccio o per interesse o per adulazione danno lo stesso titolo anche a' marchesi. Dai conti fino ai baroni usa dare scrivendo *Right honorable*, giustamente onorabile. A quelli del consiglio di stato, che non son duchi né marchesi né conti né baroni, ai segretari di stato, baronetti ed altri cavalieri si dà l'*Honorable*, e invece (parlando in terza persona) del Vostr'onore, *Your honor*, sì come ai baroni, visconti e conti, *Your Lordschip*, Vossignoria. I titoli ecclesiastici son di tre sorte: ai decani, canonici, preti, ministri e dottori, *Reverend Father*, reverendo Padre; ai vescovi, *Right Reverend Father*, giustamente reverendo Padre; agli arcivescovi, *Most Reverend Father* (a questi di già ho detto che in terza persona si dà di «Grazia»). Il titolo de' prencipi del sangue è *Illustrious*, Illustre, ovvero *Most Illustrious*, Illustrissimo, il quale si dà anche al re con gl'altri titoli *Souvraine most gracious*. Il titolo per scrivere al re è *To the King's most excellent Majesty*, alla del re eccellentissima Maestà, ovvero *Most serene* in cambio di *Most excellent*, che val serenissima. Credo che la nazione inglese sia la sola che dia al suo re titolo di Eccellenza.

Dissi dal principio di queste memorie che il re d'Inghilterra rispetto ai suoi sudditi è semplicemente fonte di grazia e d'onore: e de fatto tutta la nobiltà si denomina tale per suo indulto e privilegio. Della prima, che abbraccia baroni e pari del Regno, e della seconda, che comprende i baronetti e i cavalieri, non c'è alcun dubbio: la terza, alla qual si riducono gli scudieri e tutti quelli che chiamansi «gentiluomini», è ancor ella dell'istessa natura. Dell'altre due, è ben vero che l'uso e la consuetudine fa chiamarli tali, anche senza l'espressa e particolar dichiarazione del re. Di qui è che il solo pregio della chiarezza del sangue non è avuto in alcuna considerazione, se o titolo o posto riguardevole non le dà nuovo lustro. Così i cadetti e figlioli de' cadetti delle prime famiglie del Regno servono come schiavi ai loro fratelli primogeniti e a quei della discendenza del capo della loro famiglia, se i più bisognosi non fanno alcuna difficoltà a servire attualmente di segretari, di maestri di casa, di governatori, di ragazzi e infino di valletti di camera, semplici cavalieri privati, anzi a mettere i loro figlioli a servir maestri d'arti vilissime, come sarti, calzolai, osti e ad ogn'altro esercizio di simil sorte. Onde si veggono de' giovani di nobilissimo sangue mescolarsi tra la più infima plebe, senza che né abito né altra qualità li distingua. Da ciò ne deriva la confusione delle famiglie grandi, mentre prevalendo la prerogativa del titolo alla chiarezza del sangue, si rende difficilissimo il rintracciamento della vera nobiltà e il poter discernerla tra il lustro delle dignità e delle cariche.

Io andrò registrando alcune delle principali famiglie, nondimeno dichiarandomi di non osservare altr'ordine che quello con cui verranno suggerite dalla mia memoria.

Le prime di tutto il Regno sono senz'alcuna controversia Howard e Savel. La prima, oltre all'antica nobiltà, è sommamente riguardevole per la quantità de' titoli, de' quali ne ha sopra ogn'altra, mentre, oltre a quelli di duca di Norfolck, di conte d'Arondell e di baron di Charlton, che sono di primo duca, di primo conte e di primo barone del Regno, conta almeno sette altri titoli di contee in sett'altri rami della sua famiglia. Il ramo principale, che è quello de' duchi di Norfolck e conti d'Arondell, uniti nella persona del vivente duca, che da molti anni vive pazzo a Londra, è cattolico. L'entrate son però godute dal suo secondogenito, che presentemente non fa altra figura che di semplice cavaliere, ma di semplice cavaliere a cui la sola vita d'un pazzo è ritardo a far la figura del secondo personaggio d'Inghilterra dopo il re. Egli ha due figlioli: il maggiore di 16, il minore di 13 anni, l'uno e l'altro benissimo fatti. Pensa il padre di spartire un'altra volta tra essi i titoli, riuniti nel zio, di duca e di conte, essendo 26.000 lire sterline che ha d'entrata assai sufficienti per far due case grandi. Questi due figlioletti sono stati parecchi anni a Parigi nell'accademia sotto la direzione di un savio e virtuoso gentiluomo cattolico chiamato il cavalier Samuel Tuke, il quale si è presentemente ritirato dal loro servizio. Il padre era in disposizione di mandarli per due anni nel collegio di Cristo a Oxford e poi condurgli egli stesso in Italia. Egli è vedovo della moglie, ma vive accompagnato d'una donna assai bella, di cui s'innamorò molt'anni sono la prima volta ch'ei la vidde. Altri già aveva preso possesso di lei, e in specie il duca di Buckingam: egli però la fece subito bandire, e crescendo l'amore, dubitando i fratelli che l'eccessiva passione l'acciecasse a sposarla, pregarono il re a seriamente ammonirlo. Il re lo fece, e dicono che egli lo minacciasse di levargli l'entrate e di farle amministrare da un economo del suo fratello. Egli per ispacciarsi fece il viaggio di Costantinopoli, allora che il conte Leslie n'andò ambasciatore per Cesare; ma mantenendo acceso il fuoco per via d'un continuato commercio di lettere, appena tornato la ricondusse da un convento di Fiandra, dove l'aveva lasciata, in Inghilterra. Al presente la tiene in Londra, vi dorme regolarmente tre volte la settimana e ne ha avuto un figliolo. Ella, da che è alle sue mani, è vissuta molto savia: non trascura già egli di tenerla benissimo guardata. Pensa però di ritirarsela vicino al suo palazzo fabbricandole una casa sul Tamigi, da potervi andare per il suo giardino.

Il fratello, che è grand'elemosiniere della regina, è uomo di esemplarità degna d'un grand'ecclesiastico: non cessa di tormentarlo, ma egli se ne difende con gran disinvoltura.

L'altra famiglia, Savel, e che si pretende un ramo dei Savelli di Roma, è grande per antichità e per ricchezza. Ell'è divisa in due rami principali: il primo, de' conti di Sussex, e l'altro de' visconti di Halifax, con un grandissimo numero di cavalieri e scudieri.

Duca di Sommerset, di casa Semore, famiglia antichissima. Parmi che avessero il titolo da Arrigo VIII dopo che egli ebbe sposata una delle loro donne.

Duca di Buckingam, di casa Villers; ebbe il titolo nella persona del padre con quello di marchese, di conte e di barone per favore del re Jacomo da cui fu teneramente amato nel più bel fiore della sua giovinezza. Egli ottenne anche il titolo di conte d'Anglesey per un fratello di cui non è successione. La sua qualità era di semplice gentiluomo; adesso si troverà, questa casa, uno stato di sopra 20.000 lire di rendita.

Duca di Richmont, famiglia fatta inglese da sessant'anni in qua incirca, da pochi anni innanzi al qual tempo denominavasi dei duchi di Lenox, titolo di Scozia. Ella vien da un signore di Aubigny, il quale aveva vissuto per molte generazioni in Francia; aveva avuto origine dalla casa Stuard scozzese e veniva a essere il più vicino parente (che non lasciava però d'essere remotissimo) che avesse il re Giacomo, il quale per questa considerazione lo richiamò di Francia e diedegli titolo di duca inglese e fecelo grande come suo congiunto. È il vivente duca assai giovane, ha titolo d'ammiraglio e di gran ciambellano di Scozia e cavalier degl'ordini e gentiluomo della camera del re. Le facoltà però non sono a proporzione né della sua condizione né delle sue cariche, dissipate dalle guerre e dalla fastosa prodigalità del zio, della quale si trova ancor egli aver ereditato in proporzione dei beni. Egli nasce d'un suo fratello secondogenito, essendo il maggiore venuto a morte senza aver avuto successione della sua moglie, sorella del vivente duca di Buckingam.

Della famiglia del duca d'Albemarle ho già parlato parlando della persona d'esso duca: soggiugnerò adesso come egli, nel breve tempo corso dopo il ristabilimento del re, si fa conto trovarsi in uno stato di 20.000 lire di entrata. Poco avanti che io arrivassi in Inghilterra aveva comprato un'ampia possessione con una bellissima casa di campagna dal duca di Buckingam, di sopra 40.000 lire di rendita.

Anche del duca d'Ormond e di Monmouth ho discorso altrove. Per lo che, passando al duca di Niewcastel, dico esser egli capo del ramo cadetto della casa Cavendish, per quanto si dice, antichissima: capo della famiglia è il conte di Devincer, visconte e baron Cavendish, uomo che comincia a esser d'età, ma buonissimo e cordialissimo cavaliere: egli e il duca di Niewcastel, suo cugino, passano tra i più vecchi signori d'Inghilterra, calculandosi tra l'uno e l'altro sopra 60.000 lire di rendita. Il conte di Devincer ha due figlioli, il maggior de' quali, che è il maggior scapigliato di Londra e sta poco bene col padre, ha per moglie una figliola del duca d'Ormond, assai bella. Il minore è figlioletto di 12 in 13 anni.

Vive ancora la contessa di Devincer, sua madre, e sta in un magnifico palazzo, trattandosi da qualche cosa più che da gran principessa. Ella passa gli anni 86 ed è d'una statura che sarebbe formidabile per uomo, non che donna. Si fa servire da gentiluomini, fa ogni giorno tavola sontuosa: la sua casa è sempre piena di visite. Il suo appartamento è pieno di preziose suppellettili e d'argenterie. Ella siede sopra un letto da riposo, posto in isola all'usanza de' letti alla franzese, sotto una spezie di baldacchino, dalla cornice del quale pendono cortine fino in terra, che si chiuderebbono a guisa di cortinaggio se non fusse che, aperte e riprese di qua e di là, formano, piuttosto che un cielo di letto, un baldacchino da tabernacolo. La contessa non si muove né si alza altrimenti che sostenuta sulle braccia di due bellissime damigelle. Gli ottantasei anni e 'l paralitico ch'ella ha nel collo, onde gira sempre la testa come in tempo d'oriuolo, non le impediscono il portar sottanini di stoffe perlate, con fiorami di colori allegri e gran merletti d'argento. Quel che si faccia non lo so: sento che quattro sorelle che ella ha si divertiscono tutte bravamente. D'una d'esse, maritata al ..., racconterò un caso redicolo. Ell'era un giorno nella nuova Borsa con un cavaliere amico suo, per provvedersi di galanterie. Venendo il discorso di camminare a piè zopperello, disse bastarle l'animo di far tutta la corsia della Borsa, da un capo all'altro, camminando in tal guisa: il cavaliere a dir di no, ella di sì; finalmente scommisero di grosso. La dama, sollevatasi un poco la veste (la Borsa era piena com'ella è sempre), fece quant'ella s'era obbligata di fare; il cavaliere, arrabbiato d'aver perduto, le corse dietro, la piglia in braccio e, distesala bocconi sopra un desco d'una di quelle botteghe, l'alza i panni e le dà una mezza dozzina di sculacciate, senza seguirne per lui altro male che il pagar la scommessa.

Mi scordavo che il duca di Niewcastel si chiama marchese e duca insieme, e possiede per eredità la contea d'Ogle e il viscontado di Mansfelt, senza però avere, né nell'uno né nell'altro luogo, un solo palmo di terreno.

Marchese di Winchester, di casa Paulet, marchese di Worcester, di casa Herbert, marchese di Dorchester, di casa Pierrepont: tutt'e tre buonissime famiglie.

Tra i conti, dopo quello d'Arondell, che ho detto di sopra essere della casa Howard, ne vien quello di Oxford, di casa Vere, famiglia antichissima. Il conte di Shreusbery, di casa Talbot, famiglia anch'essa antica al pari d'ogn'altra inglese. Il conte di Nortumberland, di casa Percey, famiglia grande, ricca e antica, la quale per la pretesa discendenza dalla casa di Lorena ostenta diritti immaginari alla corona di Francia, per l'usurpazione di Ugo Capeto. Con queste visioni s'è sempre familiarizzato il conte d'Algernon (onde si chiamava il duca di Lorena) del loro ramo, che in quel tempo doveva succedere alla corona. Il conte di Kent, di casa Grey, antica ma di mediocri facoltà; il conte di Bedfort, di casa Russel, pretendono uscir d'Italia, da non so qual luogo di Lombardia: chi dice di sì, chi dice di no (accade della maggior parte delle famiglie d'Inghilterra, delle quali son diversissime le opinioni). Che si sia della nobiltà di questa casa, niuno controverte che ella sia ricchissima, anzi pur delle più ricche del Regno. La sola entrata delle case che egli ha in Londra (tutte insieme nel quartiere detto il Comun Giardino, che è quasi tutto suo), si valuta intorno a 10.000 lire. I conti di Manchester e di Sandowish, ambedue ricchissimi, sono della casa Montaigu, che è certamente delle più nobili: pretendono essere gli stessi che i Montauti di Toscana; il ramo principale ha titolo di barone. Il conte di Manchester è anche visconte Mandevil. Conte di Wanvick, di casa Rich, famiglia antica e che possiede il titolo di lunghissimo tempo. Conte di Suffolk, ramo della casa Howard, di mediocri facoltà. Conte di Carlisl, altro ramo della stessa casa: ancor questo non era se non di tenui facoltà, ma parmi d'aver inteso dire che dopo il ritorno dell'ambasceria di Danimarca abbia avanzato molto danar contante. Conte di Barksher, altro ramo della stessa casa, meno ricco de' due precedenti, disastrato grandemente dalle passate guerre. Conte di Salisbury, di casa Cecil, famiglia venuta su dalla regina Elisabetta, con le gran ricchezze accumulate dall'avo e dal fratello di esso, quello gran tesoriere, questo primo ministro. Conte d'Exeter, della famiglia suddetta, descende dal primo ministro. Conte di Straford, di casa Wentworth, antica e assai ricca. È noto come il padre di questo conte fosse decapitato nel tempo del defunto re, il quale per la sua sicurezza fu costretto a sacrificarlo all'odio del parlamento, segnando la sentenza della sua morte con dirottissime lacrime, come quello che lo conosceva per il suo miglior amico e innocente di tutti i delitti oppostili. Conte di Newport, di casa Montioy, famiglia antica e ricca. Anche questi son tra coloro che pretendono esser venuti di Francia con Guglielmo il Conquistatore: non ho già mai trovato persone di buon senso che menino buone, né a loro né agli altri, le prove di questa presupposta verità. Conte di Pembrok e Montgomery, di casa Herbert, assai facoltoso. Conte di Sunderland, di casa Cidney, famiglia riputata assai buona. Conte di Westmorland, di casa Vere: titolo nuovo, ma la famiglia si suppone antica. Conte di Bristol, di casa Digby: titolo nuovo ancor egli, ma non la famiglia. Visconte Pagett, buonissima casa. La casa Barkley è ancor ella assai antica: ha due baroni e un visconte. Il primo de' baroni e il visconte si chiamano barone e visconte Barkley; il secondo è barone Fiscardin, padre del conte di Falmouth, che morì nella prima battaglia, nella presa che fecero gli Olandesi del suo vascello.

Mi uscivano di mente le due case di Hangrinton e Derbey; l'uno e l'altro titolo di conte. Queste famiglie sono considerabili per antico titolo, per alleanze reali e per la concorrenza che fecero al Regno in tempo del re Giacomo. Di molt'altri ci sarebbe da dire, e forse ne ho trascurate delle più illustri per delle meno considerabili: ed ecco de fatto mi sovviene la famiglia Spenser, nobile forse quant'ogni altra delle nominate. Ma ciò sia condonato alla ignoranza di un forastiero, trattenutosi per lo spazio di due soli mesi in una corte sì grande, alla quale era arrivato interamente sprovveduto di notizie e d'amici.

CAMERA BASSA O DEI COMUNI

I primi parlamentarii della Camera bassa, detti cavalieri di provincia, si eleggono in questo modo. Nelle trentadue province nelle quali è diviso il Regno d'Inghilterra, si ragunano tutti quelli che hanno un certo determinato valsente di beni, e questi eleggono del loro corpo i due rappresentanti della provincia, ai quali vien delegata immediatamente l'autorità ed il potere valevole ad autorizzare la libertà de' loro voti nel parlamento.

I secondi sono i borgesi, che sono gli eletti delle città e degli altri luoghi, all'elezione de' quali si procede da quei cittadini che hanno voce ad eleggerli, con l'istesso ordine che si tiene da' provinciali all'elezione de' cavalieri, con questa sola differenza: che dove quegli hanno a esser nativi di quella provincia, questi poco importa di dove sieno scelti, purché sieno inglesi e che l'elezione cammini per le sue forme.

La limitazione che si osserva per le province e nelle città circa all'ammettere nell'elezione de' parlamentarii solamente quelli che hanno un ragionevole stato di facoltà, non ha luogo ne' villaggi, dove il poco numero degl'abitanti esclude la confusione solita a nascere dalla molteplicità de' voti. Quindi in sì fatti luoghi ciascuno ha parte nell'elezione de' deputati, i quali, sì per minore spesa nel mantenerli sì per convenienza d'aver rappresentanti pratici delle leggi ed intendenti degl'affari del Regno, sono per lo più persone abitanti in Londra e introdotte tanto quanto alla pratica della corte.

Non tutti i luoghi hanno *vis* di mandare i deputati, ma quelli solamente l'inviano i quali, o per privilegio meritato co' servizi resi alla corona o per antica consuetudine, si trovano in questo possesso. Di qui è che molti, raddotti di poche case, hanno voce in parlamento, e molte terre e castelli grossi non l'hanno. Basta, che tutto questo corpo si compone di circa 400 persone.

La Camera bassa non ha alcuna giudicatura né può ricevere alcuna sorte di giuramento. Tutta la sua incumbenza è di rappresentare alla Camera de' signori i sentimenti e le convenienze del popolo. Anche la proposizione delle leggi che si giudicano utili e necessarie al Regno si dà dalla Camera de' comuni e da quella de' signori, e da questa al re, il quale approvandole risponde in franzese: «*Le roy le veut*», con che pigliano subito forza e vigore di leggi del Regno. Disapprovandole risponde, nell'istessa lingua, che vi farà riflessione, che è l'istesso che dir «non voglio».

DELLA CITTÀ DI LONDRA

Londra faceva innanzi l'incendio centotrenta parrochie, delle quali ne rimasero abbruciate novantatré. Anime, si fa conto che ne faccia al presente, secondo calcoli molto aggiustati, trecentottantaquattromila. Case abbruciate, tredicimila; case finite di rifabbricare e tornate ad abitarsi, sopra duemila; case cominciate, anzi più che ammezzate, delle quali più che la metà potranno abitarsi l'anno avvenire, da cinque in seimila. Il legno, fuori che per le soffitte, i palchi, li pavimenti, è bandito dalle nuove fabbriche, le quali si fanno tutte di mattoni e s'adornano con ringhiere di ferro dipinte di turchino e toccate d'oro. L'architettura è buona e per tutti v'è obbligo di seguitare appresso a poco un istesso disegno.

Le carrozze a vettura sparse per la città erano innanzi all'incendio sopra mille: ora son ridotte intorno a cinquecento, attesa la minor necessità di esse per il commercio levato da tutte le parti della città distrutta dal foco. Si pagano uno scellino l'ora, che è dodici soldi, e la prim'ora sei soldi di vantaggio, che son diciotto. Non si paga mai meno di un'ora, per breve che sia il viaggio fatto con esse.

Barche sul Tamigi, cioè barchette sottilissime a due remi, sopra mille. A traversare il fiume si paga sei soldi, e per lo lungo, cioè da Westminster al Ponte, l'istesso. A passare il Ponte, se fusse per due soli passi, si raddoppia. In queste barche v'entrano assai comodamente sei persone e due rematori; se v'è un remator solo, tre soldi.

La notte, nei canti della città si trovano del continovo de' ragazzi con piccole torcette a vento per far lume. Si pagano a discrezione, non essendovi prezzo fatto: per farsi accompagnare un miglio di strada si darebbe incirca a quattro soldi. In qualche luogo si trovano delle sedie, ma queste, a dire il vero, non son molte: si pagano come le carrozze; vengono però a esser più care, perché in queste non vi va se non uno, e quelle capiscono quattro.

I facchini, che stanno quasi per tutti i canti della città, son fidatissimi e si mandano non solo con carichi ma con danari, lettere, gioie ed ogni altra cosa più preziosa. Per andare da Westminster in città si dà loro uno scellino, e sono obbligati a riportare in scritto la fede del recapito da chi ha ricevute le robe. Portano un gran panno bianco attraverso al busto a uso di sciarpa legata sul fianco, che serve loro per involtare o per reggere un carico di mole disadatta o di peso considerabile. Prima di mettersi al mestiere bisogna che diano buon mallevadore.

Coffee-houses, case di caffè, dove il caffè si vende pubblicamente; e non solo il caffè ma altre bevande ancora, come cioccolatte, tè, sorbetto e la *cocchela*, sidre e altre secondo la stagione. In queste case vi son diverse camere o crocchi di novellisti, dove si sente quanto c'è e quanto si crede di nuovo, o vero o falso ch'e' sia. D'inverno il sedere a un gran fuoco e fumare due ore non costa più di due soldi; bevendo, poi, si paga tutto quel che si beve.

Vi son due teatri per le commedie e tre compagnie di commedianti inglesi. La prima si chiama del re, la seconda del duca, la terza non è altro che un seminario di giovani, di commedianti che alle volte recitando sui teatri de' maestri s'abilitano alla scena e all'occasioni entrano nelle due compagnie sopraddette. Queste recitano tutto l'anno ogni giorno, toltone le domeniche, le quali sono universalmente santificate con superstiziose devozioni.

L'osterie di campagna in sulle strade maestre non danno cavalli senza licenza a' passeggeri; in Londra non stanno né carrozze né sedie, onde a chi le vuole convien fermarle la sera di sabato. Gli ordinari e gli osti non trattano se non di nascosto, e tengon l'uscio chiuso fino a sera, dopo finite l'orazioni del giorno.

La Quaresima non c'è commedia se non quattro volte la settimana: lunedì, martedì, giovedì e sabato; e la settimana santa non c'è mai. Nei teatri c'è gran libertà e conversazione, stando mescolati uomini e donne e sin ne' palchetti e nello stanzone, dove non si sta altrimenti che a sedere. Le donne ne vengono mascherate a tentar dell'avventure e spesso riesce il far dell'amicizie. Il concerto de' violini v'è sempre buonissimo. Tutto l'anno vi si vendon arance di Portogallo, che quivi si chiaman della China, e d'estate ogni sorte di frutti. Si recita il giorno, dalle tre fino alle sette.

I bordelli pubblici son molti e tutti sicurissimi. Questi son ordinariamente le case delle ruffiane, le quali vi metton subito in una stanza, qual meglio e qual peggio guarnita, e vi conducono a mostra quante ragazze sapete desiderare, le quali vanno a pigliare i contorni vicini fin tanto che una o più ve ne piaccia. Con quella dunque vi lascian solo e aspettano finché chiamate per rimandarla. Avanti però di partire apparecchiano sopra una tavola dell'*ela*, del vin di Francia, del vin di Reno, un piatto d'arance forti o al più di mezzo sapore, del sugo delle quali spremuto nell'*ela* e nel vin di Reno, insieme con del zucchero fino, si fa uno strano zibaldone, e per delizia si beve a mezzo con la puttana. Trovano ancora delle sorte de' confetti e altre bagattelle, tanto che tra la paga della ragazza, che regolarmente batte in uno scudo, quella della ruffiana e la spesa della colazione se ne va il divertimento in una lira sterlina. Quando di sopra ho detto che i bordelli son sicurissimi, ho inteso di burle, di furti e d'ammazzamenti, ma non già di mal franzese, poiché di questo ve n'è senza fine e del più perfido e velenoso.

Quelle che si chiaman «taverne» son per lo più nobilissime e tutte superbamente addobbate, onde le persone di gran qualità, così uomini come donne, non si fanno il minimo scrupolo d'andarvi. V'è anche gran quantità d'ordinari, che in Francia si direbbero *traitteurs*, cioè gente che dà desinare e cena. Ve n'è degli inglesi e de' francesi, dove i primi signori della corte vanno la mattina con l'istessa frequenza che vanno la sera in Firenze i primi gentiluomini all'osteria per fuggir soggezione e goder libertà. La differenza tra le taverne e gli ordinari è che nelle prime si va ordinariamente per bere e nelle seconde per mangiare. Non è per questo che alle volte non si mangi anche in quelle e non si faccia altro che bere in questi: ma ciò è fuori del loro ordinario, e in tal caso si cavano del loro elemento. La verità si è che l'uno e l'altro è cattivissimo.

V'è infinità di bettole da birra dove si vendono molte spezie di bevande del paese, delle quali ne ho contate fino in trentadue sorte. Questi luoghi non son molto dispendiosi e però si trovano sempre pieni, a basso, di canaglia e, da alto, d'ogni sorte di condizione di persone, dalla riga d'artieri a quella di gentiluomini. Differiscono in questo dalle taverne, che in quelle si beve del vin di Spagna, che quivi chiamano *Sac*, vin di Francia, di Malaga, vin di Bordeos, Moscati ed altri vini forastieri e preziosi, dove nelle bettole di birra non si beve se non *ela*, *cocchela*, *butterela*, *Lambuela*.

Vi sono parimente degli ordinari comuni a più buon mercato, e questi servono per i lacchè e altra gente povera e di bassa mano. Si mangia però grossolanamente e non vi si bee vino. Per dodici soldi s'averanno tre servizi, che tutti consistono in bue, vitella, castrato e agnello, secondo la stagione.

Avanti il fuoco v'erano de' giuochi di pallacorda, tutti alla franzese, ma ora ve ne son quattro essendo gli altri due abbruciati. Il principale e il più bello è quello del re dirimpetto al palazzo, con il quale ha comunicazione per un cavalcavia. Il re v'ha una camera con un letto per mutarsi, la finestra della quale, chiusa con un'inferriata, guarda sul gioco. Egli vi giuoca ordinariamente tre volte la settimana in farsetto; alla porta della strada vi stanno le guardie, che non impediscono l'entrare a nissuno che abbia viso o panni di galantuomo. Nel parco di S. James v'è il gioco di maglio del re lungo 830 passi misurati, che dopo quello di Utrecht è assolutamente il più bello che io m'abbia veduto.

In diversi luoghi della città vi sono giuochi di pallottole. I giardini di Lambet, di Tradescant di là dal fiume, e d'altri in vicinanza della città servono tutto l'anno per spasseggi d'osterie e di bordelli.

Per l'istesso effetto fu fabbricata poco tempo fa la corte di Nettuno, detta volgarmente «la Follia». Questo è un grand'edificio di legno fatto sopra barche, che al principio dell'estate si cava sulla riviera, e perché la grandezza della macchina la rende poco atta a muoversi, si mantiene co' bordi ordinariamente tra il palazzo di Sommerset della regina madre e Whitthall, ma però dalla parte opposta. Intorno, sul piano delle barche, vi corre una loggia con balaustri che cigne una galleria andante, divisa in più di trenta camere, capaci d'una tavola e di poche seggiole, che si liberano della parte di dentro; ciascuna con la sua porta che risponde, come nel cortile di questo palazzo, sulle quattro cantonate, che fanno luogo con un altro piano a quattr'altre piccole camere, più ritirate e più libere. I coperti della fabbrica, cioè quelli che vanno per la lunghezza, son ridotti a uso di pallotta, difesi da tutt'a due le parti con balaustrine di legno. Per di fuora al tutto è dato di bianco, onde appare un galante casino fabbricato sopra una isoletta nel mezzo del fiume.

Tre spettacoli si rappresentano in Londra per la plebe più infima: i gladiatori, la battaglia de' tori e degli orsi, e la battaglia de' galli, in ciascuno de' quali corrono grandissime scommesse.

Al primo, che me lo figuro il più curioso, per mia disgrazia non mi son mai trovato: si battono con spade alquanto spuntate e con filo ottuso, ma non per questo lasciano di spessissimo ferirsi. Gli orsi e i tori si conducono in un teatro fatto apposta dall'altra parte della città, cioè di là dal fiume, tutto intorniato di palchetti. Si lega l'orso nel centro di questo teatro con una corda così lunga, che gli permetta di descriver intorno un giro forse di sette o otto passi; poi se gli lasciano dei cani mastini, i quali vanno a affrontarlo in faccia, e quelli che fanno altrimenti, attaccandolo di fianco all'orecchie, non sono stimati nulla. Or quivi corrono le scommesse. Lo stesso si fa de' tori, le di cui corna e i testicoli si armano convenientemente, questi perché non sian offesi, quelle perché levando in aria i cani non offendino. E veramente è cosa di grandissimo gusto il vederli volare altissimo e dar in terra stramazzoni solenni, e più gustoso ancora il veder accorrere i lor padroni, che son beccai e simil razza di gente ond'è tutto ripieno il fondo del teatro, i quali per levar loro il colpo corrono curvi a riceverli sulle spalle nel luogo dove veggono andarli a cadere: e spesso avviene che la botta è così terribile, che fa dar lor in terra un solenne crepaccio, ed abbattendosi più di una volta in una stessa vicinanza si fanno di bellissimi gruppi e ridicolissimi, dove accorrendo infuriato il toro, fanno un maraviglioso vedere il fuggire, le strida e la paura.

Il luogo per la battaglia de' galli è un piccolo teatro, coperte le gradinate di stuoia. Il fondo di esso è una tavola tonda, di sei braccia incirca di diametro e intorno a due alta da terra. Ancor essa è coperta di stuoia e tutta insanguinata di sangue de' galli. I giorni che si fa la battaglia, che son indicati da polizzini stampati affissi su' cantoni e distribuiti per la città, quando comincia a esser ragunato di molto popolo, vengono due galli, portati in due sacchi da due di coloro che gli allevano e gli custodiscono. L'uno va da una parte e l'altro dall'altra e, cavato fuori i lor galli, gli tengono così in mano tanto che corrino le prime scommesse, e che ciascuno fa senz'altra regola che quella, si può dire, del proprio genio, che gli fa tenere più da un gallo che da un altro. Sono i galli con ali spuntate, con la cresta mozza e col groppone spennato; non sono di gran vita ma forti e fuor di modo generosi. A mezza la gamba sono armati d'uno sprone acutissimo d'acciaio col quale, levandosi in aria e svolazzando attaccati col becco, si feriscono. Lasciati in libertà, si guardano un poco e aguatandosi si vanno all'incontro, col collo basso e teso e le penne di esso rizzate in testa: così, a poco a poco avvicinandosi, si lanciano in un tratto e facendo forza in sull'ali, si percuotono per aria e feriscono col becco, con una furia che sul principio dà qualche idea di conflitto considerabile. È ben vero che, a poco a poco, straccandosi, riesce noiosa la fine, riducendosi uno ad ammazzar l'altro a furia di beccate in sulla testa e in sugli occhi, il che dura talvolta più d'un grosso quarto d'ora e spesso s'avvicina alla mezza. Durante il combattimento si sente un continuo frastuono di quei che scommettono, altri raddoppiando, rinterzando e rinquartando le prime poste, ed altri legandone delle nuove, secondo che si veggono operare i galli, i quali spesse volte, quando paiono vinti e vicino a morire, ripigliano sì meraviglioso vigore che sì caccian sotto il più forte e l'uccidono. Quando s'è in quell'ultimo e che si vede il gallo battuto ripiglier coraggio, allora corrono le maggiori scommesse d'uno contro dieci, contro venti, contro cento. Succede alle volte che tutt'a due rimangono sul campo, e mentre stanno morendo, al primo che cade morto, l'altro si strascica come può sul corpo del nemico e con quel poco di fiato che gli rimane sbatte l'ali e canta la vittoria, dopo di che si lascia andar ancor egli per morto. Finito un duello vengono altri galli, finché il popolo dura a chiedere. Per entrare si paga uno scellino, che va in borsa di color che a quest'effetto nutriscono i galli, in modo che sei o otto coppie di galli, de' quali non moion tutti in un giorno, le verranno loro a esser pagate da quaranta o cinquanta scudi. Questa razza d'animali non è così generosa portata fuori della detta isola, essendosi veduto che in Normandia non fanno l'istesso che in Inghilterra. L'odio fra di loro è naturale, onde come incominciano ad uscir fuori de' pulcini si nutriscono separatamente, perché altrimenti prestissimo s'ammazzerebbero.

In Londra ci sono diversi caminati per andare a spasso con le dame: questi sono il parco di S. James, i giardini di Grays. In Londra è il Tempio, che è l'università dove stanno gli studenti di legge. Quivi c'è sempre donne mascherate, con le quali volendosi attaccare discorso si è certo di non esser ricusato; riesce poi col discorso l'istradar qualche cosa di vantaggio, e bene spesso eseguirlo innanzi sera. Il passaggio delle carrozze, che comincia solamente la seconda festa di Pasqua e il primo di maggio, è pienissimo: si fa nella gran prateria di Haid Parc, girando in diversi cerchi concentrici che talora arrivano sino a quattro.

DEI REGNI D'IRLANDA E DI SCOZIA

Mi trovo d'aver già detto che delle maggiori cariche che il re d'Inghilterra e, forse, che alcun altro prencipe cristiano d'Europa conferisca per emolumento a' suoi sudditi, una è il vicereato d'Irlanda. È perciò da sapere che le rendite di tutto quel Regno ascendono dalle 350 in 400.000 lire sterline, le quali tutte passano per mano del viceré, per la paga delle milizie e per proprio emolumento, che per ordinario non ha altra misura che la sua discrezione. Le milizie pagate dal re mi dicono esser intorno a 10.000 uomini tra fanteria e cavalleria, e ciò per la necessità di tener in briglia il paese, per l'odio che lo zelo della religione cattolica instilla in quei popoli contro il governo inglese e protestante. Il viceré risiede in Dublin e si tratta con grandissimo fasto; ha le guardie del corpo, che hanno l'istessa paga di quelle del re in Londra, come l'hanno ancora tutti i reggimenti uguali a quei d'Inghilterra.

In Irlanda i veri Irlandesi son quasi tutti cattolici romani; tra gli Inglesi v'è la solita mescolanza, ma prevagliono li anabattisti. La tenacità della nostra religione negli Irlandesi non viene da zelo ma da ignoranza, da ostinazione, dal non voler cercare più in là: né farebbero altrimenti dell'ebraismo se l'avessero succhiato col latte. Nel Regno v'è l'istessa legge contro i cattolici che contro i lupi: chi trova un lupo ha cinque lire sterline e cinque chi scuopre un cattolico; con tutto questo v'è più cattolici che lupi.

Gente ignorante, stolida e debole di cervello. Le donne non fanno grande scrupolo di farsi montar da un fratello o da un cugino, ma da un forastiero... Guarda, c'è un proverbio che dice: «In Inghilterra le donne son caste fin tanto che non son maritate, in Irlanda quando son maritate, in Scozia non le son mai».

Il Regno ha un parlamento particolare composto di Camera alta e bassa, a cui il viceré presiede, e gli atti passati nelle due Camere son da lui parimente mandati dal re per l'approvazione e la firma. È però molto inferiore l'autorità del parlamento in Irlanda che non è in Inghilterra, e per conseguenza il re v'esercita un potere più assoluto incomparabilmente. Le soldatesche son la maggior parte inglesi, sì i soldati come gli uffiziali, e inglese è altresì una grandissima parte della Camera del Regno. Poco ne va in borsa del parlamento delle rendite del Regno, poco ne va in borsa del re, anzi è più costante opinione che egli suppisca alle spese necessarie con qualche porzione di danaro d'Inghilterra.

La Scozia non si governa per viceré, pretendendo essi che il re dovesse piuttosto risiedere a Edimburg che a Londra, attesa l'interpretazione fatta del Regno d'Inghilterra a quel di Scozia, e non quello di Scozia all'Inghilterra. Che si sia della ragione, l'effetto è diverso perché col passaggio fatto del ramo della casa reale di Scozia in persona del re Giacomo in un maggior paese e più ricco, l'altro non vien considerato diversamente da un paese acquistato per forza d'armi. Gli Scozzesi tengono però sempre in Inghilterra un commissario, ossia deputato che rappresenta al re tutti gli affari di quel Regno ed è in sustanza, benché non sustenga l'istesso posto, come gli ambasciatori di Bologna e di Ferrara appresso il papa. Il re non vi tien alcun ministro, levatine i governatori particolari delle piazze, che sono parte scozzesi parte inglesi. Vi tien bene in quello scambio un'armata, il di cui generale, che al presente è milord Maitland, scozzese, è l'istesso in sostanza che il viceré o il governatore. Questi è uno de' migliori soldati che abbia il re: ha servito fuori del Regno, è stato governatore in Tanger ed era in predicamento di dover comandare quel corpo d'armata che il re potesse quest'anno aver avuto a mandare in Fiandra in soccorso degli Spagnoli, senza la pace. Risiede d'ordinario alla corte, lasciando in Scozia il suo luogotenente in Edimburg. Ha il viceré le sue guardie del corpo comandate da milord Naibourg, con le medesime paghe e prerogative di quelle d'Inghilterra e d'Irlanda, sì come ancora le soldatesche miste delle due nazioni, scozzese e inglese.

Hanno un parlamento composto di Camera alta e bassa, come quelle d'Inghilterra e d'Irlanda, e mandano i loro atti a Londra al lor deputato per esser segnati dal re. Gli Scozzesi son tacciati di traditori: il lor genio si adatta, sopra tutte l'altre, alle massime de' Francesi e fanno con essi buonissima lega. La lor religione esteriore è protestante, quella de' loro cuori è presbiterana: si pigliano però qualche maggior arbitrio che non fanno gl'Inglesi in Inghilterra, e qualche libertà è loro permessa mercé della necessità di tener quieto quel Regno, dove il re non può operar lontano quello che può vicino in Inghilterra. S'aggiugne che il partito è fortissimo, onde cresce la convenienza di chiuder gli occhi. In tutta la Scozia mi vien supposto che appena si contino tremila cattolici.

APPARTENENZE DELLA CORONA D'INGHILTERRA DENTRO E FUORI D'EUROPA

I tre Regni d'Inghilterra, Scozia e Irlanda, eretti in Reame da Clemente VII nel tempo di Arrigo VIII, al quale conferì anco il titolo di «Difensore della fede». Per l'innanzi si chiamava re d'Inghilterra e signore d'Irlanda.

Tutte le isole adiacenti a' suddetti tre Regni, cioè: l'Orcadi settentrionali della Scozia, l'Ebridi all'occidente, ed altre isole minori sparse intorno all'Inghilterra e all'Irlanda. L'isole di Jersey e di Guernesey, adiacenti alla Normandia, che sono le reliquie dell'antica dominazione dell'Inghilterra sopra la Francia. In Affrica Tanger, con qualche luogo forte nella costa di Guinea. In Asia Bombaim, tra Diu e Goa, dati insieme con Tanger in dote alla regina regnante. In America la Verginia, chiamata ancora Nuova Inghilterra, qualche parte del Canadà e una gran parte del continente settentrionale della Groenlandt. L'isole di Jamaica, le Bermude, le Barbade, la metà di S. Cristofano e l'altre dell'Antisole.

UOMINI CELEBRI PER LETTURA IN INGHILTERRA

È già alle stampe il ruolo degl'accademici della nuova Società Reale, instituita in Londra sotto la protezione del re: ma perché questa nuova adunanza sussiste presentemente sopra il danaro che i novelli accademici pagano al segretario nel sottoscriversi a una spezie di giuramento, promesso e scritto al principio delle leggi dell'accademia e che tutti ratificano nel loro ingresso, perciò non si cammina nell'ammetterli con tal rigore che possano tutti alla cieca aversi in considerazione di gran letterati, per questo solo che e' sono scritti in quel ruolo. È anche da sapere che richiedendosi per entrarne non solo il desiderio ma il raccomandarsi, vi son molti che non vi si vogliono indurre né lasciano perciò d'esser uomini degni, di gran valore. Ho pertanto stimato bene di fare una scelta di quelli che sopra gl'altri mi sono stati accreditati da persona egualmente dotta, disappassionata e discreta e che conosce tutti per lunga pratica ed esperienza.

Guglielmo visconte Brounker, fratello secondogenito di milord Brounker, che è stato condannato ultimamente dal parlamento come reo d'aver tenuta l'armata inglese dal proseguir la vittoria ottenuta nella prima battaglia contro gli Olandesi, facendo correr l'ordine a tutti gl'uffiziali di padiglione, a nome del duca, di non proseguir più oltre. Egli è presidente della Società: uomo di acutissimo giudizio e di somma maturità; il suo forte è nelle matematiche.

Duca di Buckingam, intendentissimo nelle operazioni chimiche.

Ruberto Boyle: filosofia esperimentale. Ha scritto diversi trattati in inglese, de' quali parte ne son tradotti in latino e parte no; i titoli sono: *Del freddo*, *De' colori*, *Della forza di molla riconosciuta nelle parti dell'aria*, *Attentati d'esperienze naturali*, *Il chimico scettico*, un *Trattato contro Francesco Lino filosofo*, *Della vocazione di un gentiluomo*, *Dello stile della Sacra Scrittura*, *L'idrostatica*, *Delle forme sustanziali*. Di questo savio e virtuoso gentiluomo non si può mai parlar tanto in sua lode, ch'ei non meriti molto più. Pieno di religione verso Dio, di magnanima carità verso il prossimo, di generosità, di affabilità, di cortesia, di gentilezza verso tutti. Egli è assai ancora giovane, ma d'una complessione così inferma che non gli permette interi i suoi giorni. Parla benissimo il franzese e l'italiano; ha però qualche impedimento nella favella, la quale gli è spesso interrotta da una spezie d'impuntamento, che pare che sia costretto da una forza interna di ringoiarsi le parole e con le parole anco il fiato, onde par talmente vicino a scoppiare che fa compassione in chi lo sente.

Guglielmo milord Brereton, intelligentissimo de' minerali e dell'agricoltura; pretende aver mille curiosità circa la moltiplicazione delle biade con imbere i semi d'alcuni liquori, circa l'arte dell'innestare e l'industria di promuovere ed accelerare la maturità de' frutti, ed altre simili osservazioni.

Isaac Barow, buon matematico; ha stampato un *Euclide* con un nuovo metodo.

Giorgio Bate, buon filosofo e buon medico.

Ridolfo Bathurs, uno de' cappellani del re, ancor egli medico e filosofo di qualche nome.

Giovanni Collins, buon matematico: ha stampato più opere degli oriuoli, della navigazione e della trigonometria: il tutto in inglese. Ha nome d'esser il maggior aritmetico d'Inghilterra e l'uomo il più abile a dar giudizio d'un'opera geometrica.

Daniello Cax, bravo chimico.

Giorgio Ent, buon medico e buon filosofo; ha stampato un'*Apologia per la circolazion del sangue*.

Giovanni Evelin, grand'intendente d'agricoltura: è stimato ugualmente, a giudizio degl'Inglesi, nell'intelligenza della pittura e dell'architettura. La sua moglie, che è stata allevata a Parigi, minia con gran delicatezza.

Francesco Glisson, buon medico; ha stampato *Anatomia hepatis* e *De morbo rachitide*.

Giovanni Graunt, semplice mercante che ha fatto di curiosissime osservazioni sopra i «viglietti di mortalità». Così chiamano a Londra i rapporti dei curati, che dall'ultima peste sono obbligati di fare all'uffizio della sanità, o magistrato a questo corrispondente, di tutti i morti e de' mali onde son morti, ciascuno della sua parrochia, settimana per settimana.

Nataniel Henshaw, medico e filosofo; era in procinto di stampare un certo suo metodo per mutar aria senza mutar sito, dal che pretende cavare di grandissimo utile per la sanità.

Roberto Hook, buon filosofo e buon meccanico. Egli è curatore della Società, cioè a lui appartiene il dar ordine e diriger la manipulazione dell'esperienze proposte dagl'accademici, dopo che il segretario ha fatto la scelta di quali siano da farsi, quali da rigettarsi come disutili. Ha scritto *La micrografia* in inglese.

Riccardo Lower, de' migliori anotomisti d'Inghilterra.

Nicolò Mercatore, danese, matematico; fa stampare presentemente un'*Arte novella de' logaritmi*.

Gualtieri Needham, buon medico e notomista; ha scritto in latino *De formato foetu*.

Giovanni Pell, gran matematico, teorico; era in punto di stampare un'*Algebra* con un nuovo metodo.

Arrigo Slingsby, maestro di zecca, intendentissimo de' metalli e di tutto ciò che concerne il far la moneta; ha una bilancia famosa per la sua squisitissima giustezza.

Tommaso Willis, medico e chimico; del resto cervello eteroclito e spirito affatto insociabile.

Giovanni Wallis, grandissimo matematico e buon filosofo.

Timoteo Clark, filosofo, medico, matematico e galantuomo quanto ve n'entra.

Godard, filosofo, medico e chimico.

Tommaso Henshaw, medico e intendente de' minerali.

Merret, medico, filosofo e curiosissimo rintracciatore di tutto ciò che concerne l'istoria naturale.

Paul, ottico teorico e pratico.

Francesco Smetwisch, ottico; pretende lavorar i vetri d'una figura regolare differente dalla sferica.

Petty, filosofo e stimatissimo architetto di navi e di vascelli.

Wilkins, filosofo.

Cristofano Wren, meccanico, astronomo, matematico e filosofo.

Sethoward, vescovo di Salisbury, astronomo e filosofo.

Il conte di Worcester: algebra e medicina.

Gretou, meccanico.

Dickinson, chimico.

Browne, medico e filosofo; ha scritto un libro degl'*Errori popolari*.

Streter: prospettiva.

Web: architettura.

Wrez, semplicista.

Warton, medico e notomista: ha stampato un bellissimo trattato *De glandulis*.

Molins, cerusico e notomista.

Austin: agricoltura.

Sprat: scrive perfettamente in inglese; ha scritto l'*Istoria della Società Reale*.

Stilingfleet, teologo: ha fatto un libro intitolato *Origines sacrae*, dove sono di bellissime cose che gli hanno conciliato stima non ordinaria

Parker: ha scritto contro gl'ateisti.

Owen, Baxter, Meriton, Godwin, Benfald, dottissimi nella teologia positiva, predicatori insigni.

Pearson, grand'intendente di lettere greche.

I vescovi di Londra, di Salisbury, di Winchester, d'Armack sono assai buoni teologi.

Il cavalier Cotton ha una libreria di manoscritti dove si trovano delle cose molto rare e stimabili.

Tenison ha un'amplissima raccolta delle principali notizie di tutto quello che è passato da venti anni in qua, in più di mille volumi tra grandi e piccoli, di diversi autori.

In casa del duca di Norfolck vi sono quantità di statue e di marmi antichi, che sono l'unico avanzo della famosa raccolta fatta dal loro avo e padre (salvo il vero) conte d'Arondell.

V'è anche il gabinetto di Tradesca che, se non erro, è stato stampato sotto il nome di *Museum Tradeschianum*. Consiste quasi tutto in cose naturali, ma a dire il vero non v'è nulla ch'al dì d'oggi si possa dir raro e che meriti di passare il fiume, come si fa per andarlo a vedere.

In casa del signor Hook stanno come per deposito tutte le rarità naturali messe insieme dalla Società Reale: tra queste vi sono cose stimabilissime ed a suo tempo saranno disposte in una galleria, quando sarà fatta la fabbrica del luogo donato loro dal re, due miglia fuori di Londra, per farvi i loro studii e le loro adunanze. Queste presentemente si fanno in casa del duca di Norfolck, il quale ha lor donato un sito vicino al suo giardino per far un'altra fabbrica dove potersi ragunare l'inverno, essendo per quella stagione troppo scomodo il portarsi a quella fuori della città. Tutte quelle fabbriche aspettano i sussidi promessi dal re, per ancora non conceduti.

SOGGETTI PIÙ INSIGNI DELL'UNIVERSITÀ DI CAMBRIDG

Father Cudworz, professor di lingua ebraica.

Dr. Seringhem: ha tradotto il trattato talmudico illustrandolo di dottissime annotazioni.

Dr. Guning, preposto del collegio di S. Giovanni.

Dr. Pearson, preposto del collegio della Trinità.

Dr. Sandcroft, decano di York.

Dr. Rainbowe, preposto del collegio della Maddalena.

Dr. More, teologo e filosofo di grandissimo grido.

Dr. Jenk.

Dr. Fleetwood, nella sala di S. Caterina.

Dr. Bright, compagno del collegio d'Emanuele.

Dr. Bentley.

PROFESSORI DELL'UNIVERSITÀ D'OXFORD

Teologi: dottor Alestry canonico del collegio di Cristo, professor regio; dottor Barlow, preposto del collegio della regina, professor di Margherita.

Per le lingue: dottor Pokoke, canonico del collegio di Cristo, professor di lingua ebraica, d'araba; dottor Levins, compagno del collegio di S. Giovanni, professor di lingua greca e latina, logica e metafisica. Questi due professori non son fissi, ma si mutano ogn'anno e la loro elezione depende dai procuratori dello Studio.

Fisica: dottor Willis.

Morale: dottor Crisp, compagno del collegio del Corpo di Cristo.

Legge: dottor Jenk, principal del collegio di Gesù.

Medicina: dottor Hide, principal della sala di S. Maddalena.

Astronomia: dottor Wren.

Geometria: dottor Wallis.

Istoria: primo professore, Low, musico della cattedrale del collegio di Cristo.

Predicatore dell'università, dottor Gough, studente del collegio di Cristo.

POETI INGLESI

Chaucer;

Spenser;

Drayton;

Shaksper;

Johnson;

Bemont, comico;

Fletcher, comico;

Donne;

Corbet;

Cars;

cavalier Sukling, gentiluomo e colonnello, epico bernesco (*Silvae*);

Randolf;

Cartwright;

Edoardo Waller, epico e lirico: sta in casa del conte di Devincer;

Shirley;

Davenant: questo è stato fatto cavaliere dal vivente re, vive in concetto forse del maggior poeta d'Inghilterra, ha il titolo di poeta laureato: questo lo conferisce il re a uno per volta, elegge il più stimato, e dura finch'ei vive;

cavaliere Cidney, gentilissimo spirito, ha fatto dei romanzi pastorali e qualche cosa di lirico;

cavalier Denham, di buona nascita, è assai ricco cavaliere del Bagno; è sopraintendente di tutte le fabbriche del re; ha tradotto qualche tragedia di Corneille;

Tommaso Killegrey, stato residente a Venezia; parla benissimo italiano; poeta comico;

conte di Orerey, tragico, riputato uno de' grand'ingegni d'Inghilterra;

cavalier Roberto Howard, figliolo secondogenito del conte Barksher, spirito operativo, anzi torbido e inquieto: è nella Camera bassa, aspira alla carica di segretario di stato in luogo del cavalier Morice;

Odoardo Howard, suo fratello, comico;

duca di Niewcastel: ha stampato un libro famoso del maneggiare i cavalli; fa commedie, nelle quali gli vale assai l'aiuto della moglie, la quale si dice averne fatte due;

conte di Bristol: ha fatto ancor egli commedie;

Dreiden, comico;

Cowley.

È famosa la memoria della signora Filippa, poetessa morta dieci anni sono. Ell'era però bruttissima di corpo. Tradusse fra l'altre la tragedia degli *Orazi* di Corneille, che è stata quest'anno rappresentata in corte e v'hanno recitato fra gli altri madama di Castel Main.

INDICE DI QUALCHE LIBRO PIÙ RARO D'AUTORI INGLESI

La descrizione della Terra Santa, in fol.;

Istoria di Arrigo VIII, d'Herbert;

Viaggi di Purchas e di Hakluit;

Hoker, *Istoria Ecclesiastica*;

Walsingham, *Negoziati del tempo della regina Elisabetta*;

Opere del Boyle;

Varraus, *De scriptoribus hibernicis*;

Istoria de' Turchi, di Knowles, scritta in inglese, stimata la migliore di quante ne sono uscite fino al dì d'oggi;

Gerard, *Herval*;

Parkinson, *Herval et Florisse*;

Howe, *Herval*;

Browne, *Pseudodoxia*, ovvero degl'errori popolari;

Norfword, *Of the Navigations*;

Lightfoot, *Horae Talmudiae*;

Moray, *Of Musick*;

Countemon, *Delight Hortus Cyri*;

Meffetus, *De dieta*;

Tachigraphia;

De constantia naturae, in fol.;

Istoria delle turbolenze d'Inghilterra, in inglese;

Hook, *Micrografia*;

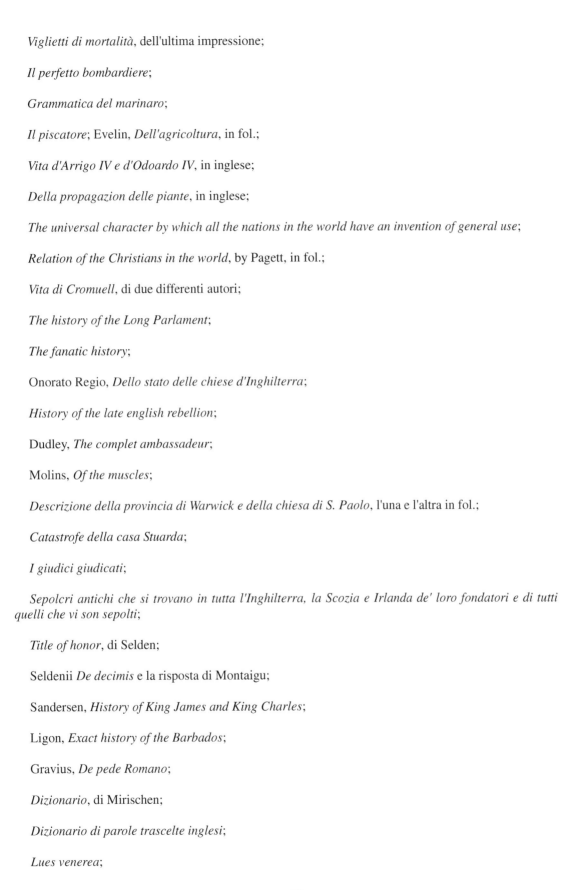

Viglietti di mortalità, dell'ultima impressione;

Il perfetto bombardiere;

Grammatica del marinaro;

Il piscatore; Evelin, *Dell'agricoltura*, in fol.;

Vita d'Arrigo IV e d'Odoardo IV, in inglese;

Della propagazion delle piante, in inglese;

The universal character by which all the nations in the world have an invention of general use;

Relation of the Christians in the world, by Pagett, in fol.;

Vita di Cromuell, di due differenti autori;

The history of the Long Parlament;

The fanatic history;

Onorato Regio, *Dello stato delle chiese d'Inghilterra*;

History of the late english rebellion;

Dudley, *The complet ambassadeur*;

Molins, *Of the muscles*;

Descrizione della provincia di Warwick e della chiesa di S. Paolo, l'una e l'altra in fol.;

Catastrofe della casa Stuarda;

I giudici giudicati;

Sepolcri antichi che si trovano in tutta l'Inghilterra, la Scozia e Irlanda de' loro fondatori e di tutti quelli che vi son sepolti;

Title of honor, di Selden;

Seldenii *De decimis* e la risposta di Montaigu;

Sandersen, *History of King James and King Charles*;

Ligon, *Exact history of the Barbados*;

Gravius, *De pede Romano*;

Dizionario, di Mirischen;

Dizionario di parole trascelte inglesi;

Lues venerea;

Trattato di miniere, in fol.;

La Cabala, ovvero le lettere della regina d'Inghilterra stampate durante la guerra;

Christofori Benedicti *De tabe*;

Gage, *Viaggi*;

Catalogus plantarum circa Cantabriam nascentium;

Glissonii, *Anatomia hepatis et de rachitide*;

Nedham, *De formatu foetu*;

Pathologia cerebri, di Willis;

L'Algebra, di Pell;

Wilkins, *Della lingua universale*;

Warton, *De glandulis*;

Ussherii *Opera*;

Memorie di tutto l'operato dagl'indipendenti;

Grammatica persica, Pokokii;

Grammatica anglica, di Wallis;

Henricus Spelman, *De non temerandis Ecclesiis*;

Malinconia, di Burton;

Syndeham, *De febribus*;

Europae Speculum, di Sandys;

Selden, *Dei privilegii del parlamento*;

Trattato politico, dove si prova con passi della Sacra Scrittura esser lecito l'ammazzare un tiranno;

Historia Parlamenti Angliae, in 12°;

Elenchus motuum, par. 1ª e 2ª;

Sylloge tractatuum;

Istoria degl'indipendenti e de' presbiterani;

Istoria naturale d'Irlanda;

Historia rerum naturalium quae in Anglia, Scotia et Hibernia reperiuntur;

Una nuova relazione di Costantinopoli, scritta in inglese. Il conte di Sandowish ha molti manoscritti stimabilissimi che concernono la navigazione.

ARTISTI PIÙ FAMOSI DI LONDRA

Pittori.

Lelley. La sua professione è il far de' ritratti, dove si porta benissimo. Non è mai stato in Italia: con tutto ciò la sua maniera si può dir molto buona, essendovi spirito, forza e rilievo. Il re gli fa fare un bellissimo quadro che rappresenta come un'Arcadia, dove in luogo di ninfe saranno dipinte tutte le più belle dame della corte e di Londra, della grandezza del naturale. Ho veduto lo sbozzo che è molto bello. Madama di Castel Main non è voluta entrarvi, dicendo che si troverebbe intrigata tra tante femmine senza nissun uomo. Questo pittore è ricchissimo e si tratta nobilmente; ha buonissimi quadri de' migliori maestri d'Italia: uomo forse di 45 anni, ma ben fatto, cortesissimo al maggior segno, lavora a maraviglia de' pastelli. Una testa si paga 20 lire sterline.

Cooper. Fa ritratti in piccolo a meraviglia, se li fa pagare trenta lire l'uno e pretende far gran piacere; è un piccinetto tutto spirito e cortesia. È ancor egli assai ricco, e in casa non sta meno onoratamente di Lelley: lavora sopra un tavolino coperto di velluto, contornato di trina d'oro, tiene le cocchiglie de' colori in galantissime scatolette d'avorio, pennelli di granatiglia; insomma non può vedersi galanteria maggiore.

Helk. Stimato per le miniature. Io però non l'ho veduto, né lui né alcuna delle sue opere.

Pietro Damian, franzese. Lavora assai bene di ritratti di smalto; costano dalle 7 alle 12 lire al pezzo secondo la grandezza.

Sonatori di viola.

Cristofano Semproni. Uomo assai vecchio; questo è cattolico e un stampator della sua professione.

Banisher. Questo non lo conosco.

Cavalier Giovanni Belles. Questo è un gentiluomo che fu a Firenze al tempo delle nozze ed ebbe l'onor di sonare in camera del serenissimo Gran Duca.

Giovanni Smith. Questo ancora è stato in Italia.

Giorgio Wash.

Stewkin d'Hamburg.

Francesco Corbetti, padovano: per la chitarra.

Lavoratori d'occhiali.

Riccardo Riwis. Alla stima di questo ha contribuito assai la reputazione del padre morto due anni sono, fattura del quale furono quei due famosi microscopi onde furono osservate le cose che si viddero in stampa per tutta Europa. Uno di questi è in mano del Boyle, l'altro è d'un altro cavaliere che non mi sovviene. Egli però lavora molto bene, benché a mio giudizio non arrivi ad un gran pezzo alla meraviglia. Non so veramente i prezzi de' suoi occhiali: i microscopi li vende quattro lire, quelli di nova invenzione, che tutta si riduce al sostegno .... È bene un cortesissimo uomo, serviziato e trattabile.

Oriolai.

Samuel Betts.

Geremia Gregory.

Il sig. Hook ha trovato un'invenzione per far godere agl'orioli da portare in tasca il benefizio del pendolo. Egli nondimeno li chiama mostre col pendolo; ma io li chiamerei mostre con la falsa redine, essendo regolato il tempo da una piccola minugia temperata a uso di molla, la quale da una delle due estremità è attaccata ad esso tempo e dall'altra è raccomandata al tamburo dell'oriolo. Questa dunque opera sì, che le corse e le ricorse del tempo son sempre uguali, e se qualche irregolarità della ruota dentata lo trasportasse di vantaggio, la minugia lo tiene in briglia obbligandolo a far sempre l'istessa gita. Dicono che a tenerlo attaccato o sopra una tavola, l'invenzione operi bene il suo effetto, e che corregga veramente i defetti e l'irregolarità delle ruote, non meno che il pendolo; ma che a portarlo in sacca, a misura del calore ch'ei sente s'alteri la tempera della molla e, divenendo più dolce, lasci scorrere il tempo con maggior libertà.

Intagliatori in rame.

Faithorne.

Per instrumenti matematici.

Sutton.

Thompson.

Mi sia lecito aggiugnere in ultimo loco Giovanni Kendal, famoso maestro di stivali: sta nella strada dell'Insegna del re di Francia; tre lire sterline il paio. A Oxford vi è un buonissimo disegnatore in lapis di Fiandra per far ritratti: se gli fa pagare due lire e mezzo; un altro, che ha il segreto di tignere il marmo in modo che il colore dato esteriormente penetri molto addentro, non troppo, nella sua sustanza.

BELLE DONNE DI LONDRA

Per ultimo non saprei come meglio chiudermi queste memorie e raccomodar la bocca a chi averà avuto pazienza di leggerle, così come elle mi son uscite della penna con le strettezze del tempo ond'è sempre angustiata la vita d'un passeggiere, che con obbligarlo a pronunziare i nomi delle più belle e più leggiadre donne di Londra. Io mi protesto (dalla prima in fuori) di scriverle con quell'ordine che sovverranno alla mia memoria, e domando perdono a quelle che saranno taciute, assicurandole che non invidia e maligno pensiero le farà tralasciare, ma solo la mia disgrazia, che in sì breve tempo non mi ha per avventura permesso di tutte conoscerle e ammirarle.

Francesca Teresa Stuard, duchessa di Richmont e di Lenox;

mistris Stuard, sua sorella;

milady Castel Main;

milady Wells, figlia d'onore della regina;

mistris Howard, figlia d'onore della duchessa;

mistris Cercill;

madam Middelton;

madam Robertz;

madam Russel;

milady Wiltmar;

madam Carby;

madam Floyd;

milady Shreusbery (per lei disfidò il marito il duca di Buckingam cinque mesi sono, e ne rimase ferito e poi morto);

mistris Hawell, cugine;

milady Carneghy, vicecontessa d'Halifax;

mistris Regnal;

mistris Gray;

milady Diana Varney, figliuola del conte di Bedfort;

milady Hunghegerd;

milady Enrighetta Haide, moglie del secondogenito del conte di Clarendon, già cancelliere;

milady Peynes;

madam Soutthwell, in dubbio, essendo la corte divisa in chi la stima bellissima, in chi ragionevolmente brutta: ell'è la moglie del cavaliere Robert Soutthwell, che è stato lungo tempo a Firenze ed ora è per la seconda volta inviato dal suo re in Portugallo.

DIARIO DI FRANCIA

dell'anno 1668

26-28 aprile

Arrivai in Parigi la sera de' 23 e trovai la corte a Versaglia, dov'era andata il giorno avanti. La mattina seguente de' 24 non uscii di casa; il dopo desinare fui a trovar l'abate Séguin, decano di S. Germano, non per motivo di usar finezza con esso seco, ma per servire all'abate Falconieri per la stampa d'un certo libro commessa alla sua diligenza ed applicazione. Di quest'uomo non dirò nulla, prima perché il discorso fu breve e tutto di negozio, e poi perché V.S. l'ha già trattato e conosciuto intrinsicamente, e per le cose messe alle stampe e per l'occasioni di trattar seco nel suo passaggio per Firenze, quando per ordine del re si portò a Roma e a Loreto per sodisfare al voto della regina madre. Io non avevo seco alcuna amicizia, ma nondimeno posso dire d'averlo trovato un uomo cortese e obbligante.

Fui dopo dallo Spanheim e lo trovai in procinto di partire tra pochi giorni per Eidelberga: aveva due o tre giorni avanti aùto congedo dal re insieme con gli altri inviati elettorali stati qui per la negoziazione di pace, la quale si danno ad intendere d'aver conclusa. Mi disse che aspettava un'altra audienza particolare dal re e che poi sarebbe partito, credo per pigliar la strada di Ginevra sua patria. Mi segnò con maniere molto espressive la gran passione aùta dal suo signore per non aver mai potuto nutrir la speranza di servir V.S. nel suo passaggio per l'Alemagna, dal qual discorso proccurai d'uscire assai presto. Anche questo soggetto è benissimo conosciuto da V.S., per lo che tralascerò di parlarne.

Fui di poi a casa un mio vecchio amico, le di cui lettere V.S. ha veduto continuamente. Da lui intesi che Soual è presentemente in Parigi ed in buonissimo stato per far accoglienza ai Toscani, essendo stato ripigliato mirabilmente da una lettera del sig. cardinale de' Medici, accompagnata da un esemplare del libro dell'*Esperienze*, di che ha fatto grandissima ostentazione tra i letterati di Parigi; mi disse poi gran male del fatto suo e della difficoltà che s'incontra in saper andare ai versi del suo stravagantissimo umore, il quale non sa soffrir le seconde repliche senza alterarsi. Io per me gliele merrò tutte buone.

Il giorno de' 25 stetti a vedere Menagio, che appunto per esser mercoledì aveva in casa l'assemblea. Di questa discorrerò quando vi sarò stato, poiché questa volta vi fui di buonissim'ora e per brevissimo tempo, avendo molte cose a fare, e appunto quando partii cominciavano a comparire i cicaloni. Il Menagio è un uomo ben fatto, che non ha mina di franzese, porta parruca bruna, ha le spalle un po' grosse, e all'aspetto non mostra più di 45 anni, benché n'abbia 55, avendo nel resto apparenza d'uomo savio e robusto. Ancorché sia l'oracolo della lingua toscana in Francia parla sempre franzese, nel che mi dicono che fa molto bene poiché, per quel che tocca l'accento e la pronunzia italiana, la debbe aver dolorosa. Può esser ch'io gli faccia gran torto nel dir di lui quel che sono per dirne, ma io non intendo di darne giudizio perché, facendo professione di tener ragguagliata V.S. di tutto quello ch'io veggo e che osservo alla giornata, non è possibile il dar sempre di tutto sentenza definitiva, non potendosi al primo abbordo conoscere un uomo o arrivare a toccare il fondo di cosa; per lo che in queste mie relazioni occorreranno spesso molte contradizioni, secondo che le mie prime opinioni e i miei primi inganni verranno successivamente corretti dalla più lunga pratica e dalla cognizione più intrinseca degli uomini e degli affari. Dico pertanto che se il Menagio mi riuscirà uomo di tratto gentile m'ingannerà, essendomi parso così alla prima uomo assai naturale, per non dir rozzo, benché ciò sia senza veruna lega di maniera alta o disprezzante. Non dico così dove si tratta della stima di se medesimo o dell'altrui in materia di sapere e d'erudizione, come V.S. s'accorgerà da quel che sono per dirle. Messi che fummo a sedere, mi disse che il sig. cardinale de' Medici gli aveva fatto grazia del libro dell'*Esperienze*, il che gli era costato il far ritirar un foglio della sua opera dell'origini della lingua toscana per aggiugnervi quella «di Cimento» (nome della nostra accademia), la qual fa venir da *sagiamentum*. Con tal preteso si fece portare la parte stampata della suddetta opera, della quale mi fece scartabellare in diversi luoghi per farmi vedere alcune origini da lui stimate le più ingegnose ed astruse. Gli dissi che il Dati e il Redi travagliavano di lungo tempo a quest'opera, secondo ch'egli doveva molto ben sapere: mi rispose di sì e che del Dati aveva veduto tutto, ma che né egli né il Redi avrebbero mai concluso di darla fuora, e tutto disse con una certa maniera disprezzante, che per conoscere l'animo suo non mi fu bisogno di lunga speculazione. Nell'origine della voce «Crusca» avendo incontrato un breve elogio dell'accademia, fui così dolce che, senza aver mandato di procura, mi messi a ringraziare e far complimenti per lei, e quand'ebbi finito mi replicò con la maggior flemma del mondo: «Signore, bisogna che io sia molto attento a non lasciarmi scappare alcuna occasione di dir bene dell'accademia, perché son tante quelle che m'occorre il parlarne altrimenti; ed a dire il vero non saprei lasciarne pur una, ché se alle volte non ne parlassi con rispetto correrei gran risico di passar per appassionato, quando mi convien proporre le mie opinioni tanto contrarie a' suoi insegnamenti». Discorrendosi della lingua greca, disse che in Italia non v'è chi n'intenda straccio, e rimase trasecolato quando vedde l'abate Falconieri pigliare un libro greco in mano e leggerlo. Gli dissi che in materia d'origini l'accademia aveva fatto grande acquisto con la persona di m.r d'Erbelot, il quale ne aveva già fornito molto ingegnosissime cavate dalle radici della lingua arabica e della persiana, mostrandone la derivazione appoggiata a buonissimi fondamenti. Se ne rise asserendo che da questi fonti la nostra lingua non ha attinto pur una gocciola, e tutto questo con una magistralità come s'egli fosse il Bembo, il Casa o il cavalier Salviati, quando le sue, almeno quelle ch'egli stima tanto, sono una spezie d'indovinelli fatti a capriccio, i quali al più mostrano la possibilità della derivazione ma non n'adducono alcun riscontro. Con questo finii la visita, ed io me ne andai al corso della regina.

Oggi sono stato da m.r Chapelain, il quale ho trovato travagliando d'una sua invecchiata indisposizione che lo sottopone agli incomodi della pietra, benché i cerusici non credino ch'ella vi sia. È però penoso il suo male e di gran suggezione, impedendogli egualmente il muoversi e il farsi portare, non senza un notabil debilitamento della facultà ritenitiva, per cui viene spesso obbligato a ritirarsi per breve tempo dalla conversazione. Quanto ha di buono è che il suo male fa seco di lunghe tregue, nel qual tempo riman così sano quanto si può pretendere da un'età grave e da un temperamento per se stesso non vigoroso ed al presente fuor di modo infiacchito. Questo veramente è un di quegli uomini che bisognerebbe poter rimpastare, e certo una conversazione di due ore aùta seco a me è stata d'avanzo per farmene innamorare. Egli ha la più infelice presenza del mondo, ma non si può sentire complimenti più cortesi né espressioni più tenere d'amicizia e di cordialità di quelle ond'egli ci accolse; discreto, modesto, affettuoso, obbligante e insomma pieno di quelle maniere che bastano ad accreditare un uomo al primo congresso. Cominciò il discorso dal rammemorare tutti gli amici suoi di Firenze, e con qual tenerezza, con quale stima, con qual rispetto! Del conte Bardi disse maraviglie e recitò a mente alcuni brandelli di sue poesie.

Passò poi a discorrere dell'incumbenza datagli dal re e da m.r Colbert di far la scelta dei letterati che dovevano divenir oggetto della beneficenza del re. Mi ha detto in questo proposito, per cosa assai notabile, come avendo egli fatto diligenza in Spagna per via d'un suo confidente che si trovava a Madrid appresso il vescovo d'Ambrun per informazione degli uomini più insigni della corte e del Regno, ricevé una lista di sei o sette persone stimate i più galanti spiriti della corte, dei quali--vatti veggendo!--né pur uno intendeva la lingua latina. Rimase sorpreso il re di questa inaudita barbarie di quel Regno, né parendogli giusto il contentarsi di versar le sue grazie sopra medici o giuristi o teologi scolastici o commedianti, che son le quattro professioni dov'ha il suo forte la letteratura spagnuola, incaricò m.r Chapelain di trovare in ogni maniera un suddito del re Cattolico che potesse ricever con qualche giustizia le gratificazioni di S.M. Trovò egli dunque in Fiandra il Gevarzio, uomo di consumata erudizione ed esercitato per 40 anni, con fama di grandissimi talenti ed integrità, la carica di segretario d'Anversa, stimatissima in quella provincia, e della quale aveva ottenuto di fresco facultà di sgravarsi nella persona d'un suo figliuolo. Ricevè egli per due anni questa pensione, ma il terzo con bellissima maniera la ricusò dicendo che abbastanza aveva il re colla sua generosità obbligato la sua eterna gratitudine, ma che conoscendosi egli inabile a corrisponder degnamente, supplicava la M.S. a dispensarlo nell'avvenire dal ricever grazie di tanta confusione per lui. La sustanza era che quest'uomo aveva ricevuto una solenne intemerata da Castel Rodrigo, il quale, interpretando il tutto politicamente questo negozio, gli fece un'intemerata così indiscreta che quel pover uomo, abbattuto dal vedersi sottoposto in quell'età a incorrer sospetti di mancamento di fede verso il suo principe, se ne morì tre mesi dopo.

Si passò poi a discorrer delle cose del mondo e particolarmente dello stato presente delle cose tra le due corone, e in questo veramente lo conobbi un poco appassionato per le cose del suo paese, benché nel resto discorresse con molta aggiustatezza e maturità, dando universalmente assai buon giudizio anche sopra quelle cose che, venendogli da me referte della condotta dell'Inghilterra in questi affari, gli arrivavano affatto nuove. Non credo di fargli torto dichiarandolo appassionato per la Francia, perché, sebbene considero che con un forestiero qual ero io gli conveniva il regolarsi con qualche riguardo nell'aprir l'animo suo, ho nondimeno saputo esser questo piccolo difetto notato in lui dai Franzesi stessi, i quali essendo universalmente sottoposti all'istessa cosa, e con tutto ciò tacciandola in lui, bisogna credere ch'ei vi pecchi più degli altri. Per dare un saggio di questa sua appassionata parzialità, dirò a V.S. com'egli pretese di far passare per un esempio di rara moderazione del re tutta la condotta de' presenti negoziati, e per un contrassegno infallibile dell'intenzione di S.M. per la sussistenza della pace presente il vedere come egli restituisce la Franca Contea: «poiché», dic'egli, «se voi mi dite che il re fa la pace forzato dalla Lega, l'istessa Lega che promette la garanzia di questa pace gli sarà sempre contro quand'ei vorrà romper la guerra. Ora qual vantaggio troverebb'egli, poiché adesso o poi ha da aver tutto contro, nel render quello che ha di già nelle mani, per averlo a recuperare quando i difensori averanno aùto tempo, addottrinati da questa nuova esperienza, di mettersi in migliore stato?». Ma accanto accanto gli veniva dicendo che la condizione degli Spagnuoli era infelicissima, poiché il rilasciare al re le sue conquiste a titolo delle sue pretensioni era un avvalorarle con un atto autentico per tutto il resto delle province che si pretendono devolute, se non per lui, per il Delfino; e il domandar un atto di renunzia e di cessione per sicurezza del presente trattato era un pregiudicarsi in qualche modo, mentre di ciò che si chiede renunzia viene implicitamente a confessarsi qualche giusto titolo di pretensione. «Or vedete», diceva egli, «come questa pace, benché apparisca inpropria, non lascia d'esser onesta, mentre per essa il re acquista un paese considerabile, non ad altro titolo apparentemente che per dare una pace desiderata dall'Europa e implorata dai principi mediatori, senza che perciò si leghi le mani a proseguire un'altra volta i suoi disegni quando gli sia riuscito di separar la Lega; senza che mai in un'altra pace se gli abbia a computare ciò ch'egli ottiene in questa in parte di sodisfazione di quello ch'ei pretenderà allora, mentre adesso gli vien ceduto non ad altro titolo che a prezzo di questa pace».

Si passò poi a discorrere di Colbert, del quale non intendo starmene alle sue relazioni avendonelo riconosciuto parzialissimo. Mi disse, fra quelle cose che gli si posson credere perché se ne vede i riscontri, che il temperamento di questo ministro si rifà dell'applicazione e della fatica; che il concetto d'esser gran faticante è la più efficace intercessione che possa aver chi che sia appresso di lui; che la sua massima nelle cose dell'azienda è di veder tutto da sé, e tener la scrittura con tal chiarezza che al re non metta paura il riconoscere lo stato delle cose sue: il che gli è riuscito così bene, che al presente non è inferiore la notizia che ha il re degli avvenimenti che maturano alla giornata, a quella che ne ha lo stesso Colbert. Nelle cose di stato professa non aver altra mira che di fare a rovescio di quello che hanno fatto e fanno gli altri, come l'uomo che considera tutti guidati dal proprio interesse e sé solo idolatra dell'ambizione di ben servire il suo principe, il quale pensa tanto a lui che non l'obbliga a pensar punto a se stesso. Che sopra di lui si riposano quattro grandissime applicazioni: le finanze, le fabbriche, le manifatture e la flotta, per tutto quel che risguarda la fabbrica de' vascelli e le provvisioni per armarli. Che per ciascuna di queste ha ore determinate nelle quali tien la portiera aperta e sente tutti e dà retta a tutti, a ogni replica che gli fanno dopo essere stati licenziati, senza mai annoiarsi o alterarsi, purché senta parlare a proposito, e, alla prima proposizione irragionevole, volta le spalle ed attacca un altro. A quelli che vengono con nuove proposizioni di negozio assegna giorni e ore particolari. Dorme cinque ore sole, ed interrogato qual sia il gusto ch'ei si riservi per sé, non altro risponde che: «il faticar tanto il giorno da poter dir la sera, in quel mezzo quarto d'ora ch'io mi spoglio, con giustizia e senza adularmi, quante cose ho io fatto oggi». Mi disse finalmente che il re l'ama, perché veramente è persuaso che niuno più di Colbert ama la sua persona e meno la sua fortuna.

29 aprile.

Dopo la messa, che ho sentita *aux grands Augustins*, chiesa grande ma sconcertata e male intesa d'architettura, sono stato a visitare il marchese Duglas, colonnello del reggimento scozzese che servo in Francia. Questo cavaliere l'avevo conosciuto a Londra, e avendolo incontrato a Calais ero venuto seco per tre giornate fino ad Abbeville. La sua famiglia è delle migliori di Scozia, stata sempre cattolica per l'addietro, essendo egli il primo protestante della sua casa. È uomo di 40 anni, de' quali la parruca e la gala gliene dissimulano una decina; è cadetto e non è ammogliato; ha reputazione di bravo e uomo cortese e ragionevole, avendo addomesticato in Francia il temperamento freddo e brutale del suo paese. La mina è di cavaliere e può dirsi uomo ben fatto; ha qualche impedimento nella lingua, che alle volte gli dà mala grazia nel parlare.

Dopo desinare è stato da me m.r di S. Laurens, notissimo a V.S. e che ha fama d'essere il franzese più sodo e il più serio della corte, e l'uomo che s'è approfittato meglio d'ogni altro de' suoi lunghi e replicati viaggi. La visita fu di complimento: mi disse solo di particolare che *mademoiselle* de Fienne, disingannata finalmente delle speranze del matrimonio promessole dal cavaliere di Lorena, s'era otto giorni sono ritirata in un monastero, non per farsi monaca ma per pigliar quivi altre misure per la sua condotta, e intanto o uscir dell'impegno o azzardar qualche fortuna.

Sono stato a Luxembourg per far riverenza a Madama. Il palazzo è un pezzo che va per le stampe: ma perché queste sanno sempre formare un concetto avvantaggioso al vero, non lascerò di dir così di passaggio a V.S. intorno a quella sua tanto decantata somiglianza col palazzo de' Pitti, che egli n'ha veramente qualche poca, nella parte che risguarda il giardino e nel cortile; nella facciata punto, essendo più presto un muro che chiude la parte di fuori del suddetto cortile--secondo lo stile di Francia, ove, per sottrarsi dall'incomodo del romore delle carrozze, usa fabbricare gli appartamenti più lontani che sia possibile dalla strada--che una facciata di palazzo. Il cortile apparisce maggiore di quel de' Pitti, non so se perché egli sia veramente più grande o perché inganni l'occhio la bassezza della fabbrica, la quale sebbene è di tre ordini, cioè toscano, dorico e ionico, egli rimane assai più basso di quello de' Pitti, e le bugne di pochissimo rilievo; le scale non sono belle e malissimo situate, non solo perché bisogna passare tutto il cortile per trovarle, ma anche impediscono una prospettiva bellissima che farebbe il giardino nell'ingresso del palazzo se là dove sono le scale potesse l'occhio passare a vedere tutto il piano d'un bellissimo perterra che v'è congiunto. Da questo poi si scompartiscono diversi viali che vanno a rinselvarsi in un bosco piantato regolarmente di alberi, che a luogo a luogo lasciano diversi spazi a uso di prateria, altri palesi altri nascosti, non meno comodi al diletto del passeggio e delle merende, che all'opportunità di più segrete conferenze tra uomini e donne, de' quali la quaresima, per la vicinanza della fiera di S. Germano e, di questi tempi, per la verdura delle piante, è mai sempre ripieno. Madama, come data a una spezie di vita piuttosto religiosa che ritirata, apprendendo vivamente gli effetti che possono risultare da una sì pronta occasione, ha posto qualche ordine all'entrar per escludere la gente più bassa, in cui ella crede meno di virtù per resistere agli inviti del peccato, dove Mademoisella, come più disinvolta o meno intendente (come più giovane) della malizia del mondo, permette più libero ingresso dalla sua parte. Più vicino al palazzo vi è una serrata dove sono alcuni bellissimi spartimenti di fiori e, in spezie, di tulipani, che sono quanta delizia e quanto diletto si è riservata Madama nelle cose del mondo.

Salito ad alto trovai che appunto vi era partito monsignor Nunzio, onde v'era moltissima gente e fra l'altre dame mademoisella di Guisa, la quale partita entrai da Madama che se ne stava sur una sedia a bracci di velluto nero, bassissima, intorniata da un cerchio di dame. Uscito da Madama fui dal conte S. Mesme, che ha l'appartamento nel Luxembourg sopra gli spartimenti de' tulipani, che essendo ora tutti fioriti rendono meraviglioso l'aspetto delle sue finestre. Le stanze sono assai buone, ma quella dove dorme è accomodata con lindura e con lusso all'usanza di Francia, per la galanteria degli studioli, de' quadri e dei lustri di cristallo e d'argento disposti in gran quantità d'attorno le mura. Da lui intesi quello che V.S. sentirà con questo ordinario da cento bande, dell'attentato fatto inutilmente a Evreux in casa di Buillon contro il cancelliere d'Inghilterra da alcuni marinari inglesi che venivano a servire in Francia.

Di lì me n'andai al corso e vi veddi per la prima volta il principe di Condé in compagnia del duca d'Enghien: non ho ancor veduto in Parigi uomo più negletto di lui nel vestire e ne' capelli; aveva una barba a dir poco d'otto giorni, e mi dicono che questo sia il suo ordinario; non saprei a chi meglio rassomigliarlo che al Malegonelli che sposò la figliuola del marchese del Borro.

Ho imparato a conoscere un tal cavaliere de l'Isle, che da poco in qua passa per gentiluomo di trattenimento alla corte. Questo è un povero compagno, che ha nondimeno l'onore di essere il più sfacciato franzese che vada attorno; fu cominciato a conoscere l'anno passato a un ballo, dove tanto fece con la sua importunità che obbligò madama di Brancas, che vi comparve in mascherata in compagnia di Madama, a cavarsi la maschera. Sodisfatto ch'ei fu, ella lo pregò a dirle il suo nome: e, come s'ei fosse *monsieur* il principe, maravigliato ch'ella non lo conoscesse, le disse un poco alterato: «Come, madama: voi non conoscete il conte de l'Isle?». «Ah ah», rispose madama, «sì sì, ora mi rinvengo: *monsieur le conte de l'Isle!*». «Ebbene», diss'egli, «allora non mi direte voi chi sia la vostra compagna?». «Potete», diss'ella, «accostarvi a lei e domandarlene avendole dato parola di non scoprirla». Accostatosi per tanto a Madama con la solita impertinenza, ella per liberarsene gli disse che quivi era persona da cui non voleva in alcun modo esser riconosciuta, però che venisse la sera dopo al ballo in casa Madama, che l'averebbe sodisfatto. Così fece, ed entrato--poiché alla porta v'era ordine che venendo un tale fosse subito ammesso--, per tutto dove passava la gente indetta cominciò a salutarlo ad alta voce, lacchè, paggi, figlie, dame e cavalieri: «Servitor *monsieur il cavalier de l'Isle!*»; onde il pover uomo, non sapendo dove nascondersi, se ne usci fuori, e da quel tempo è sempre rimasto personaggio redicolo, benché per la sua sfacciataggine, fatto il callo alla vergogna, se la trovi in oggi utile e ne faccia bottega.

Dopo il corso andai da monsignor Nunzio, dal quale fui accolto con grandissima cortesia e larghe esibizioni. Per l'innanzi non lo conoscevo se non di vista, ma nel discorso mi parve di riconoscerci talenti molto mediocri, non senza qualche lega di vanità. Tale mi parve quella di dare ad intendere a sé o di pretender di far creder ad altri per opra de' suoi negoziati la sospensione delle armi accordata dal re per tutto maggio. Mi disse ancora con espressione di gran compiacenza come, per indurre questi ministri a qualche soccorso per Candia e vedendoci poco assegnamento, gli aveva messi al punto con dire che la Francia potrebbe risentire qualche gran pregiudizio per la gelosia de' principi vicini quando, dopo la pace, vedessero il re renitente a smembrare una parte benché minima delle sue forze, nonostante il giustissimo motivo d'assister in sì gran necessità la Repubblica. Entrati a discorrere dell'Inghilterra, uscì con supposti debolissimi dello stato di quegli affari, e discorse con massime più da semplice religioso che da ben informato ministro. Entrai, non so come, a dirli della gelosia de' Genovesi per le forme ambigue tenute con essi da questa corte: intorno a che gli domandai come pizzicasser le mani al duca di Savoia in queste congiunture per intraprendere qualcosa contro quella Repubblica. Mi disse che l'animo giovanile del duca fa gran violenza nello stare a segno, ma che è troppo chiaro il disinganno d'ogni speranza di vantaggio ch'ei potesse considerare nel far per suo conto passar i monti alle truppe del re, ed annidarsele un'altra volta nelle viscere de' suoi stati. Gli domandai che figura faccia al presente il marchese di Pianezza; mi rispose: «Di certosino che vive al secolo, avendo lasciato il collare della Nunziata, tutti i titoli e tutte le cariche con gli emolumenti di esse, vivendo in povere celle vestito miseramente e non venendo se non chiamato ai consigli». Lo pregai a dirmi il suo parere sopra il vero motivo di questa resoluzione del marchese. «Vedete», rispose «non è tanta devozione che escluda la politica affatto, né tanta politica che escluda affatto la devozione. La corte di Turino è stata sempre divisa in due partiti: quello del marchese suddetto e quello del marchese Villa, il quale per via di qualche creatura intrinseca fece apprendere al duca, che il ministerio così assoluto di Pianezza incominciava a far ombra al suo credito e a snervare la sua autorità, attribuendosi a lui tutto ciò che di buono e di plausibile usciva da quel consiglio. Su questo il duca cominciò a vedere men volentieri il marchese, e fu questa la prima volta che egli, accorgendosi che la sua ruota cominciava a girare, pensò alla ritirata coll'asserto voto di religione, dal quale avendolo il papa, fatto dispensare, moderò la severità della sua prima resoluzione col suddetto temperamento. E fu allora che implicitamente ottenne per condizione del suo ritorno il perdono del marchese di Fleury. Il marchese scelse questo tempo per la sua onorevole ritirata come il più proprio, secondo che per l'assenza del suo competitore si conosceva più necessario, onde per conseguenza appariva più libera la sua elezione. Di Roma travagliarono a moderarla, perché perduto lui era perduto l'unico braccio che avevano a quella corte». Del resto, mi assicurò monsignore che per la corte di Turino egli sia un ministro di troppo garbo, e che il giorno avanti Teglier gli aveva detto che alla morte del re Luigi furono in pensiero di richiamarlo per governatore del vivente re. Egli è soldato d'esperienza e di coraggio, egli è ministro, egli è teologo, egli è filosofo, egli è matematico, egli è leggista, egli è tutto, ed ha così in contanti tutto il suo sapere che ne adorna tutti i suoi discorsi, ai quali non va mai se non preparato, o siano materie di stato in consiglio o co' ministri de' principi, o siano ragionamenti familiari in visite d'amici o di forestieri. Tutte queste cose mi disse monsignore, forse con sì poc'ordine e con sì poco buon modo come le scrivo io a V.S., essendo il carattere del suo discorso basso, disordinato e senza scelta di nobiltà di parole.

30 aprile.

Stamani è stato da me il fratello di m.r d'Erbelot, il quale bisogna confessare che gli sia fratello minore in ogni cosa. Non per questo merita disistima, essendo un giovane di buona presenza e di maniere cortesi, che costituisce il suo maggior divertimento nella conversazione de' galantuomini e de' letterati. Fui con esso seco alla visita d'un gentiluomo ugonotto amico mio, dove, essendo sopraggiunta altra gente, si frondò forte sulla resoluzione della pace, dichiarandola effetto di un furor panico ed ultimo sterminio della nobiltà esausta nel preparamento degli equipaggi.

Di là son andato a visitar madama di Villesavin. Questa è una donna di 60 e più anni, parente stretta di m.r d'Erbelot, che nei tempi del cardinale di Richelieu ha fatto grandissima figura alla corte per l'alianze fatte co' matrimoni di tre sue figliuole, ed in specie per quello con m.r di Chavigny, ancor che gli altri due col marescial di Clerembault e col figliuolo del conte di Brienne non lasciassero di tirarle della considerazione e degli avvantaggi. Ell'è della casa di m.r de la Vrillère, che è Blondeau: è donna alla quale né gli anni né il gesuitismo le hanno punto ammortito lo spirito né la gentilezza; si diletta di nuove, e in casa sua una volta la settimana si ragunano molti virtuosi e persone di garbo a discorrere. Ell'ha in casa una camera ch'io non veddi, tutta, piena dei ritratti delle dame più belle del suo tempo, i quali non le costaron nulla chiedendogli ella a tutte, e tutte facendo finezza e gloria dell'appagamela. La sua camera è assai galante per la quantità dei quadri e quadretti ond'è la moda d'adornare i gabinetti in Francia, usando d'attaccar confusamente su parati ritratti e specchietti, orioli, reliquari, e quante bazzecole son capaci di star per aria attaccate. Ma di questi, per darne un più minuto ragguaglio, aspetto di aver veduto qualche casa di singolare. Da questa dama, con tutta la sua garbatezza, v'andrò pochissimo, essendomi stato detto che chiede a tutti e che ogni cosa le attaglia.

Dopo desinare sono stato dall'abate Charles. Questo è un uomo che averà 60 anni in circa, grosso e mal fatto di vita, e altrettanto brutto di viso quanto amorevole, cordiale, onorato e sincero. In altri tempi è stato uomo d'affari ed ha servito il cardinale Mazzarrino e il cardinale Antonio nell'amministrazione delle loro entrate ecclesiastiche, dopo il qual impiego è restato così povero come prima, benché non sia bisognoso, tanto è stata grande la nettezza della sua mano. In oggi vive a se stesso ed alla sola conversazione degli amici suoi, verso i quali ha una costanza e una tenerezza senza pari. Sta quasi sempre in casa e sempre ha compagnia di galantuomini, dove si discorre di nuove e di scienze. Il suo maggior diletto è nell'ottica, ma non ha cose di maraviglia: e che sia il vero, mi fece vedere l'introduzione delle specie per un foro della finestra e la lanterna di quel danese, con questa sola novità, che in cambio della lucerna si serve del lume del sole con ugual felicità. Mi fece vedere un occhiale del Campani che è del cardinale Antonio, d'un braccio e mezzo incirca, che supera di lunga mano a proporzione della sua lunghezza quanti se ne son fatti qui e ne sono venuti d'Inghilterra. Il mio camerata ed io non lo giudicammo de' migliori del Campani, ma sapendo che egli l'ha dato per squisito, bisogna confessare che l'aria d'Italia sia più pura e sia più favorevole all'osservazioni. Ci mostrò qualche bagattella di cose naturali che non val la pena di raccontarla, e finalmente una lucerna collo specchio parabolico, che tenendola dietro le spalle riverbera in gran lontananza il lume chiarissimo e sempre uniforme, onde per la comodità del leggere tutti questi letterati se ne sono provvisti, e i curatori della compagnia orientale ne hanno mandate quattro all'Indie, e l'ottonaio è arricchito. Tra diversi ritratti ch'egli ha in camera d'amici suoi v'è quello del conte di Guiche, il quale non potevo indurmi a credere che fosse d'esso tanto mi parve inferiore al concetto che la fama pubblica e le sue fortune m'avevano insinuato delle sue bellezze. La prima cosa: io lo credevo biondo ed egli è nero; credevo una mina gioviale e la trovo egualmente odiosa e funesta. Il colorito però delle carni è bello e gentile, gli occhi son la più bella, e la bocca la più brutta cosa che gli abbia, particolarmente il labbro di sotto, che sale tant'alto che vi riman dentro come incassato quello di sopra, di sottigliezza molto sproporzionata alla grossezza di quel di sotto.

Son poi stato alla commedia italiana, dove que' nostri sciaurati si son fatti con poco grandissim'onore, avendo regalato di confetture d'arance di Portogallo e di limonata tutte le dame del teatro. Hanno dunque, a proposito della commedia, introdotto sulla scena Arlechino giocolator di mano, il quale ha fatto comparire giocando su una tavola, prima, diverse scatole di confetture adornate galantemente di nastri, le quali, regalate a Isabella ed a Pularia, sono state da queste presentate ai primi palchetti di qua e di là dal teatro, i quali provvedutisene discretamente l'hanno fatte girare per tutti gli altri. Il simile hanno fatto d'alcuni panieri tutti ricoperti di fiori e pieni d'arance di Portogallo, mentre le caraffine di limonata, che fingevano d'empierle a una fontana fatta scappar dal giocolator in mezzo alla tavola, eran portate attorno per gli stanzini da persone benissimo all'ordine. Nel primo, più vicino al palco, v'erano il marescial di Gramont, che tra la simiglianza del viso e un occhiale che s'applicava a ogni tanto a un occhio rende grand'aria al cavalier Marsili, Louvigny suo figliuolo, ancor più brutto del fratello, e il principe di Condé, le di cui grandissime risa sono state il mio maggior divertimento per tutta la commedia. Ho trovato Pularia bruttissima, e Cinzio, che s'era messo sull'aria di virtuoso onorato, ritornato al vomito; Cola comincia ad aver grandissimo applauso, e non dubito che svaporato che sarà un poco il fervido amor del teatro verso Scaramuccia, non sia per uguagliarlo nella stima.

Nell'uscire incontrai m.r Auzout, celebratissimo astronomo, che non saprei a chi meglio rassomigliarmelo, e per i lineamenti del viso e per la taglia, che ad Andrea Brini raffazzonato. Lo trovai cortesissimo e disinvolto, e, messolo in carrozza, mi fece condurre a casa m.r Justel, uomo di varia letteratura e amorevolissimo verso i forestieri. In casa sua si tien conversazione il martedì, che sarebbe oggi, se non fosse che gli ha da condurre quest'inviato d'Inghilterra, che ha portato le ratificazioni del trattato, a veder la libreria del re. Credo che ancora io sarò della partita: se sarà vero, doman da sera lo scriverò.

1 maggio.

Stamane sono stato alla messa a Nostre Dame, chiesa grande, ma per metropolitana d'un Parigi non si può dir grandissima. Di lunghezza l'ho per minore di Santa Maria del Fiore, ma non di larghezza, anzi l'ho per più larga, perché sebbene la nave di mezzo è più stretta, a metter insieme le prime due laterali e le seconde dove son le cappelle, credo indubitatamente che occupino spazio maggiore del nostro duomo. L'architettura è gotica, ma tutta la fabbrica è di pietra di taglio. Davanti al primo pilastro della nave di mezzo, all'entrare a man dritta v'è com'una montagna irrigata da un fiume, éntrovi un San Cristoforo di statura gigantesca, il tutto di pietra, ma d'una scultura che par dello stesso maestro che fece in Firenze il famoso San Paolino fuor della chiesa de' Carmelitani Scalzi.

Dopo desinare sono stato alla conversazione di m.r Justel, essendosi trasferito a domattina l'andare alla libreria: v'erano sei o sette persone, tra le quali un certo m.r Vaumal, grande amico e corrispondente di m.r Erbelot. Quando parlerò di questa assemblea, alla quale ho dato ordine al mio fratello d'introdurmi, lo farò in termini molto diversi da quelli onde son per scriverne a V.S. Io non so ancora come siano l'altre: so ben che questa è un crocchio effettivo sull'andar di quello del Rontino libraio, o di quello de' Capi nello speziale di piazza Madonna. I discorsi sono stati di nuove, ma discorsi sull'aria de' nostri pancaccini di Firenze; gran conti si son fatti sull'aver di questo e di quello: ed ho fatto una riflessione, che molti che non avevano aperta mai bocca, quando s'è messo in campo il discorso delle buone tavole di Parigi, hanno subito messo il becco in molle, tanto può nel genio della nazione la leccornia del mangiare e il far buona cena. Ho anche osservato un carattere particolare franzese nella persona del suddetto m.r Vaumal, il quale, avendo ragguagliato l'assemblea della liberazione d'un certo franzese sonator di liuto, per quindici settimane al Sant'uffizio di Roma inquisito fra l'altre cose di sodomia, ha preso a ristabilire la sua riputazione in questo genere con un zelo veramente da amico; ed essendogli riuscito molto bene, ha cominciato subito a dire che veramente per il passato aveva aùto qualch'inclinazione a' giovani, che in materia di religione ne ha poca o nulla, che è grand'ingannatore al gioco, e che, dove potesse, ci farebbe star chi che sia. Così per sottrarlo dal nome di sodomita discreto l'ha fatto passare, senz'avvedersene, per truffatore e per ateista.

Ha detto il medesimo m.r Vaumal--che mi dicono essere l'uomo meglio informato di Parigi per quel che risguarda certe minute notizie--che la tavola del re importa dodicimila franchi il mese, e quarantamila franchi l'anno il vestire, compreso abiti, biancheria di dosso, punti di Venezia e di Francia, scarpe, guanti, cappelli, guarniture e pennacchi; questo sì, che dicono m.r de Vitry essercisi rovinato, quantunque le spoglie vecchie sieno date a lui. Che la tavola di mademoisela de Montpensier è molto più abbondante di quella del re, ma meno delicata, e costale sopra 100.000 mila franchi l'anno. Che per le frutte della regina sono assegnate sei marche per piatto, che vengono a essere da ... de' nostri soldi, e s'intende piatti grandi e accatastati: che perciò le peggiori frutte che vengono a Parigi vanno in tavola sua, siccome i più magri capponi vanno in quella del re, la di cui squisitezza consiste nelle lische e nei pasticci e nella pottaggeria.

Venne poi m.r Boulliauld, che è un vecchietto tutto pepe, veste di lungo ed ha buoni benefizi: rende un po' d'aria al Magiotti, ma è vispo che non gli fiderei una fante se fosse niente bella. Parla un po' italiano, avendo altre volte girato tutta l'Italia da Roma in fuori, dove non s'arrisicò a andare per l'opinione del moto della terra promossa nella sua *Astronomia filolaica*. È insomma un vecchietto tutto garbato e gran novellista.

Al corso della regina veddi il duca di Créqui ed imparai il suo nome di corte, che è D. C. B. Mi fu insegnata ancora madama di Nemours, non la madre della regina di Portogallo e della duchessa di Savoia, ma la cognata sorella (non mi ricordo di chi fu moglie) dell'arcivescovo di Reims, fratello minore del padre della suddetta principessa. Ha un poco d'aria della moglie del conte Ferdinando Bardi, e mi dicono che sia una donna che non ha tutti i suoi mesi. È insopportabile con le serve e co' servitori, gridando per ogni cosa e maltrattando tutti. Con la principessa di Carignano ha àuto che dire assai per lo scompartimento del palazzo che abitano a mezzo: ora però stanno d'accordo. Mi fu poi mostrato un certo m.r d'Aullei. La sera fui dal cardinale di Retz a una brevissima visita e tutta di complimento.

3 maggio.

Stamani sono stato alle Tuillerie insieme con m.r d'Erbelot, m.r Auzout, m.r Justel e l'inviato d'Inghilterra per la ratificazione del trattato, di cui non saprei dare altra informazione a V.S. se non ch'egli non ha detto mai nulla se non in cucina, asseverando che quella del collegio d'Oxford è molto più grande e più bella di questa. Per la strada mi ha detto m.r Auzout che il re ha mandato sulla flotta due orioli col pendolo fatti per la longitudine, i quali per sottrarre dal ricevere l'impressioni del comun movimento della nave, sono appesi ad una forte snodatura di metallo, nel muover la quale s'estingue una gran parte dell'impeto; e son collocati in una pesante custodia di ferro, se non mi sbaglio, per farli ancora più retinenti al moto. Ancora non se ne sa la riuscita. Mi ha detto inoltre che un oriolaio, dal quale mi condusse, ha fatto un oriolo col pendolo che si muove per la circonferenza d'un ovato. L'invenzione è dell'Huygens, o almeno egli la pretende; e tra gli altri avvantaggi, che son molti, uno è che in tal forma si correggono meglio le insensibili irregolarità degli archi verticali descritti dal pendolo ordinario; che, carico, l'oriolo concepisce il moto da sé, e che trasportandolo da un luogo a un altro non occorre fermarlo, seguitando tuttavia a muoversi senza alterarsi.

La nuova fabbrica delle Tuillerie, come V.S. sa, è un casino fatto in vicinanza del Louvre per ritiro del re e per comodo del giardino; fu poi unita, con una lunga galleria che vien lungo il fiume, al suddetto palazzo. Questo medesimo casino, benché abbia un lunghissimo tratto di facciata, non conseguisce nulladimeno la maestà dell'edifizio, non solo perché egli è basso a proporzione della sua grandezza, ma perché paiono diverse case unite insieme, non essendo tutta l'istessa facciata e non corrispondendo i cornicioni dell'una e quei dell'altra. Il ricetto, a considerarlo per l'ingresso principale d'un palazzo regio, non è che angusto; lo rende però vaghissimo la prospettiva del giardino. Le scale non son né comode né nobili, benché fatte con grande spesa per la ricchezza de' balaustri, e che non è nemmeno tanto considerabile in riguardo della facilità di lavorar la pietra, che è assai tenera. La sala è quadra e grande ma non grandissima. La volta riusciva tropp'alta, onde al presente la sbassano. Le camere e tutte l'altre parti del palazzo son ragionevoli ma non abbondanti. Presentemente il re le fa tutte ornar d'oro e di pitture, e secondo che non son finite si veggono tutte piene di palchi. Recentemente finisce l'appartamento del re in una buona galleria, in testa della quale, e a un altro piano, v'è un vasto stanzone riquadrato che fa canto e si congiugne con la gran galleria d'Arrigo quarto, fatta per unire il Louvre alle

Tuillerie. In questo stanzone adunque darà il re audienza agli ambasciatori finita che sarà la fabbrica, e per arrivarvi passeranno per la sala delle guardie del Louvre, per l'anticamera e la camera del re e una galleria: di quivi in un'altra, dalla quale volteranno a man dritta e passeranno in quella d'Arrigo lunga 1.000 passi, di cui per coprir in tali occasioni tutto il pavimento si fabbrica adesso, in cinque pezzi di dugento e più passi l'uno, un gran tappeto alla foggia di Persia, alla Savonerie.

Per tornare adesso alla nuova fabbrica del Louvre, consiste tutta in aver raddoppiato l'appartamento.

5 maggio.

Quand'io comincio la confessione dal dopo desinare, supplico V.S. umilmente a non credere che ciò sia per tacerle i peccati della mattina, perché già le ho detto che glieli dirò tutti purché gli giudichi capaci di divertirla. Creda piuttosto, e non s'ingannerà, che quel tal giorno mi sia riuscito di perderlo inutilmente, giusto com'è seguito stamani, che andato per vedere uno studio di medaglie moderne mi sono trattenuto in casa un amico fino a mezzogiorno.

Oggi sono stato all'Accademia de' pittori, che si raguna il sabato dopo desinare in una casa vicino al Palais Royal, ed ha quivi tre stanze: una per il modello, dove vanno i giovani a disegnare, una per il consiglio e un'altra per le pubbliche adunanze. Questa è piuttosto una sala che una gran camera, di cui nella facciata dirimpetto alla porta v'è un grandissimo quadro col ritratto del re assiso nel soglio e vestito degli abiti reali, a' piedi del quale, per dinotare la protezione dell'Accademia che si chiama «della pittura e della scoltura», v'è una massa di busti di gesso, di carte di disegni, di piante e di strumenti di architetto. La pittura è di m.r Le Brun, pittore trattenuto da S.M. con una provvisione di 10.000 scudi l'anno: questo solo doverebbe bastare ad accreditarlo senza saper più oltre, ma v'è di vantaggio ch'egli ha le stanze *aux Gobelins*, che è il luogo dove travagliano tutti i mestieri delle manifatture, alle quali (parlo di quelle che hanno alcuna correlazione col suo mestiere) soprintende a tutte: disegni di studioli e d'oriuoli, cartoni d'arazzi, modelli di vasi, di torcieri, di filigrane, grottesche, arabeschi, pitture per adornamento delle case del re, scene, macchine e ogn'altro adornamento del teatro, e tutto è regolato dalla pretesa squisitezza del suo buon gusto e dall'istruzione del suo disegno. Mi dicono ch'egli non abbia gran cosa più di 30 anni, che abbia studiato un poco a Roma, e che senza un simil trasporto del genio del re e della sua stima vi sarebbe in Parigi taluno che non gli riuscirebbe inferiore. Quanto al quadro che n'ho veduto oggi, ardisco dire liberamente ch'ei non intende punto la prospettiva, tanto sono apparenti gli errori che in quest'arte ha fatto nella veduta del soglio dove siede il re, e in molte parti d'una nobile e ricca architettura sotto la quale è collocato. Ciò lo dico tanto più risolutamente quanto che, avendo io comunicato a qualcuno il mio sentimento, mi ha detto che questo della prospettiva è il suo maggior debole. Quanto alla pittura, considerando la figura del re ritratto, non ne posso dir nulla non avendo ancor veduto l'originale; ma pigliandolo per una testa non ci trovo quello che in termine di pittori si dice «impastato», che è quel rilievo, quell'unione ed accordatura di colori onde un viso par carne ed esce fuori della tela. Questo rimane piatto e appiastrato, quantunque io non arrivi a riconoscere errori nel disegno. Conosco bene che il dar giudizio d'un pittore da una sola testa è cosa redicolosa, ma io mi difenderò con dire che non pretendo dar giudizio del maestro ma solo di questa opera che n'ho veduto. Di qua e di là dal ritratto del re sono in due quadri distinti quelli del cancelliere e di m.r Colbert, ascritto ultimamente tra gli accademici. Il resto della sala è pieno di quadri, che sono la maggior parte copie d'opere insigni di pittori eccellenti, e dalla parte opposta al quadro grande di m.r Le Brun v'è su un gran piedistallo l'Ercole di Farnese, formato sull'originale.

Ora, in testa alla sala, che viene a esser sotto il ritratto del re, v'era sul cavalletto la lapidazione di Santo Stefano del Caracci, di cui un pittore che n'aveva àuto l'assunto ha fatto considerare tutte le perfezioni, tutte le finezze dell'arte e tutti gli avvedimenti che verisimilmente ebbe il maestro nel condur quella opera a tanta maraviglia. Questo discorso, che era in carta disteso e letto dall'autore, è durato in circa a tre quarti d'ora, fermandosi ad ogni tanto nella lettura per dar campo a tutti i pittori, che riempievano la prima e la seconda fila dell'auditorio, di dir anche essi il lor parere, talora contrario e talora favorevole alle cose dette e osservate da chi leggeva; e questo è l'esercizio ordinario del sabato, mutandosi ogni settimana il quadro e dandosi or all'uno or all'altro l'incumbenza di discorrere. Io proccurerò d'aver copia d'una di queste lezioni acciocché V.S. vegga appresso a poco e riconosca la maniera di fare.

Quivi ho trovato m.r Soual, il quale m'ha condotto a veder i quadri del re. Per ora dirò a V.S. che stanno tutti in un casino dietro alla nuova fabbrica del Louvre ripartiti in tre piccole stanze, di dove m'immagino che debbano esser trasportati in luogo più proprio e quivi collocati con miglior ordine. Non mi diffonderò già a dar relazione di essi: prima, perché l'ora essendo assai tarda e il numero molto grande, non ho dato loro se non una vista superficiale, che piuttosto ha servito a confondermi la mente che ad appagarmi la curiosità; l'altra, perché ho già messo in sicuro d'aver l'inventario di tutti, co' giudizi di m.r Le Brun, di quali sieno, di ciascun maestro, i pezzi più raguardevoli. Un altro inventario avrò ancora di tutte le antichità, di tutte le stanze d'arazzi e di tutte le gioie, sì che spero per questo conto di poter servir V.S. con relazioni molto distinte e accertate. Dei quadri dirò solo che la maggior parte (che stanno nella camera di mezzo) son disposti in un armadio, che è come un libro, essendo composto di sette, e sette che son quattordici sportelli di legno, che arrivano da alto a basso della camera, l'uno dietro all'altro, e s'aprono a due a due come una porta, e questi sono pieni di quadri sopra tutt'a due le facce. Nella terza camera, che è molto ricca d'arabeschi e fregi luminati d'oro, vi sono i pezzi più rari d'Andrea del Sarto e di Raffaello, e questi sono in adornamenti assai ricchi, serrati da sportelli per di dentro soppannati di velluto verde, e di fuori arabescati con oro. In questa medesima stanza è un altro grandissimo ritratto del re a cavallo fatto dal Brun, ancor egli della maniera del primo: fu fatto in occasione della presa di Dunkerke, che si vede in lontananza con l'entrata del re e delle sue truppe; dico la seconda presa, o per meglio dire la compra: onde, per esprimere la forza dell'oro aggiunta a quella dell'armi, davanti al cavallo del re v'è per aria una fiamma volante che versa sopra la piazza gran copia di danaro e di gioie da una cornucopia.

Son poi stato a vedere il cortile del Louvre, con quel pezzo che ora gli aggiungono per riquadrarlo, con disegno affatto diverso da quel del Bernino. Di questo non dico nulla, perché il primo disegno so che V.S. l'ha veduto dal Bernino stesso e di questo nuovo le manderò presto una pianta in istampa. Dirò solo in passando, che una fabbrica così vasta bisogna che per forza abbia in sé qualche cosa di grande: ma questa grandezza risulterà sempre dal tutto e non mai da alcuna nobile proporzione delle parti, le quali considerate in loro stesse hanno tutte il gretto e il meschino, essendo certo che le nuove logge che chiudono il cortile, ridotte in più angusto giro, non sarebbero punto improprie alla casa d'un privato cavaliere.

6 maggio.

Subito dopo desinare sono stato a Luxembourg dalla parte di Mademoisella, la quale era ancora a tavola e godeva d'un assai buon concerto di violoni. Entrata in camera m'ha fatto chiamare e introdottomi fin nell'ultimo gabinetto, dov'erano molte dame e in specie la contessa di Bellois, divenuta straordinariamente vecchia e brutta. Dopo i primi discorsi del tempo della mia partenza di Firenze e del mio viaggio, m'ha domandato se avevo avviso del ritorno di V.S. Le ho risposto di no, ma ch'ella era aspettata a Firenze intorno alla metà di questo mese. «Ben poteva», ha replicato ella, «il signore, poiché era arrivato sulle porte di Parigi, venirci a vedere». «Bisogna vedere», ho soggiunto, «se nell'indulto concedutogli da madama per far questo viaggio, v'era la facoltà di prorogar tanto il suo ritorno». «Oh, *oui*! prometto», m'ha replicato, «che per venire in Francia mia sorella non se ne sarebbe adirata». «Orsù», le ho risposto io, «giacché V.S. promette per madama, prometterebb'ella per tutte le dame della corte che non avessero subito cominciato a dire:--*Quelle fierté de monsieur que de pouvoir vivre si longtemps loin de sa femme!*--?». «No no», ha soggiunto, «voi me la volete far passare una finezza con mia sorella, e non è vero: finezza sarebbe stata se egli se ne fusse tornato addirittura a Firenze; ma in ogni modo, da che è partito di Brusselles, ha fatto un così gran giro che poteva bene prolungarlo col venire a Parigi, o commutarlo lasciando quello e facendo questo. Ma sapete quel ch'io disegno di fare? Ora che è fatta la pace, si discorre d'un viaggio del re e della regina con tutta la corte in Provenza per andar a vedere il taglio che si fa per l'unione de' due mari. Io dunque di là me n'andrò a Firenze a far una visita alla mia sorella; ma, sapete, voglio andar per mare con una galera. In quanto ci si va?». Le ho detto che col vento favorevole, credo da Marsiglia o da Tolone, si venga assai comodamente in tre giorni; al che ha replicato la contessa di Bellois che quando venne la signora principessa, se non fosse convenuto, non so per qual cagione, aspettare e perder una drittura di vento, facevano conto che ci si sarebbe stati in ventiquattro ore. Il che sentito da Mademoisella, l'ha tutta rincuorata e ha detto che sarebbe venuta sicuro.

Queste sono state le particolarità di tutto il discorso. Di lì sono andato da madama d'Angoulesme, che m'ha ricevuto alla grata in abito nero vedovile rigorosissimo. La sua abitazione, dico quella che si vede, è affatto da religiosa, consistendo in un piccolo camerino, ch'è il parlatorio, dove stanno le sue figlie di camera e d'onore, e in un'altra stanzetta dov'ella viene alla grata. È divenuta molto grassa e nella bellezza ha dato un gran tuffo; l'altre sue belle parti son le medesime.

7 maggio.

Stamani sono stato con m.r d'Erbelot a vedere il gabinetto e la libreria del re. L'un'e l'altro stanno per modo di provvisione in una casetta di S.M. vicino a m.r Colbert, nella quale m.r Carcavì bibliotecario ha la sua abitazione. Il gabinetto consiste in una piccola camera bislunga, dove sono l'infrascritte cose: dieci studioli di medaglie, tutti dell'istessa grandezza e fattura, cioè di tarsia di due colori fatta a rabeschi, alti incirca a due terzi, e lunghi un braccio o poco più. I medaglioni di bronzo, senza i crotoniati che saran da cinquanta, sono duecentosessanta, tutti rarissimi; il numero delle medaglie mezzane e piccole, dico sempre di quelle di bronzo, ancora non lo so; so bene che le medaglie d'oro sono sopra mille, e che quelle d'argento, benché molte e rare, son nondimeno finora le meno assortite. Quelle d'oro compongono una serie che senza dubbio, mi dice lo Spanheim, è la più intera e la più stimabile che sia in Europa; quella di bronzo ancora è rarissima e non ha paura se non forse di quella della regina di Svezia; quelle d'argento, come ho detto, non possono entrare in questa riga. Asserisce bene il suddetto m.r Spanheim che alla morte dell'abate Séguin, se il re, come farà senza dubbio, incorporerà il di lui studio al suo, lo renderà il più perfetto, il più ricco e il più numeroso e il più raro che sia, avendo l'abate di tutto e tutto rarissimo. In materia delle medaglie è egli che ne ha la principal direzione, essendo Carcavì semplice custode, e ora ultimamente ha portato di Roma cose molto singolari, essendo in sustanza l'uomo più intelligente e più accreditato in questa professione. Gli ultimi due studioli son di medaglie moderne d'oro e d'argento, delle quali, immaginandomi che si possa averne qualche particolar curiosità, m'ingegnerò averne l'inventario distinto. Di queste ve n'è poi una grandissima quantità in un armadio, che aspettano gli studioli che si stanno attualmente lavorando.

La miglior raccolta delle medaglie ò stata fatta dal duca di Orléans, come ancora dei cammei e dell'intagli, de' quali ne ho vedute 22 custodie, simili a quelle dove si tengon le gioie, cioè dentro di velluto e fuora di cuoio dorato, tutte dell'istessa grandezza, che giudico minore d'un palmo quadro. Me ne sono state aperte solamente quattro, e in tutte v'è un cammeo grande legato in oro nel mezzo, ornato all'intorno d'altri o cammei o intagli minori, tutti legati o in anelli o in cerchietti d'oro, o liscio o smaltato, e il numero per ciascuna custodia è maggiore o minore secondo la loro grandezza. Il simile mi hanno detto essere in tutte l'altre, e se a me non hanno fatto veder l'inferiori (che non lo credo, tanto più che Carcavì è stato a Firenze dove ha veduto tutto), mi par di poter dir sicuramente che in questa materia non solamente ci passino, ma non ci arrivino ancora, poiché, supposto che le custodie siano tutte piene, avrebbono da 22 pezzi rari, de' quali non so se alcuno sia superiore a quei di Firenze, lasciando sempre a parte il Niccolò grande, confessato anche da Carcavì per una maraviglia. So che il re ha un'agata di straordinaria grandezza, ma questa credo assolutamente che si mostri nel tesoro della Santa Cappella; almeno nel gabinetto non l'ho veduta.

C'è poi il sepolcro di Childerico. Di questo V.S. ne avrà udito parlare, e forse avrà veduto un libretto stampato in Fiandra, se non erro, intitolato *Childerici Anastasii*, dove si dà pieno ragguaglio di questo ritrovamento. La sustanza si è che nel 740 (se non erro) fu trovato a Tournay in un sepolcro tutto quello che qui si vede, manifestato per spoglie di Childerico da un grosso anello d'oro in cui d'intorno a un ritratto intagliatovi si legge *Childerici Regis*. V'è dunque una testa di bue circondata d'una quantità di pecchie d'oro, secondo che si dicon nascere dalla testa d'un vitello, che forse dov'essere l'impresa di quel principe; due anelli, de' quali uno è il suddetto, e un altro un semplice cerchio d'oro; una quantità di medaglie d'oro, o per dir meglio, di monete improntate dell'effigie di diversi principi vissuti in vicinanza del tempo di Childerico: e queste, imperocché tutto è disposto sul fondo d'una cassetta soppannata di velluto nero per poterle fermare, son incastrate in cerchietti d'avorio e attaccate ordinatamente intorno alle pecchie; tre o quattro pezzi di piastra d'oro sottilissima, che apparisce essere stata adornamento della sua veste militare. Di sopra in un'altra cassetta v'è il ferro dell'accetta, tutto roso dalla ruggine, la spada o, per dir meglio, l'impugnatura e le guardie d'oro e gli adornamenti del fodero anch'essi d'oro, poiché tanto questo, che è di velluto nero, quanto la lama è rifatta di nuovo, essendo affatto distrutti e mangiati dal tempo quei che v'erano. V'è poi un'altra scatoletta con un sol dente del re e diversi pezzetti d'oro, ne' quali, per esser rosumi d'altri adornamenti, non si può discernere alcuna figura. Il tutto sta in una custodia fatta a foggia d'urna e retta sur un galante piedistallo coperto, com'essa custodia, ancora di vernice all'indiana, fatta però in Parigi con assai felice imitazione. Dicono che questa antichità, ritrovata in Fiandra al tempo dell'arciduca Leopoldo, alla sua morte passasse nelle mani dell'imperatore; da queste in quelle dell'elettor di Magonza, e da quelle dell'elettore in quelle del re. Tutto può essere: assicuro ben V.S. che l'istesse cose vedd'io co' miei occhi otto o nove mesi sono a Vienna nel gabinetto dell'arciduca; quando l'ho detto a Carcavì egli s'è stretto nelle spalle e non ha saputo che dire. Ho poi veduto le nicchie, ancor esse in un grande studiolo simile a quelli delle medaglie, rammassate ancor esse dal duca d'Orléans, ma per numero non arrivano a un gran pezzo quelle del granduca, né per rarità hanno che fare eziandio con le raccolte di molti particolari che V.S. ha vedute in Amsterdam, dove ci sono de' pezzi nuovi e singolari che tra quelle di S.A. non sono, secondo che da lungo tempo in qua non è mai stato rifornito.

Tre cose veramente dopo le medaglie fanno riconoscere questo gabinetto per quello d'un gran re. Quattrocento e più libri di grandezza smisurata, contenenti la raccolta, si può dire, di quante stampe d'uomini insigni o per disegno o per arte d'intaglio son uscite al mondo, da che l'arte dell'intagliare ebbe il suo cominciamento. La raccolta ne fu fatta da un particolare, chiamato m.r ..., anni sono: i libri son tutti compagni nella legatura, che è molto ricca, e il prezzo, che l'ha pagate il re, sono state 250.000 lire; intorno a due mila pezzi di libri manoscritti, tutti superbamente adornati di miniature antiche lumeggiate d'oro, ma gran parte usciti di Firenze e venuti con la regina madre. Tra i più riguardevoli v'è una cronaca dei re di Francia, cominciata nei tempi di Francesco primo, dove davanti alla vita di ciascun re v'è il suo ritratto miniato, ma di fattura maravigliosa, non tanto per la squisita diligenza onde son fatti i volti, quanto per la mirabil finezza ed amore onde son condotti gli abiti e gli ornamenti militari, e il buonissimo gusto col quale son disegnate le cartelle e i finimenti che richiudono i suddetti ritratti; e finalmente la vivezza de' colori e la lucentezza dell'oro e dell'argento sono inarrivabili. Stimabilissime son le carte geografiche d'un Tolomeo, anch'esse tutte miniate e lumeggiate d'oro; raro per la curiosità e per l'erudizione è un manoscritto antichissimo d'un famoso torneo, di cui vanno attorno per le librerie più illustri d'Europa moltissime copie, tutte cavate da questo originale. Quivi si vede la disposizione del campo, del teatro, l'abbigliamento de' cavalli, l'armi de' cavalieri, le comparse, il modo del combattere, insomma tutto quello che può istruire per l'intelligenza di questo celebre costume della più bassa antichità: il tutto (benché di cattivo disegno) espresso distintissimamente con diverse carte miniate e spiegato con sufficienti dichiarazioni.

Il terzo pezzo è un corpo d'istoria naturale in 22 volumi in foglio messi insieme dal duca d'Orléans, e ora fatti proseguire dal re nella parte che rimane per mano dell'istesso pittore chiamato m.r Robert, che da trent'anni in qua non ha fatto mai altro. Questi contengono fogli di carta bianca tramezzati con gran pezzi di cartepecore, tutti tagliati su una misura, ma lasciati quivi sciolti e senz'attaccare. In essi vi sono miniati uccelli, piante, fiori ed erbe nostrali e straniere co' nomi latini e franzesi scritti in oro, il tutto finito con una maravigliosa imitazione. Non per questo gli giudico superiori a quelli che ha il granduca, fatti (se non piglio equivoco) dal Ligozzi: anzi, che in quelli v'è più del pittoresco e la maniera è più franca. Un altro grandissimo libro v'è in cartapecora, con una infinità di pesci miniati e lumeggiati così discretamente d'oro e d'argento, che il naturale credo che vi perderebbe. Questo fu donato dagli Stati Generali al cardinale Mazzarrino, ed ora il re l'ha comprato o, per dir meglio, preso dalla sua libreria, lasciata per uso ed utilità pubblica al nuovo collegio (non ancora finito di fabbricare) delle Quattro Nazioni. A questo proposito dirò a V.S. come S.M. ha sfiorato la suddetta libreria di tutti i manoscritti, tra' quali una Bibbia sammaritana stimata unica o almeno rarissima, e di tutti i libri più rari, rendendo per essi tutti i libri doppi della sua libreria; i quali perché non son giusta ricompensa, anderà sodisfacendo di man in mano con tutti i corpi raddoppiati che si troveranno in essa per l'aggiunta delle librerie che s'anderanno comprando, non potendosi far conto di perfezionare quella del re con compre di pochi pezzi alla volta. Così giudica il re di far servizio a sé e al collegio, al quale mette più conto l'aver libri classici, o sia in iure o in filosofia o in teologia scolastica per uso degli studenti, che codici orientali o cose il di cui pregio consista nella rarità.

Dal gabinetto son passato nella libreria dei libri stampati: consiste questa al presente in sei o sette piccole camere, piene però d'alto a basso, ma con tutto questo per ancora non è punto da re. È ben da re il corpo de' codici orientali comprati dopo la morte di m.r Gaulmin, che aggiunti ai manoscritti venuti di Firenze e ai suddetti della biblioteca Mazzarrina fanno un numero grandissimo. Per l'istoria d'Italia pretendono d'aver il corpo più completo che possa trovarsi, avendo nella compra della libreria di m.r du Fresne aùto la storia particolare, o manoscritta o stampata, d'ogni provincia, d'ogni città principale e infino di moltissime bicocche. In queste stanze vi stanno di continuo quattro giovani a lavorare: uno sul greco, uno sull'ebreo, uno sull'arabico e uno sul turco e 'l persiano, e ciò a fine di fare un indice pienissimo, per poi darlo alle stampe, di tutto quello che si trova tra i codici orientali della libreria; dico di tutto quello, perché oltre ai titoli di ciascun codice e di ciascuna opera compresa o, per dir meglio, legata in esso codice, vi sarà un sommario strettissimo di quello che in ciascuna opera si contiene. Così tutte le ricchezze di questo grandissimo tesoro rimarranno palesi ai letterati d'Europa, e per avventura serviranno a molti d'incentivo per proccurarne delle copie e faticar utilmente sopra molte cose, che essendo ignorate al pubblico resterebbono quivi mai sempre occulte ed infruttuose.

Di questi giovani saprò i nomi e le qualità, e a suo tempo ne ragguaglierò V.S.

Ho veduto ancora un altro principio d'opera vasta: questo si è una catasta spaventevole di moltissimi tomi in gran foglio manoscritti, che sono un'epitome ovvero un estratto di tutti gli archivi pubblici e privati, come di monaci, di frati, di università, di collegi e di collegiate di tutto il Regno, in quella parte però che tocca, o che indirettamente concerne gli interessi pubblici del Regno, l'istoria e i diritti particolari della corona, del re e della casa reale. Questa incumbenza è stata data a un uomo di quella capacità che V.S. può credere, il di cui nome mi è al presente uscito di mente, ed egli si trova ora vagando d'una in altra provincia e già ha mandato a m.r Colbert tutto quello che ho detto, che sarà da 40 tomi, di già copiati e messi di già interamente al pulito. Nell'ultima stanza della libreria v'è una gran tavola, dove due volte la settimana si ragunano quelli dell'Accademia delle scienze, che corrisponde alla Società Reale d'Inghilterra; ma di questa ancora non ho notizie sufficienti per discorrerne.

Ritorno ora al gabinetto dove mi sono scordato tre cose: la prima è che presentemente s'intagliano tutte le medaglie, tutte le piante, i fiori e gli uccelli miniati, e si è dat'ordine per tirar innanzi una miniatura de' frutti, dei sali delle miniere e altre curiosità naturali, per intagliar tutto e dar fuori un corpo smisurato d'una nuova istoria naturale illustrata di dottissime annotazioni: fanno conto che poss'arrivare a diciotto tomi in foglio. La seconda, che gli scaffali di esso gabinetto son ricchi d'intaglio, tutto messo a oro, e i pendagli, che (secondo l'uso di tutte le librerie di Francia) cadono dal piano del palchetto di sopra a difender dalla polvere le carte dei libri di sotto nel modo accennato nell'accluso schizzo, son tutti di velluto verde frangiato d'oro. La terza, che v'è attaccato al muro un ovato col ritratto del re, della regina, del Delfino e della regina madre, con ornamento d'un festone di foglie di lauro, non so se di rame o d'argento dorato, intorno al qual festone ricorre un nastro gioiellato di smeraldo e di scaramazzi ed altre pietre colorite, che dopo aver accolto le suddette foglie finisce in un cappio assai ricco, dove il quadro è attaccato. Egli è attaccato per lo lungo, che sarà d'un braccio e un terzo in circa, e due terzi l'altezza; è ben vero che non apparisce a un gran pezzo quel che vale. Mi sovviene la quarta, ed è un libro di cartapecora con sedici imprese del re, fatte per ornamento delle cantonate delle nuove tappezzerie fatte *aux Gobelins*, che, per aver rapporto ad esse tappezzerie, la metà son cavate dai quattro elementi e l'altra metà dalle quattro stagioni. L'imprese e i motti son generalmente tutti belli, e gli adornamenti degli studi son cavati da cose appartenenti a quel che si rappresenta nell'impresa con bizzarra intrecciatura. Le cartelle della primavera son adornate di fiori, quelle dell'acqua di conchiglie le più bizzarre e di pesci, quelle di fuoco di bombe, di granate e di moschetti. Sotto ciascuna impresa v'è la sua spiegazione in versi. Le miniature son molto vaghe, e il libro tutto assieme è bellissimo.

8-14 maggio.

Stamani sono stato dal marescial di Gramont, tornato da S. Germano per le nozze di m.r de Louvigny suo figliolo, che ha preso l'erede della casa di Castelnau, con trecentomila franchi adesso e centocinquantamila alla morte della madre. La sterilità di madama di Guiche dopo dieci o undici anni di matrimonio, quantunque poco coltivato, è stato il principal motivo che ha indotto il maresciallo a desiderar questo maritaggio, benché madama la marescialla, per qualche cenno che me n'è stato dato, non so se in riguardo della casa in sé o del soggetto, non ci abbia aùto il pieno delle sue sodisfazioni. Ho trovato il maresciallo che si finiva di vestire ed aveva la stanza piena di gente vestita di panni da galantuomo che gli stava facendo corte.

M'ha introdotto m.r Magalotti, creatura fedelissima di quella casa, dove è arbitro di tutte le differenze che insorgono nel più ristretto parentado, essendo il confidente maggiore de' due figlioli e delle due figliuole, de' due generi e delle due nuore del maresciallo. Il conte di Guiche però è il favorito: è quello al quale sacrificherebbe prima che ad ogn'altro e vita e fortuna. Anzi, che questo si può dire: ch'ei gliel'abbia sacrificate, poiché la costanza nella sua amicizia nelle turbolenze passate non gli ha del certo giovato punto, e forse la professione ch'egli ha fatto così apertamente di suo amico fedele gli ha chiusa la strada a qualche congiuntura favorevole che se gli era presentata per cavar dal re una grazia, che gli sarebbe valuta più che 3.000 franchi, che, sebbene non è molto, non è nemmeno così poco nello stato presente delle cose sue, molto ristrette da grosse partite di debito; le quali tutte va portando innanzi con il solo concetto della sua buona fede, non avendo altro assegnamento per pago de' suoi creditori che il prezzo della sua carica, di cui il debito assorbirebbe subito intorno alla metà. Intanto fa com'ei può aiutandosi con la parsimonia del trattamento, resogli veramente poco necessario dalla riputazione di già acquistata con l'armi e con la condotta d'uomo onorato e fedelissimo a tutti quelli ai quali ha giurato amicizia. È al presente in età di 38 anni, robusto di vita e di complessione, vivacissimo d'aspetto e ottimamente ristabilito dell'ultima sua pericolosa ferita riportata dall'assedio di Lilla.

Ma tornando al maresciallo, io dubito d'aver scritto a V.S. che avendolo visto alla commedia italiana mi parve render qualch'aria al cavalier Marsili di Siena. Or, s'io l'ho detto me ne disdico, non lo rassomigliando in altro che nel guardar con l'occhiale da un occhio solo. Egli è alto di statura, traverso, e si può dir ben fatto di viso; degli anni non so giudicare perché la parrucca e la barba castagna mentiscono il vero. Lo riconobbi, subito che lo sentii parlare, per quel che lo descrive l'autor dell'«opera imperfetta», dico dell'istoria del Palais Royal, in quel discorso fatto *en son ton railleur* al conte di Guiche, quando gli portò gli ordini del re per andare in Pollonia. E veramente la sua maniera di barzellettare è graziosissima ed innocente, accompagnata da garbo grande e da disinvoltura, senza pregiudizio del decoro e del sostenimento di gran cavaliere.

Della casa del maresciallo non ho veduto altro che la camera e un gabinetto, dove m'ha condotto a vedere due grandi studioli d'ebano con ornamenti di lapislazzuli e di metallo dorato fattisi venire di Roma ultimamente. Infatti è stravagante il genio franzese: V.S. non potrebbe credere che stima si faccia qui d'ogni sciaurata miniatura da ventagli che venga d'Italia; e perché il di fuora delle cassette de' suddetti stipi è fatto di tali miniature, son considerati come due maraviglie. In questo gabinetto vi son de' quadri, alcuni de' quali si posson dire assai buoni: fra gli altri v'è un San Francesco del Caracci molto bello e un amoretto (non saprei dir di chi) donatogli da don Luis de Haro.

Dopo desinare sono stato a Ivry, villaggio una lega lontano da Parigi, dove sta quasi tutto l'anno m.r Thevenot: egli era già stato a visitarmi, e se non ne ho mai parlato a V.S. non è stato per dimenticanza, ma per esser costà assai noto la persona ed il genio di essa. Egli è tutto dato alle curiosità dell'altro mondo: dico del mondo di qua, non di quello che non si vede; e dopo aver già pubblicato il terzo tomo de' viaggi da lui messi insieme e tradotti, ne va preparando un'altra raccolta, che formerà due tomi. Fra le cose più curiose m'ha detto d'aver due o tre alfabeti di lingue asiatiche non più intese né conosciute, i caratteri de' quali son bizzarrissimi: ma secondo ch'egli m'ha promesso di farmegli vedere, insieme con molte altre cose di questo genere intorno alle quali s'è rigirato il nostro discorso, mi riserbo a ragguagliarne V.S. più distintamente poiché averó il tutto veduto. M.r Thevenot all'aspetto mostra un'età di cinquant'anni, è di statura altissima ma ben proporzionata; il suo tratto non si può dir disinvolto, anzi è piuttosto freddo: ma è il più rispettoso, il più cortese e il più amorevole uomo del mondo. Sento che sta assai comodo de' beni; non è ammogliato, ha un nipote il qual aspetta ogni momento di ritorno di Persia, ed un giovanetto che tiene in qualità di servitore, ma di servitor nobile, vestendolo onestamente e tenendolo a mangiar seco, il quale dicono sia suo figliuolo naturale. Ha buona intelligenza della vera filosofia, dell'astronomia e delle matematiche; ma, come ho detto, il suo forte è nell'erudizione de' paesi più remoti e di tutto ciò che ad essi si appartiene.

8-14 maggio.

Stamani di buonissim'ora son'andato a Versaglia col conte di S. Mesme, che ci è venuti a pigliare con una muta di madame: erano con esso lui m.r de Guerzan, molto ben conosciuto da V.S., e un'altro gentiluomo normando amico suo, che per non essermi parso né carne né pesce non ho durato fatica a tener a mente il suo nome. Versaglia è intorno a quattro leghe lontana da Parigi, e un'e mezza da S. Germano incirca. Il paese è abbondante di sabbia, povero d'acque e per conseguenza il più sterile e il meno proprio per collocarvi delizie e giardini: pure il genio del re e la forza del danaro hanno riportata una bella vittoria della natura, avendo reso un luogo abile a dilettare ogni gusto mal avvezzo e ogni mente, per ripiena che sia di vaghe e dilettevoli idee. Vi s'arriva per davanti e per di dietro con due larghissimi stradoni, che sono occhiate, uno de' quali, che è quel di dietro, fra poco diventerà canale. Di qua e di là, tanto l'uno che l'altro hanno due altri stradoni laterali notabilmente più stretti, scompartiti gli uni dagli altri da quattro file d'alberi, che son ancor giovani e piccoli. Per davanti, cioè dalla parte di Parigi, in vicinanza del palazzo vi sono diversi padiglioni di fabbriche alla franzese, che sono diverse abitazioni di signori grandi che seguono la corte.

Del palazzo non mi metto a fare descrizione, perché richiederebbe scrittura infinita senza profitto uguale alla fatica del leggerla, tanto più che m'è stato detto trovarsi un libro dove sono tutti gli aspetti delle case e dei giardini più celebri per vaghezza e per architettura, il quale porterò a V.S. Dirò solo in generale che la bellezza di Versaglia non è bellezza né maestà di palazzo reale: ell'è vaghezza e galanteria di stipo, e di stipo da tener in camera di dame. Il color de' mattoni, che è un rosso che dà in gridelino, l'esatte e candide commessure d'essi, le cantonate, i cornicioni e gli altri conci di pietra bianca, i busti di marmo ond'è adornato a due ordini tutto il cortile, l'uguaglianza de' cammini tutti arricchiti di trofei di pietra riportati sul mattone, e il lustro delle lavagne, le doratura de' piombi, che nello spigolo più alto del padiglione le collegano insieme, quelle delle docce, che all'uso di Francia discendono lungo i muri a portar l'acqua fino in terra, i colori, le vernici e l'oro dati ai cancelli di ferro, i vetri delle finestre, le dorature degli stagni, il trasparir che da quelli fanno le dorature dell'imposte, la prospettiva di due bracci di fabbriche del tutto uguali (destinate l'una ai servizi bassi, l'altra alle stalle che vengon a fiancheggiare un'altra gran piazza posta accanto al cortile), i balaustri di pietra, che rigirano la contrascarpa del largo fosso asciutto, che rigira il palazzo: insomma la finitezza, per così dire, d'ogni minima parte dell'edifizio fa all'occhio una certa armonia di colori e di lumi che bisogna appagarsene anche a dispetto della ragione, che vi fa conoscere molti difetti d'architettura e molte improprietà che poco s'accordano con la simmetria d'una abitazione reale, di cui tutto il pregio consiste in certo fiore di novità e di freschezza che, distrutto dal tempo o dalla trascuranza di custodirlo, non lascia alcun vestigio di sé né alcuna altra cosa onde possa distinguersi Versaglia dall'abitazione d'un privato cavaliere.

Di dentro ogni cosa ride, e le scale son di marmo rosso e bianco, gli appoggi di ferro dorato, le mura tutte finte di marmo, le volte tutte festoni di fiori e di frutti che adornano bassirilievi finti di bronzo lumeggiati d'oro. Le stanze, che tutte son basse e piccole, hanno i pavimenti di legno commesso, ma così liscio e lustrante che vi si sta male in piedi; i muri fin all'altezza di due braccia son soppannati d'asse, che con piccoli sporti a luogo a luogo, con una cornice che rigira, formano un basamento andante; i palchi tutti dipinti: e questi e l'imbasamento suddetto insieme con gli usci e le finestre e l'imposte, tutto ricchissimo d'oro.

Il palazzo ha due piani: nel primo, che è il terreno, v'hanno gli appartamenti Monsignore, Madama e Mademoisella, e tutti son di tre stanze (anticamera, camera del letto e gabinetto); solo il Delfino dorme nel gabinetto, servendo il letto della camera per madama della Motta, sua governante. Ma tornando a terreno (perché questo è ad alto), l'anticamere di *Monsieur* e di Madama sono assai modeste, ma le camere e i gabinetti nobilissimi. A proposito de' mobili, è da sapere che il tutto è nuovo e fatto apposta per adornamento di quella stanza particolare dove ciascuna cosa si trova: e sì come il tutto tende a dilettare e rallegrar l'occhio e nulla ad affaticar la mente, così non v'è né statue né quadri, toltone ritratti di principesse e di dame posti anche su' cammini e le porte: e fra questi quello della Valiera vi s'incontra più spesso che quello di S. Cristoforo per il Tirolo. Un altro appartamento a terreno serve al re per vestirsi quando scende dalle stanze della regina, e questo è tutto mobiliato alla chinese, con paramenti di taffettà dipinto in quelle parti, all'usanza del paese, con acquarelli di vari colori cavati, secondo dicono, da sughi d'erbe e fiori diversi. Il letto, le coperte delle tavole, i tamburetti e le seggiole son dell'istessa roba; i torcieri e gli studioli, i forzieri e le casse son tutti di vernici d'India, e ogni cosa è piena di porcellane ed altre terre chinesi finissime.

Il piano di sopra è ora tutto scompartito tra il Delfino e la regina, la quale gode ora tutta quella parte che toccava alla regina madre. I mobili sono tutti ricchissimi, ma d'una ricchezza che si vede accompagnata, con attenzione grandissima, colla vaghezza e con la leggiadria. Per esempio, la camera del Delfino è parata di dommaschi color di cedro guarniti a telo, in cambio d'un gallon ordinario, d'un merletto tutto d'argento, che congiugne al valor del parato la bizzarria dell'invenzione; il suo gabinetto è un telo dommasco color di cedro come la camera, e un telo di raso pavonazzo con contrattagli di tela d'oro e d'argento che esce dell'ordinario ed è vaghissimo. La camera e il letto della regina son di grossa grana bianca lattata, tutta ridotta a opera con un ricamo a punta d'ago d'oro e d'argento e di fiori di seta al naturale.

Questi pochi esempi serviranno a V.S. per farle formare un concetto, assai aggiustato al vero, della maniera di questi adornamenti, che nel resto consistono in lustri di cristallo senza fine, de' quali in un piccolo e galante teatro che v'è per le commedie ne ho contati fino a dieci, in altre stanze cinque, in molte tre, e quasi in tutte l'altre uno, o di cristallo o d'argento, in grandi ispecchi, altri ornati di cornici ed altri senza: ché sono quasi tutte le porte finte, fatte per corrispondenza d'architettura, gli usci delle quali son tutti di gran lastre di specchi commessi insieme, che da lontano sembrano uno specchio solo. Le coperte delle tavole, sgabelloni e seggiole accompagnano tutti i parati, sì come i cordoni che sostengono i lustri e le gabbie; delle quali quattro d'argento vaghissime ne sono nell'anticamera della regina, tramezzate con cinque lustri di cristallo e attaccate a grandissime nappe di nastri d'oro e d'argento, che accompagnano i lor cordoni, ancor essi simili a' colori del parato, che è di velluto rosso e di tela d'argento broccata con fiori di seta al naturale. Ricchissimi sono i studioli e tutti carichi, sotto e sopra, d'argenteria, parte soda e parte di filigrana. Le cornici delle porte e quelle de' cammini, che son la maggior parte di marmi nobili, son cariche di porcellane e altri vasi di terre fini e preziose. Tutti i cammini hanno gli alari d'argento doppi, cioè due grandi che servono per ornamento nelle cantonate, e due più piccoli per sostenere le fascine e le legna, posti più verso il mezzo del cammino.

Dirò adesso qualche cosa di quel famoso gabinetto di filigrane, dove entrando il Bernino, con espettazione che dovesse trasecolare, non fece alcun motivo, anzi lo giudicò un altarino da monache. Nel che io stimo ch'egli giudicasse rettamente, ma con rigore troppo indiscreto, perché finalmente bisogna distinguere tra un adornamento d'un gabinetto d'una dama e quello d'una galleria d'un re. Egli è camera e alcova, ma alcova intorniata di sgabelletti e di seggiole senza letto; nella camera son quattro porte, due finte e due vere e tutte di specchio; le finte sono allato agli stipiti dell'alcova, e le due vere allato al muro dirimpetto all'alcova in cui sono due finestre. Si guardano queste porte di fronte l'una con l'altra, e negli spazi che rimangono fra di loro vengono in fuori due piedistalli su' quali si sollevano diversi scalini che vanno sempre diminuendo insino che arrivano a trovare un ovato. Queste scalinate e tutto il gabinetto dal cornicione in giù sono rivestiti di tavole finte di lapislazzero, sul quale ricorre per ogni verso un bassorilievo di fogliami e arabeschi di legno dorato, che sopra a ogni foglia e ogni fiore regge diverse fatture di filigrana d'oro e d'argento. Piramidi, scatole, scatolini, guastade, bocce, vasetti, secchiolini, tazze, profumerie e cent'altre bagattelle, di cui a gran pena saprei dire i nomi, adornano tutto il sodo dei muri e fanno ornamento ai due ovati che vengono sopra le scalinate, dove sono i ritratti della regina e di Madama e i cinque quadri che, due di qua e due di là da essi ovati, restano sopra le quattro porte, e uno rimane tra il vano delle due finestre. In questo è ritratta madama di Montespan: ne' due dalla parte della regina, madama di Guiche e madama di Brisac, e ne' due dalla parte di Madama, la Valiera e la duchessa Mazzarrina. Sul cornicione son tutte guantiere e altri pezzi grandi; su per i fogliami e i rabeschi sono i minori, e sulle scalinate sono studioli, candellieri, torcieri, cassettini e forzieri e altri pezzi più grandi. Nel mezzo d'un di questi scalini, in luogo il più cospicuo, v'è il famoso bigiù di Versaglia, che è un piccolo gallo con la testa e l'ali e la coda d'oro smaltato, e tutto il corpo d'uno scaramazzo stimato il maggiore che si vegga in Europa; ma io non credo punto minore quello che serve di vaso a una piccola rametta d'oro (se non mi sbaglio) nel vano dell'architrave dello studiolo della tribuna. La lumiera è di filigrana, e sotto di essa, che è nel mezzo della camera, sur un piedistallo finto anch'egli di lapislazzero adornato con riporti di filigrana, v'è una gran profumiera dell'istessa manifattura.

L'alcova apparisce tutta da alto a basso rivestita di specchi, se non in quanto è adornata di pilastri di lapislazzero rabescati co' soliti fogliami d'oro, tutti ripieni di pavoni ed uccelli e altri capricciosi lavori di filigrana d'argento; e di filigrana d'argento ancora son guarniti i torcieri, i manichi degli spazzolini di penne e i braccioli delle seggiole, degli sgabelli, il piede del parafuoco, che tutti son finti ancor essi di lapislazzero; i sederi e le spalliere son di velluto turchino ricamato d'argento, tirato con disegno così simile alla filigrana che si scambia per essa. Di qui s'entra nel gabinetto de' cristalli, de' quali, oltre la cornice del cammino e alcuni sgabelloni, son carichi per di sopra e pieni per di dentro due piccoli studioli di legno dorato, con le pareti de' fianchi e con gli sportelli davanti di lastre di cristallo. Di questi non dico nulla, perché V.S. sa quel che posson essere, tanto più che né il numero né la qualità de' pezzi arriva di lunga mano quelli di Firenze, credo; benché gli superino nel prezzo in cui sono tenuti e creduti, stimandoli quattro milioni: dandomi ad intendere che il granduca (anzi mezzo mezzo ce lo impegnai) darebbe tutti i suoi, che a questo ragguaglio ne varrebbero dodici per quattro, cioè per un milione e trecentomila scudi, non senza speranza di una buona senseria per me.

L'ultima camera è la più debole, per un grand'armadione pieno di bazzecole ordinarissime, essendovi porcellane, cristalli molt'ordinari e infino a buccheri rossi ed altre bagattelle: però questa sola cosa mediocre non sfiora punto il pregio di tant'altre sì belle. V'è poi una sala, anch'ella ricchissima d'oro, ma negli spazi dove anderebbe il parato è dipinta a olio. Intorno, su diversi sgabelloni, vi son varie figure d'argento, e in specie i quattro fiumi della fontana di piazza Navona, che al Bernino non dovette dispiacer punto il trovarvi. In mezzo vi è una spezie di altarino, essendovi un braciere d'argento; sul braciere è un bacile e sul bacile è una gran profumiera.

15 maggio.

Oggi dopo desinare sono stato all'assemblea in casa di m.r Justel, dove ho trovato che discorrevano d'una nuova invenzione trovata in Inghilterra dal cavaliere Roberto Morland, di cui trattando dei soggetti di quella corte parlerò più diffusamente a suo tempo. Quest'invenzione l'avevo di già veduta a Londra e consiste in una macchinetta d'argento, così piccola che si rinchiude in una cassetta di sagrì minore d'una custodia da occhiali, nella quale col girar certe ruote numerate si fanno speditamente e con sicurezza una mano d'operazioni aritmetiche. Di poi s'è discorso di nuove senza alcuna particolarità degna di reflessione.

Vi ho bene imparato a conoscere un soggetto di qualche considerazione. Questo è un certo m.r Salò, consigliere del parlamento, il quale ha un fratello che ha l'istessa carica, e fra tutt'a due hanno di buonissime facultà. Egli è corto e grosso della persona, storpiato quasi affatto dalla gotta, e rende in piccolo un poco d'aria al Palmieri. Il suo diletto sono stati gli studi delle belle lettere, la sua professione, di dir mal di tutto e scrivere in franzese diverse pezze satiriche. Egli è quello che da principio scriveva il giornale de' letterati sotto il nome finto di m.r d'Hedouiville, e averebbe potuto seguitare se m.r de Lionne, obbligandolo a sottoporlo continuamente alla revisione, non avesse dato motivo al suo genio superbo e disprezzante di lavarsene le mani. Ne fece però pigliar l'assunto a m.r de Galois, che è quello che lo scrive al presente, che allora stava in casa sua, e che, sebbene è suo allievo, nondimeno al presente s'è lasciato indietro il maestro, avendo accresciuto agli ornamenti acquistati sotto di lui il massiccio delle scienze più sode e in specie della teologia. Stima dunque m.r Salò straordinariamente questo giovane e i due fratelli Valois, e da questi in poi nessun altro che se medesimo. Perseguita adesso fieramente m.r Auzout a cagione di m.r Galois, il quale avendo nella accademia che si tiene in casa m.r Carcavì (che vuol dire in casa del re) voluto troppo magistralmente decidere in materie non so se geometriche o astronomiche contro il parere e l'impegno di m.r Auzout, questi gli disse in buon linguaggio che il suo mestiero era la teologia. Questo è bastato perché Salò l'abbia preso di mira; e secondo che Auzout in questo tempo ha fatto qualche azione equivoca da poter esser interpretata in disprezzo di quel corpo d'adunanza reale, ha aperto un largo campo a questo uomo, per altro mal intenzionato verso di lui, d'attaccarlo, oltre alle parti del sapere, anche in quelle della prudenza: è certo che per via dei Valois, che hanno adito e fede appresso Colbert, è abile a metterlo in terra. Insomma costui è una lingua da benedire, e dove attacca il morso ne porta via il pezzo.

Son poi andato per trovare il cardinale di Retz, e non essendomi riuscito ho dato fondo in casa d'un amico per finir la veglia. Gli ho domandato qualche relazione di quell'abate di Clairmont e di m.r de Sanguien, che avevo veduto ieri giocar col re alla palla a corda. «Il primo», mi disse, «si chiama Clairmont Laudaine ed è di Lingua d'Oca, a distinzione dei Clairmont di Delfinato, l'un'e l'altra buonissima famiglia. L'unico suo mestiere è di giocatore, ossia di carte o di palla a corda o di dadi: quindi alle volte si trova dugentomila franchi e si tratta in signor grande, e alle volte ha carestia di tenere un sudicio lacchè. Per scarsità d'altri talenti s'è attaccato alla corte col giuoco ed ha ottenuto il brevetto d'entrare in camera del re come tutti gli altri della sua più domestica conversazione. Lo seguitò l'anno passato in Fiandra e quest'inverno in Borgogna, senza però maneggiar altr'armi che le carte e i dadi, e senza che questa sua così domestica introduzione lo costituisca in altro concetto che di giocatore, né gli porti altr'utile che quello che ogn'uomo un poco avveduto è capace di ritirare dall'aver l'orecchio del re. Sanguien è ancor egli di buona casa: benché parigino ebbe già un cardinale e molti presidenti. La sua carica di *maître d'hostel* è una delle subalterne sotto il principe di Condé e m.r di Bellefont. È però ancor esso di reputazione e non esercita per quartiere ma solo in occasioni solenni. S'è accomodato assai bene di facoltà; comincia ad aver degli anni: il re gli vuol bene e ci ha confidenza, avendolo spesso mescolato ne' negozi de' suoi piaceri».

16 maggio.

Stamani sono stato trattenuto in casa dalla visita d'un amico, dal quale non ho ricavato altra cosa degna di considerazione che l'informazione di que' tre soggetti che sono impiegati nella libreria del re d'attorno all'indice de' codici orientali. Mi ha detto che m.r de Compienne, che fatica sull'ebraico, è figliuolo d'un ebreo di Metz, rabino dottissimo anche al parere dei letterati cristiani. Egli però ha abbracciato la nostra fede e, per giovane che egli è di trent'anni, si può dire molto erudito nelle traduzioni rabiniche e molto internato nell'intelligenza della scrittura. M.r Dipy, che lavora sull'arabico, è nativo d'Aleppo e in concetto d'un grandissimo furbo. È però erudito nella sua lingua ed è professore di essa nel collegio reale. Ebbe già gran differenza con un tal Sergio, nativo anch'egli d'Aleppo e arcivescovo di Damasco, che in certa congiuntura, con scandalo di tutta la chiesa di Levante, svergognò bruttamente il nome cristiano coll'occultarsi. L'istoria debb'esser nota costà a m.r d'Erbelot, al quale mi ha rimesso l'amico per più distinta notizia: mi ha solo accennato che il soggetto dell'inimicizia tra esso e Dipy è nato dall'aver preteso questo di levargli la carica di segretario interprete di lingua arabica del re, nel qual maneggio ci fu non so qual falsificazione, non so se di sigillo o di firma, di cui vien esso imputato. Quello del turco è m.r de la Croix, normando, uomo di mediocre condizione. Ha studiato la lingua in Parigi (credo per qualche tempo almeno) in compagnia di m.r d'Erbelot. Ha inoltre qualche ragionevole tintura di belle lettere, e non è mai stato in Levante ed è nondimeno segretario interprete del re in lingua turchesca, come l'altro nell'arabica, con mille cinquecento lire di provvisione: ha quarant'anni in circa ed è uomo onorato e da bene.

Dopo desinare sono stato a far reverenza al duca di Guisa, di cui non posso dir altro se non ch'io l'ho trovato non men bello dei suoi ritratti veduti in Italia. Questo però è quanto al viso e ai capelli, perché la vita non finisce d'accompagnare, essendo alta bensì, ma non interamente svelta e ben fatta; le gambe più d'ogni altra cosa patiscono per troppa sottigliezza. Egli è tutto devoto ed applicato a' suoi esercizi, obbedientissimo a Mademoisella, pieno di stima rispettosa verso Madama e d'eccedente cortesia verso tutti, che è quanto si può pretendere dalla sua tener'età. Di qui son andato da m.r Boulliauld, che m'ha trattenuto sempre con nuove: pure ho imparato una cosa che non sapevo, ed è il gran potere che ha la contessa d'Enoff sopra lo spirito del re di Pollonia, il quale, benché disposto e dagli anni e dalla cadente sanità ad abdicarsi dalla corona, n'è trattenuto sopra ogn'altra cosa dall'onnipotenza di questa donna, a cui torna più conto l'averlo re che privato. Ho poi visitato m.r de Roncie, lettore di filosofia. Questo è un giovane che da ragazzo fu paggio del cardinale Antonio, e non dispiacque a nessuno nella corte di Roma; venuto in Francia entrò fra i moschettieri del re, ed in capo a un anno, risolutosi improvvisamente a mutar professione, si ritirò in un collegio dove dopo aver studiato lingua latina e greca s'inoltrò nella filosofia e nella teologia con fervore e profitto maraviglioso: fra due mesi finirà il corso della sua lettura filosofica per adottorarsi poscia in Sorbona, e poi immergersi nella teologia positiva. La sua età è di ventisei anni incirca, ed essendo considerato per un originale, sì in riguardo della strana improvvisa mutazione sì dell'aspettativa grande che si ha di lui, non ho voluto passarlo sotto silenzio.

17 maggio.

Stamani sono stato in casa e dopo desinare son andato da m.r Sannalle, che ha differito fino a doman l'altro la sua partenza. Mi ha condotto al Tempio, che è un gran ricinto pieno d'abitazioni coll'antica chiesa dei Templari, affetta, dopo la soppressione di essi, alla religione degli ospidalieri e incorporata al presente al gran priore di Francia, caduto ultimamente nel commendatore di Souvré. Era per l'addietro questo priorato ricchissimo, e non lascia d'esserlo anche al presente, benché la religione di Malta, per levare ai re la voglia di conferirlo per appannaggio ai figli di Francia o a principi o bastardi del sangue reale, com'è seguito in Spagna a quel di Castiglia, l'abbia decimato notabilmente, fondando sul ritrinciamento diverse ricche commende. Queste però parmi di sentire siano tutte godute dal presente gran priorato. La chiesa del Tempio è d'architettura gotica e nulla ha di singolare, benché qualche franzese faccia gran caso di qualche schiribizzo che è nella pianta di essa. Il gran priore vi fabbrica adesso un palazzo tutto di pietra per sua abitazione, e successivamente per tutti quelli che saranno gran priori dopo di lui. L'edifizio è magnifico e comincia ad esser molto avanzato. Son due botteghe dove si vendono, ma una è la principale: e sono in sustanza cristalli legati in argento, o bianchi o coloriti, altri in fibbie da scarpe, altri in fermezze, altri in vezzi, altri in pendenti, altri in anelli, altri in sustanza in tutto quel che si vuole; e l'uso di essi è tanto cominciato a domesticarsi, anche tra le persone di prima riga e in corte, che non si crederebbe: perché, in quanto alla vista, c'è troppo minor differenza dai veri che non è nel prezzo; e così molti se la passano con gran disinvoltura facendo moda e galanteria del risparmio. Ed io so che al battesimo del Delfino v'era tal cappello guarnito di diamanti che passava per centomila franchi e non costava se non poche doble di nolo ai gioiellieri del Tempio.

Siamo poi andati a veder la chiesa delle Figlie di Santa Maria, vicino alla Bastiglia. L'architettura è di Mansart architetto, il meno disistimato dal Bernino di quei che vivono presentemente a Parigi. La chiesa è assai piccola, e benché sia fatta con qualche buon gusto e ragionevolmente adornata, in Italia non si considererebbe per nulla.

Siamo poi entrati nella chiesa de' Celestini, che è di grandezza ragionevole: quello che c'è da vedere è una mano di sepolcri, quasi tutti rammassati in testa della nave di fianco da man dritta. Qui stimano assai la statua del famoso Sciambo, che a farle servizio si può dir ragionevole. Vi sono i due mausolei dei cuori di Francesco e d'Arrigo secondo: il primo è un imbasamento assai ricco di marmo, che regge una colonna fiammeggiante figurata per quella del popolo ebreo nel deserto, antico corpo d'impresa di quel re. L'architettura è di Pilon, soggetto di qualche fama e che non è stato men felice nel pensiero che nell'esecuzione di quest'opera. Il cuore d'Arrigo secondo finge ancor egli d'esser riposto in una coppa di bronzo sostenuta in alto da tre statue di marmo della grandezza del naturale, rappresentanti tre Grazie, o siano virtù, locate talmente in triangolo sopr'un ricco piedestallo che si voltano vicendevolmente le spalle. La maniera di queste statue, per quello particolarmente che riguarda il maneggio del marmo, mi par finora la migliore che abbia veduto in Francia. Poco lontano da questo del re v'è il mausoleo del cuore del contestabile di Memoransi, rinchiuso ancor esso in un'urna di bronzo locata in cima del suo sepolcro, assai ricco di marmi e di bronzo, e ciò secondo la disposizione d'Arrigo che ordinò che il suo fosse sepolto vicino al cuore del contestabile. V'è finalmente il sepolcro del nonno e del padre del vivente duca di Longavilla e del conte di S. Paul. Son quattro statue di marmo sulle quattro cantonate d'un grand'imbasamento quadro, che sostiene nel mezzo un'alta piramide. Egli è situato nel voto dell'arco che divide la nave di mezzo da quelle de' fianchi, onde ha due vedute. Sotto la piramide vi sono, in due bassirilievi di metallo dorato verso la nave di fianco, il soccorso portato dal vecchio duca ad Arrigo quarto; e verso la tribuna dell'altar maggiore, la battaglia di Senlis. Per dir tutto dirò anche una bagattella che vi è considerata assai: questa è un leggio grandissimo d'ottone, con l'imbasamento simile adornato delle statue de' quattro Evangelisti, posto nel mezzo del coro per sostener l'antifonario.

Vicino alla chiesa v'è il claustro, assai riguardevole per esser ragionevolmente grande e d'una straordinaria ricchezza di marmi, benché l'architettura sia infetta di frascherie. In una testata di detto claustro v'è la lapide sepulcrale d'Antonio Perez. Il giardino è considerabile per esser il maggiore che sia dentro Parigi. V'è salvatico, v'è orto, v'è vigna tutta di viti di Borgogna, che dicono soggiacere all'istessa fortuna di quelle del lor paese, movendo quando quelle cominciano a muovere, e facendo poche o assai uve secondo che quelle ne fanno. Questa vigna dicono che sia l'unica che è in Parigi. Questi monaci sono assai discreti, concedendo a ogni galantuomo l'adito nel giardino e a molti la chiave, onde ad ogn'ora vi si trova buona conversazione; del resto si dilettan più di frittate che di libri, e delle loro si dice in Francia ciò che diciamo in Italia di quelle de' certosini, cioè che le son alte quattro dita.

Usciti de' Celestini siam andati all'Arsenale a passeggiare su un stradone tutto piantato d'alberi lungo la riviera della Senna, dove di questi tempi si radunano donne e uomini a pigliar il fresco, come nel giardino del Luxembourg. Non dico nulla dell'Arsenale né dell'appartamento che vi ha nobilmente adornato (per quanto sento) il duca Mazzarrino, come gran maestro dell'artiglieria, perché non entrammo a vederlo facendosi l'ora d'andar a casa il presidente di Charny, ad un'assemblea molto ristretta ch'egli tiene in sua casa in tal giorno di giovedì. Di lui non ci è da dir altro se non che egli ha viaggiato ed è stato in Italia ed ora, benché si chiami presidente, s'è nondimeno disfatto di quella carica (che è di mera commissione) per entrar consigliere della gran camera. È piccolo di statura, d'apparenza piuttosto infelice, ama la conversazione de' letterati, benché egli non possa chiamarsi tale; si diletta straordinariamente di musica, tenendone spesso accademia in casa. I soggetti più riguardevoli ch'io vi trovai eran tre: m.r de Launoy, m.r Nublay e m.r Vouel. Tutt'a tre sono assai attempati, e particolarmente il primo, che fra l'altre cose ha un dente solo. Egli è uomo universalissimo in ogni sorta d'erudizione, toltone le materie fisiche e matematiche, delle quali sa nulla o poco. È intendentissimo della lingua greca, e versatissimo al pari d'ogni altro che sia in Francia (per quanto mi dice Sannalle ed altri ancora) in tutte le parti della teologia positiva. Veste di lungo ed è uomo rozzo, burbero e impetuoso. Mantenitor acerrimo dei privilegi e della libertà gallicana contro Roma, reverisce il papa quanto basta e non vuol confonderlo colla Santa Sede: «Nel che», dic'egli, «io non fo nulla che non facciano anche a Roma: perché di là non scrivono mai:--La Santa Sede s'è cavata sangue, la Santa Sede s'è fatta un serviziale--, ma sempre:--Sua Santità s'è cavata sangue, Sua Santità ha preso un lavativo--. Dunque anche a Roma confessano qualche piccola distinzione tra la Santa Sede e il papa». In Francia lo chiamano snidiatore de' santi, per le cose da lui divulgate per disingannare il mondo che Santa Maria Maddalena sia stata in Provenza e San Dionisio Aeropagita a Parigi: egli però se ne duole e dice che piuttosto lo dovrebbon chiamare raddoppiatore di santi, «perché», dic'egli, «per una Santa Maria Maddalena ve ne trovo due, e due San Dionisi per un solo». Il suo maggior gusto è quando può far qualche dispetto ai monaci o ai frati col metter loro a terra qualche lor vecchio preteso privilegio, com'ha fatto ultimamente ai monaci della badia di S. Germano, mostrando la falsità dell'esenzione, che essi pretendono data loro da detto santo, dalla giurisdizione dell'arcivescovo di Parigi. Rifruga per ciò sempre tutti gli archivi, facendo la critica sacra il maggior impiego delle sue applicazioni.

Nublay è avvocato e veramente debb'esser grandissimo leggista, ma leggista erudito profondamente ed ornato, oltre alla cognizione delle belle lettere, dell'intelligenza della lingua greca. Egli è un certo sparutello quasi del tutto calvo, manieroso, grave e modesto, che con tutta la sua poca apparenza non lascia d'aver assai buona grazia. Vouel è reputato assai per la cognizione delle lingue e per l'erudizione dell'istoria orientale. V'erano tre o quattr'altri di minor considerazione, dei quali non val la pena di discorrere.

18 maggio.

In casa a scrivere.

19 maggio.

Stamani sono stato a render la visita al Quaranta Luppari e al conte Sebastiano Tanara, che stanno in casa di monsignor Nunzio, facendo figura mista di servitori e di camerati. Il primo è giovanetto: si può dir ben fatto, ha bella vita e bell'aria di cavaliere. È però ancor giovane, ma in ogni modo è assai aggiustato. Il Tanara è giovane ancor egli: s'è messo qui (per quanto sento) in abito da prete, senz'altro benefizio che quello di sottrarsi dalla suggezione delle mode, che a Parigi val sempre qualche centinaio di scudo a capo all'anno. Questo è savio e saputo, e mi dò ad intendere che si stimi anche tale; è però cortese e rispettoso.

Oggi poi sono stato a vedere le famose manifatture *aux Gobelins*, delle quali avevo in parte maggior concetto, non perché io credessi più squisiti i lavori ma perché credevo l'arte e le maestranze più numerose. Il luogo è detto Gobelins dal nome di tutto il quartiere, che così si chiama non so se da un piccolo fiumicello che vi corre, chiamato *la rivière des Gobelins* o, come altri dicono, dall'esservi quivi state le abitazioni di una famiglia di questo nome, che l'abbia poi lasciato al fiume e al quartiere, posto fuor della porta di S. Marcello nell'ultima estremità del foborgo. Era anticamente il luogo, che oggi ha preso il re per le manifatture, trattenuto da diversi mercanti per la fabbrica e tintura degli scarlatti, che in riguardo delle perfettissim'acque del fiumicello suddetto ebbero grandissima stima. In oggi vi sono le caldaie e le maestranze della tintura, che vi lavorano nell'istesso modo di prima. Del resto il sito è un gran cortile intorniato tutto di fabbriche ordinarissime. A terreno son le botteghe e ad alto le abitazioni dei maestri, che soli vi alloggiano. Tutti i lavoranti sono 400, ai quali il re, oltre i salari paga i quartieri in quella vicinanza.

Io son da principio entrato dove lavorano gli arazzieri, che sono diverse stanze assai grandi, essendo in alcune fino a sei gran telara; tutte le tappezzerie che qui si lavorano non sono a calcole ma si travagliano in piedi ad alto liccio (come dicono), cioè come lavora a Firenze m.r Lafèvre, il di cui figlio maggiore è qui gran faccendiere, è ammogliato e ha figliuoli. Hanno adesso tra mano la vita del re, ed in specie il ricevimento del cardinal legato. I cartoni sono di Brun e gli arazzi son ricchissimi, essendo loro de' fregi di considerabil rilievo. Costano al re, per l'appalto presone dai tappezzieri, 400 franchi l'uno, che compreso alloggi, provvisioni ed altro gli stanno in ottocento. Quelli della vita d'Alessandro, copiati dai quadri che ne ha fatto Le Brun a olio, son men ricchi la metà e costano la metà meno. Dell'istesso prezzo de' primi si lavorano ancora i dodici mesi, che rappresentano i divertimenti del re in ciascun mese; il luglio (se non erro) c'è la veduta di S. Germano col re che fa la caccia dell'uccello; il maggio, il re in carrozza a sei, che va a Versaglia; e così di man in mano, con la proporzione delle figure in piccolo. La spesa che fa il re nelle tappezzerie fu fusa a 100 mila franchi l'anno; e sebbene il prezzo degli ori è poi alzato notabilmente, l'assegnamento non è punto cresciuto, ma tutto il danno si posa sul minor guadagno degli appaltatori, i quali però s'ingegnano il me' ch'ei possano di salvarsi.

Son poi entrato dove lavora il pittore, che dagli schizzi di Brun forma il cartone per il gran tappeto alla persiana di cui già scrissi lavorarsi alla Savonerie, dove ancora non son stato. Anche questo, calculate tutte le spese, se n'anderà in 500 franchi, e ha da coprire la galleria lunga (benché l'altra volta scrivessi mille) sopra settecento passi. In una altra stanza si lavora il pavimento per l'istessa galleria, di quadri di lavagna di quattro palmi e quattr'once l'uno, di passetto romano, che son braccia fiorentine ..., tutti contorniati con fregio d'ottone e intarsiati variamente con bizzarri arabeschi d'ottone e di rame; ciascuno di questi è stimato 300 franchi, che, fatto il conto della lunghezza e larghezza di tutta la galleria, dicono ascendere tutto il pavimento a cinquecento mila scudi. Io aspetto di averla misurata co' mia passi per il calculo, ed assicurarmi del vero. Per adornamenti parimente di questa galleria si lavorano in grandissima copia in un'altra stanza i pilastri, capitelli, basi, piedestalli ed altri adornamenti di legname, onde vanno rivestite per scompartimenti dei superbissimi arazzi le mura di essa galleria, che tutta sarà piena di vasi, di statue e di torcieri d'argento, oltre una quantità di grandissimi stipi, e tutti i suddetti intagli saranno messi a oro. Per lo stanzone dell'audienza, che rimane (come già ho scritto) in fondo della galleria, son già destinate dodici statue di marmo, che saranno locate sopra il fregio de' parati, in altrettante nicchie cavate nelle quattro faccie della sala, tre per cisacheduna. Si pensa ancora di fare il trono del re tutto d'argento, e la maggior parte di getto: questo però non so che sia cominciato.

Ho poi veduto dove si lavorano i stipi di già descritti nella relazione delle Tuillerie: e in sustanza tutto il gran fracasso che fanno agli occhi consiste nella gran ricchezza dei riporti di metallo dorati e dei lapislazzeri, ed i più vasti e di maggior prezzo non passano ventimila franchi. Nella bottega degli argentieri si lavorano presentemente ventiquattro gran bacili ovati, che co' lor boccali parmi che pesino da 60 delle nostre libbre per ciascheduno: non mi sovviene però se in questo peso c'entri anche il sostegno d'argento, che è una spezie di lavamane, ma io credo di no. Basta: ciò poco importa, perché io sto dietro ad averne nota distinta, non solo di questi ma di quanto pesi tutta l'argenteria fatta fare dal re, tutta quella che si fa presentemente insieme col servizio nuovo d'oro ultimamente ordinato. Questi bacili ovati saranno tramezzati co' ventiquattro tondi che son già fatti, e saran disposti lungo le due facciate della galleria, ciascuno sul suo sostegno d'argento, col suo boccale in piede. Per le quattro cantonate di essa, parte son già fatte e parte si fanno di quattro navicelle d'argento, a foggia di bagni, con altrettante urne di straordinaria grandezza. Il peso di ciascheduna è millesettecento marche, milledugento la navicella e cinquecento l'urna. I bassirilievi di questi bacili, come il disegno di tutto ciò che si lavora per il re, sono del Brun, che in sostanza è l'Apelle di questo Alessandro. L'opera però degli argentieri e tutto il lavoro della cesellatura è grossolano al maggior segno.

Nella stanza dove lavora Le Brun ci ho veduto tre grandissimi pezzi della vita d'Alessandro, che gli fa a olio, nei quali confesso che m'è riuscito assai più che non m'aspettavo, dopo aver veduto quel quadro nell'Accademia de' pittori: più per quel che risguarda l'idea e la fantasia, che quel che tocca la vaghezza del colorito e qualch'altra cosa che non ardisco dire ancora, riserbandomi a darne un giudizio più aggiustato dopo che avrò veduto la sua grand'opera della volta della cappella del seminario di S. Sulpizio.

Ho veduto per ultimo lo stanzone dove lavorano i giovani che dipingono i quadri per le tappezzerie, copiando e finendo diligentemente a olio tutto quello che Le Brun abbozza ne' suoi cartoni. Questi quadri poi vanno tagliati in diverse striscie, perché nel tempo che un arazziere lavora un fregio, un altro per maggiore spedizione possa tirare avanti l'istoria su un altro telaio, dove il fregio è già fatto, facendosi l'istessa camera tal volta doppia e di diversa ricchezza e valore. Così fanno adesso in proporzione più piccola quella de' quattro elementi, per donare agli ambasciatori. Di questi il pezzo dell'aria è vaghissimo, essendo pieno degli uccelli più bizzarri e più pellegrini dell'Indie.

Dai Gobelins son andato a veder la chiesa del convento di Val di Grace, fabbricata con gran magnificenza dalla regina madre, per mercede di quella tranquillità che spesse volte, nei primi tempi de' suoi maggiori travagli, ritrovò il suo spirito in quel ritiro. Le monache son benedettine, per l'innanzi non molto ricche, ma ora divenute assai comode per l'aggiunta fatta dalla regina ai lor beni nella badia di S. Cornelio: d'intorno ha venti mila franchi di rendita. In tutta la fabbrica, sì nel di dentro come nel di fuori (che, oltre alla facciata, fa quasi un teatro d'abitazioni, che arrivando sulla strada con due padiglioni forma un cortile, serrato semplicemente con una cancellata di ferro andante sopra una sponda di pietra), non si può dire che vi sia parte benché minima che discordi da quella sontuosità con cui il tutto è fabbricato. Ogni cosa è di pietra infino alla volta e i bassirilievi di essa, che son ricchissimi e sporgono notabilmente in fuori. L'altar maggiore è chiuso tra sei colonne di marmo bianco e nero, attorcigliate, scannellate fino a mezzo, e dal mezzo in su adornate di rami di palma e d'olivo di metallo dorato. Ciascuna ha un capitello goffissimo, che par più presto un pezzo del cornicione che dovrebbe ricorrervi sopra in ovato secondo la disposizione di esse, invece del quale cammina un fascio di rami di palma legati insieme a uso di fascina, credo anch'essi di metallo, sebbene considero adesso che saranno più presto di stucco, essendovi sopra il gesso per dargli l'oro. Sopra questa macchina v'è una gran corona che fa da cupola, mista di gotico e con molte strafizeche che a me non piacciono. L'altare vi riman sotto in isola, e di dietro v'è la grata del coro, aperta fino in terra come uscio di rimessa, che fa bruttissimo vedere: è ben tutta incrostata di marmo rosso e bianco, di cui, mescolato col nero, è tutto intarsiato il nobilissimo pavimento. V'è luogo per otto altari, sei nelle cappelle, giù per la lunghezza della chiesa, che ancora non vi sono eretti, e due nelle braccia della croce, le di cui cappelle rimangon libere alle monache per essere tutto il vaso, dalla sommità dell'arco fino in terra, serrato con un'immensa grata di ferro, raggentilita con fregi ed altri lavori di bronzo.

Di qui son andato alla Sorbona, la di cui chiesa non è grande ma ricca di marmi e di statue, quantunque siano di cattivissima mano. Davanti all'altar maggiore v'è in terra il corpo del cardinale di Richelieu, non altrimenti notato con altra iscrizione che colla mancanza del pavimento da tutto quello spazio che va occupato dalla sua sepoltura, di cui non v'è chi si pigli pensiero alcuno. Il cortile del collegio è grande per lo lungo, ma rimane stretto, e l'architettura della fabbrica di esso (che tutta è di pietra) non è uguale. Quivi non hanno abitazione se non quei dottori che hanno il titolo di compagni di Sorbona, che (se non mi sbaglio) son 35. Mangiano tutti in comune, ma non l'istessa vivanda, facendosi ognuno cucinare secondo la possibilità della sua borsa o il solletico della sua gola. Hanno una miserabile striscia di giardino a uso di passeggiate; la sala, dove si tengono gli atti pubblici, è tutta intorniata di due ordini di banchi, è assai grande e ben ornata con intagli di noce, ma troppo bassa, e il vaso della libreria che è in volta è bellissimo. Gli scaffali son ricchi d'intaglio, e sopra di essi vi sono tutti i ritratti degli uomini illustri che erano nella libreria del cardinale Richelieu, della quale, benché lasciata loro per testamento, ne hanno aùta la peggior parte, dissipata l'altra per mal governo e poca intelligenza e applicazione di chi l'aveva nelle mani. Gli scaffali sono assai pieni di libri e tutti ben legati: dicono esservene due altre stanze piene che io non ho veduto. Ogn'anno si spendono cento dobble in aumento della libreria, il di cui nervo maggiore lo fa l'istoria e la teologia positiva: hanno qualche numero considerabile di manuscritti orientali, e tra i latini il più stimabile è un codice stimato d'ottocent'anni, dove sono scritti i quattro Evangeli. Fanno ancora qualche stima (credo per mera gratitudine) d'un tomo originale di quell'animalaccio di Raimondo Lullo. Tutto questo m'è stato mostrato da m.r Capelain, uomo della di cui profondità nelle cose teologiche me n'è stato detto gran bene; essendo però egli amico di m.r d'Erbelot, se ne potranno avere a Firenze sincere relazioni.

Ho finito la giornata in casa m.r Conrard, dov'ho trovato m.r Raynier. Questi fu a Roma col duca di Créqui in qualità di segretario dell'imbasciata del re, e non dell'ambasciatore: è giovane, al parer mio, di poco più di 32 o 33 anni, ed è cosa maravigliosa la sua perfettissima intelligenza della lingua spagnola, senz'esser mai stato in Spagna, e della italiana, anche prima ch'egli venisse in Italia. Questa, benché la sappia benissimo, non la parla felicemente, ma la scrive bene a una foggia che non è possibile ad alcun toscano l'accorgersi mai ch'egli sia franzese. Questo è quanto alla prosa: quanto alla poesia, è famosa a Firenze una sua canzone amorosa ch'egli mandò sedici mesi sono all'abate Strozzi, tanto ben modellata sullo stil petrarchesco che, lasciato il non v'esser alcun immaginabile idiotismo franzese, vi son delle cose ed in specie una strofa intera che fu giudicata di comun consenso de' nostri virtuosi, che il Petrarca si rallegrerebbe d'averla fatta. Il sig. cardinale de' Medici l'ha fatto ultimamente dell'Accademia della Crusca, di cui si professa riverentissimo. È cortese, ma un poco affettato, e credo che si stimi assai; ma s'ei lo fa bisogna compatirlo, perché n'ha gran ragione. Sta tuttavia in casa il duca di Créqui, ma credo senz'alcun titolo di servitù, ma piuttosto in qualità di virtuoso. M.r di Lionne ne fa stima e lo protegge, ed ora gli ha conferito un benefizio di 1.000 lire di rendita.

21 maggio.

Dopo desinare sono stato all'Arsenale. Questo è un chiuso di fabbriche che comprende cinque cortili, tra grandi e piccoli; in tutto vi sono due sole fonderie, nelle quali mi son accorto dai lavori più freschi, cioè usciti di pochi giorni dalle forme, che i franzesi non son grand'uomini nell'arte del getto: fanno però bene a far le maggiori commissioni in Hamburg e in Amsterdam. Non c'è nell'Arsenale gran quantità di lavori fatti, perché provati che sono su un gran prato che arriva alle mura della città giusto in sulla Senna, e che è parte ancor esso dell'Arsenale, gli mandano di man in mano nei magazzini delle frontiere e nelle fortezze per dove son fatti. Quello che v'è di più considerabile è l'abitazione del gran maestro dell'artiglieria, ora goduta dal duca di Mazzarrino, che non la tien molto in ordine, toltone gli utensili più grossi. Ell'ha una bellissima fuga di stanze, la maggior parte raddoppiate con stanzini e gabinetti, guardarobe e altre abitazioni di servizio, che la rendono comodissima e divisibile in più appartamenti. A terreno, lungo un braccio della Senna, e spartita quivi da un'isoletta disabitata, è una gran loggia di cui una parte rimane scoperta ed è piena di vasi d'aranci, e l'altra è coperta da una volta e chiusa da gran vetriate. Si divide questa parte in tre stanze: nella prima non ci è altro adornamento che di ritratti; la seconda è ridotta a uso d'uccelliera e tutta dipinta d'alberi e di salvatico; la terza, che tutta è rivestita di tavole con intagli e dorature che rinchiudono ancor esse diversi ritratti come nella prima, è circondata da una tavola sopra la quale sono in piccolo tutti i modelli delle macchine militari, delle cose necessarie alla marcia dell'artiglieria e degli arnesi da guastatori, il tutto fatto con le sue proporzioni, parte di ferro, come son gli arnesi suddetti, e parte di legno lumeggiato d'oro. Sopra la tavola intorno al muro rigira un'istruzione in cartapecora, divisa come in tanti quadretti, dell'ordine della marcia del cannone, con l'esplicazione degli usi e dei fini di tutte quelle cose che son ordinate nell'istruzione. Nella sala principale del palazzo vi son tutte le prese delle piazze attaccate dal marescial della Migliore, padre del vivente gran maestro, il quale dopo la riunione con la moglie è tornato ad abitare con essa al suo palazzo Mazzarrino.

23 maggio.

Stamani 23 sono andato a veder tutte le carte di geografia di Sanson nella bottega di Manette, e fra l'altre quelle quattro grandi dove tra lui e il figliuolo (che è un giovanetto di 30 anni incirca) hanno preteso di darci tutt'a quattro le parti del mondo, con le principali parti di esse mutate di figura. Sento esser queste carte di già venute a Firenze, però tralascerò di parlarne: dico bene che se la cosa è vera è bella; ma mi par gran cosa che in Francia si sappia più di geografia che in Olanda, essendo certo che, attesa l'incompatibilità del segreto con la nazione franzese, gli Olandesi hanno tutte le relazioni de' viaggiatori franzesi, ma Franzesi non hanno quelle dci viaggiatori olandesi; e pure questi sconcertano il mondo, e quelli lo lasciano star come gli stava.

Dopo desinare son andato al collegio di Clairmont de' gesuiti, dove tengono seminario e scuole pubbliche. I convittori, che essi chiamano «pensionari», son 400 e v'è mescolanza di nobili e cittadini; pagavano prima (cioè 15 anni sono) 100 scudi l'anno per ciascheduno, ora pagano dieci scudi di vantaggio per la stanza. I piccoli dormono in camere grandi in più d'uno; i grandi, dalla rettorica in su, hanno stanze particolari le quali son obbligati a fornirsi di tutto punto. Mangiano parimente i piccoli in un refettorio particolare, i grandi in due gran refettori, e tutti in un istesso tempo. Vestono di sotto come vogliono, di sopra portano certe vesti bige legate sui fianchi, senza però che si congiungano davanti; e in testa portano un berettino di velluto nero fatto a tagliere. Il numero de' scolari che vengon di fuora batterà intorno a 1.700; vi s'insegnano tutte le scienze, dall'infima della grammatica fino alla più alta della teologia.

La biblioteca è assai bella per l'accrescimento fattovi da 7 anni in qua dopo la dotazione fattale da m.r Fouquet di lire 1.000 l'anno da impiegarsi in compre di libri; la prima massa fu fatta di quattro o cinque librerie lasciate da diversi al collegio. L'istoria è la materia più assortita e più piena; la più scarsa è la medicina e la legge. Il vaso non è bello, poiché son due bracci che formano un L e non son tutt'a due all'istesso piano: è ben allegra e luminosa. In testa del secondo braccio v'è tuttavia il ritratto di Fouquet in un gran quadro, che occupa tutta la testata di essa, dalla cima degli scaffali al solaro, di che mi son maravigliato ed edificato grandemente. In uno stanzino, dove s'entra per una porta che di fuori finge uno scaffale di libri a mezzo il secondo braccio, stanno le medaglie e i manuscritti greci e latini. Tra questi i pezzi più stimabili sono un codice antichissimo di S. Giovanni Damasceno, dove son molte cose che non si trovano nello stampato, un Giamblico più moderno, ma collazionato con ottimi ed antichi originali, dove sono tre trattati che in greco non si son più veduti; e quello che avanza tutto è un codice di grandissima antichità, dove son tutti i profeti maggiori e minori. Le medaglie furono messe insieme dal principe Sismondo, il che dee servire per accreditarle. Nella serie d'argento hanno le cose migliori, ed in specie delle colonie greche ne hanno qualche numero delle più rare. D'oro non ne hanno alcuna serie formata.

Son dalla libreria calato a terreno, dove ho veduto in due stanze tutti i più famosi sistemi del mondo ridotti a macchine materiali di straordinaria grandezza, onde l'intelligenza delle teoriche de' pianeti, che tutti si muovono alle loro gite in ciascuno de' suddetti sistemi per via di rote mosse occultamente da contrappesi o da molle, viene agevolata mirabilmente. Tutte queste cose mi ha fatte vedere il presidente Cosart, uomo di prima stima tra i gesuiti di Parigi. Egli ha sopra di sé l'incumbenza dell'edizione de' concili incominciata dal padre l'Abbay, con tutti i decretali, lettere di pontefici ed altro che di mano in mano riesce di cavare dai manoscritti delle più famose librerie d'Europa, e m'ha detto che ne' luoghi più oscuri v'aggiugne qualche piccola annotazione del suo.

26 maggio.

Comincio il giornale della nuova settimana con una pezza curiosa. Scrissi con le seconde lettere di Parigi che avrei aùto gli inventari delle gioie, dell'antichità, delle tappezzerie e degli argenti della corona.

Ecco il giudizio uman come spesso erra:

chi me gli aveva promessi con bella maniera me gli ha ancora spromessi. Ora basta: io non mi voglio per ciò disperare e credere in un modo o in un altro di non aver a ottenere il mio desiderio; ma non voglio già raccomandarmi a lui, come si vede ch'egli vorrebbe, benché non diffidi ancora di cavar il tutto dalle sue mani.

Oggi dopo desinare sono stato al Piccolo Borbone vicino al Louvre, così detto dall'esser stato l'antica abitazione del famoso contestabile di questo nome, che assediò Roma per ordine di Carlo quinto e vi morì sotto. Quivi tiene ora il re la guardaroba dei mobili più preziosi della corona, fintanto che colla nuova fabbrica del palazzo si faccia luogo più proprio per conservargli e ordinargli con miglior disposizione a maggior comparsa. Stanno presentemente ripartiti in diverse gran camere o, come si chiamano, magazzini ne' quali è portato di man in mano tutto ciò che si va finendo *aux Gobelins*. Vi son pertanto i ventiquattro gran bacili tondi con i lor boccali e sostegni, che son veramente cosa nobilissima sì per la ricchezza sì per la bizzarra invenzione di essi sostegni (che qui chiamano *brancars*), nel fondo di ciascuno dei quali rimane una profumiera. Bellissimi son ancora quattro torcieri (che debbon esser sei), formati di tre statue poste sopra un piedestallo: con le braccia stese in aria reggono il sostegno del candeliere, che rimane alto da terra una testa di vantaggio sopra l'altezza d'un grandissim'uomo. Altri ve ne sono dell'istessa altezza, ma di un lavoro affatto diverso, essendovi mescolata la filigrana e il fogliame delicatissimo. Questi sono retti da figure di mori tutti di ebano sopra piedestallo simile, il tutto adornato riccamente e vagamente d'argento. In quest'istessa camera è un'infinità di tappeti, e fra gli altri uno di 66 once in più pezzi, che deve servire per la galleria innanzi alla grande d'Arrigo IV. In un'altra stanza sono, tra una infinità di placche d'argento, quattro grandissime dov'è rappresentato il re sopra il carro del sole, e reggono tre viticci per ciascheduna. V'è anche un'infinità di vasi, tra' quali quattro grandissimi di un bassorilievo straordinariamente rilevato. V'è poi una quantità grande di statue alte un braccio incirca, che sono i modelli di una mano di statue famose antiche e moderne, tra le quali vi sono quasi tutte quelle del Bernino. Tutto questo è argenteria nuova, oltre alla quale vi sono innumerabili bagattelle e galanterie d'oro e d'argento, che, a meno di farne inventario, è impossibile tener a mente e raccontare.

Mi scordavo del più e del meglio, cioè de' vasi per gli agrumi e de' loro sostegni; ed i vasi sono di tanto peso che in due duravamo gran fatica a sollevargli dalla loro custodia. L'altra cosa è due grandissimi bagni d'argento, in uno de' quali è stato battezzato il Delfino. Questi hanno da esser quattro, ed importa il peso di ciascheduno 24 mila scudi (pare a me), senza la manifattura. I bacili importano mille dobble l'uno, cioè mille scudi il bacile, mille il boccale e mille il sostegno. Scrissi che il lavoro degli ovati che si fanno adesso era assai grossolano, ma tra questi tondi ve ne sono alcuni lavorati a maraviglia; non son già tutti dell'istesso maestro. Gli arazzi ripartiti in più camere dicono essere dugento tinture (per tintura intendono assortimento o seguito di storia) e ragguagliatamente calculano quindici pezzi per ciascuna tintura. Ricchissimi sono i letti antichi e moderni, tra' quali vi sono tutti quelli fatti per i parti della presente regina, essendo il costume di farne uno a ogni parto. Il descrivere questi è cosa impossibile, perché tutto consiste in fondo di velluto o di broccato e in ricami d'oro e d'argento, variando solo o nella ricchezza, che in tutti è grandissima ed a quel segno maggiore ch'ella possa immaginarsi, o nel disegno o nell'invenzione del lavoro. Uno ve n'è tra questi stimabile solo per la rarità, essendo d'un broccato di China col fondo d'oro aggrottescato di figurine d'uomini, d'animali, di piante e di fiori di seta al naturale. V'è anche un superbo parato di Francesco primo, col fondo di velluto pavonazzo, lavorato anch'egli a grottesche di ricamo d'oro e di seta e di contrattagli di tela d'oro e d'argento, ed in mezzo di ciascun pezzo con un gran quadro di raso dove sono, di bassorilievo d'oro e d'argento e di seta, tutti i divertimenti del suddetto re, che dicono essere di disegno di Raffaello.

In un'altra camera vi sono armadi pieni di pezze intere di broccato d'oro e d'argento di Milano, di Firenze, di Lione e d'ogn'altra parte d'Europa dove se ne fabbrica con squisitezza. Un altro armadio è pieno di cordoni e di nappe, di nastri d'oro e d'argento per attaccar quadri e lumiere. Un'altra stanza è piena di lustri di cristallo, tra grandi e piccoli in numero di 150 e questi sono di riserva, oltre quelli de' quali son pieni Les Tuilleries, Vincennes, S. Germano e Versaglia. V'è anche una quantità prodigiosa di specchi, tra' quali sei, due di straordinaria grandezza e quattro più mezzani, donati ultimamente dal cardinal Antonio. V'è finalmente un grand'armadio pieno di vasi di cristal di monte, che son i rifiuti di quelli di Versaglia. Sono però moltissimi (se pur son piene tutte le custodie), ma non ce n'è di grandezza straordinaria. Nell'istesso armadio c'è un palchetto occupato da una nuova compra, fatta i giorni passati per centomila franchi, di vasi d'agate gioiellate, che per la bizzarria de' colori e per la maestria del lavoro, per la galante legatura delle gioie e soprattutto per le figure d'oro onde son adornati, tutte coperte di smalto a maraviglia, ora che sono in mano del re non hanno prezzo. Dirò con quest'occasione che i suddetti cristalli, la maggior parte delle tappezzerie, due o tre letti de' più superbi, il parato di Francesco primo, le migliori statue, i migliori quadri, una quantità di medaglie e di cammei, una mano di studioli e finalmente (come scrissi un pezzo fa) il fiore de' manoscritti orientali e delle rarità della libreria sono tutti spogli del cardinal Mazzarrino, valutati intorno a un milione di scudi, e fatti dare al re, da m.r Colbert, dal duca Mazzarrino per 350 mila franchi incirca.

Son poi andato da m.r Chapelain, dove m'è stato fatto il seguente ritratto: «Il Roberval, di cui fate così gran caso in Italia, si chiama così da un villaggio di Piccardia dov'egli nacque villano intorno a 65 anni sono, ed il suo vero nome è Personier. Venne a Parigi per provarsi alle scuole con animo d'abilitarsi a qualche chiesucola di contado, ma scopertosi in lui un talento maraviglioso nelle matematiche, si fermò in quelle senz'esserne mai più uscito in verun tempo. Non si può negare ch'egli non sia un grandissimo matematico, per quel che risguarda l'aver la testa piena di geometria, ma per l'invenzione egli è infelicissimo, ed il suo spirito non è l'istesso per quel che risguarda le cose fisiche, l'astronomia, benché si sia provato a far un nuovo sistema con parte ritenere e parte rimutare di quel del Copernico. Dalla geometria in poi è ignorantissimo in ogn'altra cosa, e, per l'uso del vivere, rozzo, villano, indiscreto, interessato, sordido, invidioso, insomma del tutto impraticabile. È al presente assai comodo, e nondimeno va leggendo Euclide per le case facendosi dare tre dobble il mese per tre soli giorni della settimana, ne' quali non sta più d'un'ora guardando a ogni poco la mostra ch'ei mette subito in tavola per non s'ingannare. Se poi uno scolaro impara un poco troppo presto, son tiranniche le maniere ch'egli usa per ritardarlo: è finalmente un uomo da desiderar di conoscerlo, ma non di praticarlo».

27 maggio.

Stamani sono stato a visitare l'abate de Strades, figliuolo mezzano del conte di questo nome, che è ambasciatore in Olanda. È giovane ben fatto e vivace e, per quel che potei riconoscere in una visita, sa mostrare stima e rispetto delle persone. Ha viaggiato in Italia in compagnia dell'abate Quinsay e di m.r de Rochefocauld, e furon essi, ai quali parlando il papa con uno sciocco trasporto di passione contro il duca di Créqui dopo il trattato di Pisa, gli risposero impertinentemente facendolo stranamente alterare. Mi disse grandissimo male del cavaliere suo fratello che vive all'Aia, esagerando le sue pessime inclinazioni, aggiugnendo avergli pronosticato che un giorno strapperebbe ancora un capestro. Me lo figurò per un ragazzo dato straordinariamente al bere e al fumare, incapace di far cosa buona, ingannator di suo padre. lussurioso e in sustanza disposto a far di tutto: il solo stare a cavallo esser la cosa che a questo mondo ei facesse bene.

Dopo desinare sono stato da madama la Douariera, dov'è anche sopraggiunta Mademoisella: i discorsi sono stati generali; e poi son andato con amici a spasso fuori della porta a S. Bernardo dove ora comincia a venir gente, finendo col maggio il concorso al passeggio della regina.

28 maggio.

Stamani sono stato a S. Germano per far reverenza al re, com'è seguito al suo levare, per mezzo del marescial di Gramont. Le cerimonie e la maniera del suo vestire, della sua messa e della sua tavola le passerò sotto silenzio, essendo cose notissime, come solite a sentirsi ogni giorno da qualunque torna di Francia. Dopo desinare son andato a S. Clou per reverir *Monsieur* e Madama, secondo il concerto presone col signore di S. Lorenzo che vi si doveva trovare col Nunzio per introdurlo alla sua prima visita di Madama, impedita finora di riceverlo dall'afflizione della pericolosa malattia della piccola Mademoisella, al presente ridotta in perfetta salute.

S. Clou è un villaggio posto sulla pendice d'una collinetta, discosta per brevissimo tratto di pianura dal corso della Senna, che quivi passa sott'un bel ponte di pietra viva, che prende il suo nome dal villaggio. Quivi, intorno alla metà della costa risiede l'abitazione di *Monsieur*, che non può dirsi palazzo, ma nobile e gentil casamento. *Monsieur* vi ha fatto molto per quel che risguarda l'adornamento dell'abitazione e quello del giardino, il quale ha anche in parte accresciuto. Io non ho visto se non l'appartamento di Madama, il quale è ricchissimo d'oro, all'usanza di Francia, e mobiliato più vagamente che riccamente, cioè a dire di casse, studioli, di vernici d'India, accatastati di porcellane e di buccheri, specchi, lustri di cristallo e simili cose, senza sontuosità d'argenti. La sala è soprattutto galantissima per essere dalla sommità della volta fino al pavimento tutta pittura e oro, ma pittura di grottesche, arabeschi e chiariscuri lumeggiati d'oro.

Il giardino è bellissimo, essendone parte in monte e parte in piano. Il primo è salvatico e il secondo è più aprico, essendo tutto perterri e fontane: arriva questo con un lungo stradone sino al fiume, lungo il quale rimane un bellissimo passeggio. Era anticamente famoso il giardino di S. Clou per un getto d'acqua d'ottantasei piedi d'altezza. Questo è nel salvatico, in mezzo ad un gran vivaio tutto intorniato da tre parti di piante altissime, di sopra la cima delle quali dicono vedersi, venendo da Parigi, saltellare la nappa che fa detto getto nel ricadere. Io non ho difficoltà a crederlo, benché oggi non salisse non so per qual accidente alla sua solita altezza. Considero bene che, attesa la sottigliezza dello spillo, che non credo assolutamente che sia più d'un soldo d'acqua, non è cosa tanto maravigliosa; e senza dubbio, a ridurre dell'istessa grossezza le girandole di Frascati, si averebbero altezze anche molto maggiori. La nuova cascata fatta da *Monsieur* a mezzo il monte, dove appunto finisce il salvatico, è veramente ricchissima d'acqua e vaghissima, né altro le manca che la perennità, poiché, per esser d'acqua forzata, non dura se non dieci ore.

Or quivi è stato il mio stordimento quando, trovandomi a mezzo il piano a contemplar la cascata, ho cominciato a vedere scappare in sul piano di essa per ogni parte del bosco e del monte i cavalieri della corte in grandissima quantità, adornati di piume e di nastri, e di lì a poco comparire il re sopra una spezie di carro trionfale, tutto dorato e dipinto, guidato da lui medesimo, che sedeva tra Madama e la principessa di Monaco, e tutto il resto del carro era pieno di dame, fra le quali era la Valiera, madama di Montespan, madama de Siange sua sorella, *Monsieur* e il cavalier di Lorena: dietro seguivano due altri calessi di broccato scoperti, pieni di dame e guidati da cavalieri. Questa comparsa uscita dal bosco, e dopo il breve passaggio davanti alla cascata tornata a rinselvarsi, mi ha risvegliata un'idea così viva d'una scena dove comparisca in macchina un carro di deità, che quasi mi pareva di trovarmivi presente, e non sono uscito dalla mia giocondissima estasi se non quando, rimontato in carrozza, me ne son tornato a Parigi.

29 maggio.

Sono stato a desinare da m.r di Montmort, e v'erano ancora Launoy, Thevenot, Raynier, Ménage, l'abate Cassano e Sorbière. Dei primi quattro ho altre volte discorso. L'abate Cassano è un giovane di buon garbo, savio, compon bene in franzese, è uno dei quaranta dell'Accademia franzese istituita per la lingua e che da molti anni in qua travaglia con poco frutto all'edizione del vocabolario. Egli è inoltre erudito, affabile, ben creato e modesto, e medita fra qualche tempo di viaggiare in Italia. Sorbière è quell'istesso che stampò gli anni addietro quel suo *Viaggio d'Inghilterra*, dove parlò con sì cattive notizie degl'interessi d'Wllefeldt e con sì poco avvedimento e rispetto della risoluzione che prese il re d'Inghilterra di mandare in Danimarca la moglie di esso Wllefeldt, che obbligò il re di Francia a mortificarlo con qualche mese d'esilio. L'averlo visto in casa del signor di Montmort, che ha ottimo gusto nella scelta degli amici suoi, mi fa andar con qualche riguardo a canonizzarlo per quello che effettivamente mi parve, cioè per un bel goffo. Viene egli di Roma assai di fresco, dove disse tra l'altre cose che il cardinal Ruberti ha grandissima stima ed applauso alla corte, e che per la natural facondia del dire passa per un cardinalone di pezza. Questo solo giudizio basterebbe ad un altro per formarne uno poco avvantaggioso per lui: ma avendo egli soggiunto che Sua Eminenza gli aveva dato un lautissimo desinare, voglio credere che nel giudicar di lui la forza della gratitudine avesse un poco infranto nell'integrità della giustizia.

Dopo tavola siam andati in libreria, che è molto grande e copiosa e bene assortita, e di più galantemente adornata sopra gli scaffali di teste e figure di bronzo, di cose impietrite, di nicchie, di corni e d'altre curiosità naturali. Quivi è comparso un gesuita chiamato il padre Moine, stimato infinitamente dall'universale nella poesia franzese, benché quelli di gusto più raffinato lo taccino di troppo ardito nelle metafore e nei traslati, e di troppo vago d'arricchire tutti i suoi versi di paroloni gonfi ed insomma di tempestare ogni cosa d'ambra, di rubini, di stelle, di smeraldi e di perle. V'è anche venuto un tale m.r Bertet, fratello d'un gesuita di questo nome, stimato assolutamente l'uomo, se non di più profonda, almeno di più varia e più universal letteratura di tutto il Regno. Questi è presentemente in Roma, di dove scrive a questo suo fratello (che l'ha detto a qualcuno della conversazione) che ha trovato l'antico paese de' latini divenuto affatto barbaro, e tutta quella poca di cognizione che s'ha in Italia delle cose fisiche è ristretta in Firenze. Di lì a un poco è sopraggiunto il Pecquet, famoso anatomista e scopritore dell'inserzione dei vasi lattei toracici nelle vene succlavie per l'infusione del chilo nella vena cava, il quale a vederlo non par possibile che gli abbia a esser quel gran uomo che gli è, essendo uno sparutello di pochissima apparenza. Nell'andarmene è venuto m.r Denis, ancor egli buono anatomista, ed è quello che ha fatto qui in Parigi la trasfusione del sangue d'un vitello in un pazzo, che guarì della pazzia e morì in capo a due mesi, o di disordini o, com'egli ha preteso di provare in una lettera stampata diretta al segretario della Società Reale di Londra in sua giustificazione, di veleno datogli dalla moglie, a cui non tornava conto per qualche suo interesse d'averlo savio.

Di qui son andato a far una visita alla marchesa di Tarey, per la quale avevo lettere dell'abate Marucelli. V'ho trovato la figliuola, che è maritata e non bella; la marchesa però m'è riuscita una donna di molto garbo e nel discorso, parlando di Firenze, ha toccato molti tasti delicati con grandissimo avvedimento, con grandissimo rispetto e con grandissima discretezza; passo le particolarità, perché non ce n'è stata nessuna di tal natura che metta conto il diffondercisi.

30 maggio.

Stamani l'ho consumata per le botteghe d'intagliatori di sigilli e di cifre, ed ho trovato uno che in gioie intaglia forse bene quanto quel famoso di Vienna, ed il prezzo non fa paura. Dopo desinare sono stato a Nostre Dame alla funzione del *Te Deum*, che il re ha fatto cantar per la pace, sopra di che non m'estendo per non entrar nella bandita delle gazzette. Son poi stato tirato dalla vicinanza e dall'ora ancor calda all'assemblea di m.r Ménage, dove ho fatto voto per liberarmi dalla vessazione di avere a legger mai sempre quel suo benedetto libro d'origini, o piuttosto d'indovinelli toscani, col quale m'ha tolto a perseguitare, senza lasciarmi mai mettere il becco in molle né sentire quel che gli altri dicono. V'ho trovato il duca di Montausier, cavaliere, non meno stimabile per la sua ricchezza, che monterà a 130 mila lire di rendita, che per la sua erudizione, che nelle cose che risguardano la lettura dell'istoria, l'intelligenza de' poeti ed il buon gusto della lingua latina non è punto ordinaria. Egli è quello di cui si dice che alla venuta del legato, cui era destinato a servire, avendo detto non so che cosa in latino a monsignor Ravizza, e questo rispostogli con un sollecismo, dicesse: «*Veniunt e Latio et nesciunt loqui latine*». Mostra d'essere d'età sopra 50 anni, è nondimeno ben fatto e mostra d'essere forte e robusto; si può dir cortese, ma con qualche contegno: mi dicono ch'egli sarebbe un garbatissim'uomo e fusse presentemente considerato quant'ogn'altro per un grand'impiego, se non avesse tanto lo spirito della contradizione che alle volte debbe renderlo insopportabile.

Quel che si sia detto nell'assemblea non lo so, perché il mio maestro non m'ha dato mai vacanza dalla scuola degl'indovinelli: solo quando egli non vedeva ho dato un po' d'orecchio a uno, che raccontava esserci alcuni Olandesi i quali hanno promesso a m.r Colbert un'invenzione per la longitudine, più infallibile dell'oriolo di m.r Huygens, dato ultimamente a provare al duca di Beaufort e riuscito alcuni anni sono mirabilmente al capitano Holmes inglese in un viaggio d'un anno. M.r Colbert gli ha rimessi all'Accademia de' fisici, ed il re ha promesso, quando l'invenzione sussista, ventimila lire a quello che tra essi è il capo, e centomila franchi da ripartirsi tra i suoi compagni, acciocché abbiano campo di fornir con maggior liberalità tutte le nazioni di tale strumento, a benefizio delle quali vuol Sua Maestà che si riveli il segreto, amiche o nimiche che le siano al presente o ch'elle possan esser nell'avvenire.

31 maggio.

Oggi sono stato a S. Germano per veder la processione del Corpus Domini, e, toltane la sodisfazione di veder distese le più superbe tappezzerie della corona (parlo dell'antiche) e particolarmente il trionfo di Scipione, i frutti della guerra donati dal defunto re di Spagna nell'ultima pace, e i dodici mesi stati già della casa di Guisa, che son maravigliosi, mi sono accorto dalla mediocrità della pompa che in questo paese bisogna aver maggior premura di veder le funzioni della corte e della guerra, che quelle della Chiesa.

1 giugno.

Per esser giorno di posta l'ho consumato a scrivere.

2 giugno.

Dopo desinare sono stato per la seconda volta all'Accademia de' pittori dove s'è esaminato un quadro di Poussin, nel quale tanto quello del discorso quanto i pittori nel dir la loro hanno trovato molto da dire. L'esercizio mi par sempre più bello ed utile, e lo sarebbe maggiormente se si facesse con un poco d'ordine, poiché presentemente son otto o dieci a parlare in un istesso tempo, e non si rinvien nulla di quel che dicono. Ho poi finita la giornata da m.r Conrard, dove s'è discorso di belle lettere. Mi scordai i giorni addietro, quando parlai dell'agate e de' diaspri del re, di far menzione del pezzo più riguardevole. Questo è un vaso d'elitropia, che tira all'ovato, ma all'ovato irregolare, secondo che è convenuto al maestro per accomodarsi alla figura della pietra. È lungo da un braccio e un quarto, alto poco più di mezzo, e largo a proporzione; la sua figura è d'una navicella, e dicono esservi stato battezzato Carlo quinto. Può essere ogni cosa, ma non c'è chi ne sappia un vero.

3 giugno.

Stamani domenica non ho fatto altro che andar alla messa, e oggi dopo desinare a spasso al giardino di Rambouillet, che è uno dei luoghi dove la gente si rauna di questi tempi per divertirsi. Egli è fuor della porta di S. Antonio, a meno di mezza strada fra Parigi e Vincennes.

4 giugno.

Avanti desinare sono stato a casa un mercante chiamato Ciresier, di cui Poussin, pittore insigne, fu amicissimo mentre visse e gli lavorò per buonissimo prezzo dieci pezzi di quadri, de' quali quest'uomo per gratitudine e per tenerezza non s'è mai voluto disfare, avendone ricusato quarantamila franchi, che alle sue tenui facoltà avrebber fatto notabile accrescimento. La maggior parte son paesaggi con qualche figura, e fra questi vi son due pezzi assai grandi con la morte di Focione, che sono una cosa bella: bello è ancora un suo ritratto fatto da lui medesimo allo specchio, e bellissimo è uno svenimento d'Ester davanti al re Assuero. Dopo desinare son'andato a vedere in casa m.r ..., maestro di casa del re e subalterno di m.r Sanguien, altri pezzi dell'istesso m.r Poussin, che sono assolutamente delle belle cose che gli abbia fatto. V'è una Madonna con un San Gioseppe, un Bambino e un San Giovanni, di tanto più stimabile quanto ch'e' son fatti in grande, nel qual genere Poussin ha fatto poco e non sempre bene. Vi son poi, in sette quadri d'otto palmi di lunghezza e intorno a quattro d'altezza, i sette sagramenti della Chiesa, espressi con tanta nobiltà e con tanto giudizio che quelli che sono a Roma fatti dall'istesso autore per il cavalier del Pozzo non credo che faccian lor paura. Tra gli altri son mirabili il matrimonio e la cresima, ma l'estrema unzione passa indubitatamente ogni credere. Si diletta quest'uomo di pittura ed ha una camera piena di copie benissimo fatte delle migliori cose di Raffaello, ed i modelli di cera d'una mano delle più famose statue di Roma.

Di qui son andato a veder la casa di m.r Ervat, rifabbricata da lui sui fondamenti di quella d'Espernon, ch'egli comprò e gettò a terra trovandola incapace, benché stata altre volte assai ampia abitazione d'un favorito d'un re, d'alloggiare un semplice intendente di finanze. Quest'uomo è ugonotto ed originario di Lione, fattosi grande com'ognun sa sotto il cardinale Mazzarrino e Fouquet col maneggio del regio erario. Al saldo de' conti è restato creditore del re di due milioni, ma questi gli son'andati in conto di tassa, e anche ha messo fuori qualche cosa del suo, benché sia stato trattato con maniere più miti e discrete di tutti gli altri, atteso il rilevante servizio prestato al re quando svoltò il Turena dal principe a seguitare il suo partito, non tanto per aver esso Turena quanto le sue truppe; ché egli trattenne queste con la forza del danaro, onde il maresciallo non passò dalla parte del principe con altro che con la persona. Si troverà in ogni modo al presente da 50 mila lire di rendita, benché abbia giuocato più oro ch'ei non pesa tre volte, e il suo figliuolo, che al presente si trova in Roma, comincia ancor egli a far la sua parte avendo perso da 50 mila scudi, benché altri dicano più del doppio. Ha maritato una sua figliuola al marchese di Gouvernet, uno de' principali signori del Delfinato, ugonotto ancor egli e ricchissimo, ma rozzo, solitario e salvatico, che non sa uscire delle montagne del suo paese dove fa notomia di quante donne gli danno tra mano. La moglie non vi vuole stare ed egli non vuole stare a Parigi, benché potesse farlo abitando nella bella casa del suocero che ne sarebbe contentissimo. Vi viene una volta l'anno a impregnar la moglie, e subito che gli ha fatto la sua faccenda se ne torna a casa. Ella è bella e spiritosa: se ne sta in casa il padre, si diverte e non sento che dia da cicalare. L'abitazione è nobile e comoda ed è riccamente mobiliata; un prato osservai che è una bagattella, ma per la state è galante: questo è un semplice ermisino mavì lavorato a opera con un fil d'oro di Milano andante. Vi sono due stanze che nel mezzo della volta hanno due pitture di Mignard, una a fresco e una a olio, tutt'a due belle, ma la prima più dell'altra. Io son rimasto stupefatto né potevo credere che fossero dell'istessa mano che ha dipinto la cupola di Val di Grace, perché effettivamente c'è la differenza che c'è dal cattivo, se non dal cattivissimo, al buon assai, o s'attenda il disegno o il colorito. E in sustanza bisogna concludere che non è l'istesso far un quadro in una stanza dove non s'alterano le proporzioni del naturale e il trasportar le medesime in uno spazio vasto ed altissimo com'è la cupola d'una chiesa. Finii la giornata a passeggiar nel giardino del palazzo reale, dove intesi diverse cose in un discorso, registrate nel foglio a parte.

5 giugno.

Stamani e oggi dopo desinare l'ho impiegato tutto fra le botteghe di merciai e sarti; ciò nondimeno è stato con acquisto di qualche notizia che m'è arrivata assai nuova, avendo imparato che c'è modo di spendere in una semplice guarnitura di nastri di seta per un abito cento luigi d'oro. È ben vero che di queste ne spaccian poche in capo all'anno, ma il lusso qualche volta ci arriva. Ho anche veduto la nuova moda de' merletti di seta dopo la prammatica delle trine d'oro e d'argento. Il fondo è una rete di seta, per lo più argentina, con l'opera ricamata di vergole di vari colori, che quasi tutti battono in nero, mavì, pavonazzo e ranciato chiaro, ed i più ricchi hanno sopra un riporto di contrattagli di raso di vari colori, o a rabeschi o a fiori al naturale ombreggiati con acquerelli e contornati col suddetto ricamo di vergole. I prezzi arrivano a quindici e venti scudi l'uno. Ho anche veduto la moda delle lenzuola da state fatte di tela d'ortica finissima, la quale si pretende che tenga un fresco maraviglioso.

6 giugno.

Oggi sono stato nel borgo di S. Marcello in casa d'un tal m.r Labice, maestro di scuola, a vedere in un suo giardinetto una grotta fatta a uso di fontana, che sta chiusa in un piccolo stanzino. Il massiccio è fatto di spugne e di tartaro di diverse spezie, ma quello che la rende considerabile è una ricchezza straordinaria di gran conchiglie di madreperla e d'altri nicchi assai rari, di buone branche di corallo rosso e nero, di grossi pezzi di cristal di roccia e d'altre pietre assai fini, come corgniole, lapislazzuli, diaspri, agate, acque marine e amatisti. Ci ha poi condotti ad alto a farci vedere una grande abbondanza di tutte le suddette cose, ed in specie di rocche di cristalli e di marcasite di grandezza assai rara, oltre una quantità di grandissimi pezzi d'un certo tartaro giallo ritrovato casualmente qui a Parigi in una cava di pietre sotto il convento de' Carmelitani Scalzi al tempo del cardinale Richelieu. Pretende egli di disfar la grotta già fatta, e con l'aumento dei suddetti materiali refabbricarne un'altra quattro volte più grande, a fine di farne venir voglia al re, e così disfarsi con gran guadagno d'una cosa inutile per lui, essendo oramai molto vecchio. Di quivi sono stato a vedere il giardino de' semplici, preteso qui il più bello d'Europa; se egli sia non lo so, perché né io me n'intendo né v'era chi me ne desse a conoscer le rarità. Il resto della giornata l'ho speso in visite di dame senz'altra particolarità.

15 giugno.

Stasera son tornato dalla mia villeggiatura di tre giorni, nella quale niun'altra cosa ho veduto di particolare che la villa di Maison, detta così da m.r de Maison che n'è il padrone e che a costo di tutto il suo avere l'ha fabbricata con grandissima magnificenza. Non mi allungherò sulle relazioni rimettendo il sodisfare più ampiamente all'altrui curiosità col libro altre volte accennato, dove sono le vedute delle case e dei giardini più riguardevoli di questo contorno. Dirò solo in generale che l'architettura è di Mansart, e dal Bernino è stato riputato l'edifizio di miglior gusto di quanti egli ne ha veduti in questo paese. Non lascia però d'aver ancor egli i suoi difetti, de' quali il maggiore si è che la fabbrica delle stalle, che forma un'ala affatto staccata dal palazzo (la quale non è per anche accompagnata dall'altra parte), è quasi maggiore e più magnifica di esso palazzo. La figura, o per dir meglio la disposizione delle poste de' cavalli, che son da cinquanta, è assai stravagante, non essendo tutte insieme ma repartite a dieci, a sei, a quattro per luogo sotto diversi portici, i quali chiudono in mezzo sotto una cupola uno spazio assai ampio da far il maneggio al coperto, da due facciate del quale, per alcuni balaustri, dove rispondon le teste di dieci e dieci cavalli (che tant'hanno quivi le mangiatoie), si vedono comodamente le operazioni di quegli che travagliano sotto il maestro; onde per questo verso vengono ad aver doppia scuola, imparando con la vista e con l'esercizio. In testa di questo spazio v'è un grandissimo portico per l'esercizio di correr lance e altre simili operazioni. È anche sontuosa la fonte da abbeverar i cavalli, essendo formata ad uso di grotta di tartari e spugne con figure d'uomini e di cavalli, tutti formati di nicchi alla grandezza del naturale. Tutte le divisioni delle porte invece d'esser di legno son di ferro, e tutte le sponde delle mangiatoie (che son tutte in isola acciò si possano rigirare e darsi il fieno e la biada in faccia ai cavalli) son soppannate di rame.

In tutta questa fabbrica non si vede né mattone né bianco di calcina, ma sole lastre di pietra viva. Non c'è tanta singolarità nella casa, la quale è comoda bensì e ben ripartita, ma non v'è molta abitazione. La cosa di maggiore pregio è due cancelli di ferro che chiudono le due porte d'avanti e di dietro. Questi dicono esser costati ventimila franchi, che quando fosser quindici non sarebber pochi. Son fatti da due maestri, e l'uno cede infinitamente all'altro nel disegno e nella finezza del lavoro. Son tutti grottesche e arabeschi, così il cancello come l'arcata che chiude tutta la luce dell'apertura, ma nell'uno la finezza con la quale son lavorati i fogliami e alcune vipere avviticchiate insieme è cosa veramente di stupore, tanto che il Tofani ci troverebbe da imparare. I mobili son ricchi ma non sontuosi, toltone un letto che fu della regina Maria, di ricamo d'oro ricchissimo, con tamburetti, coperte de' tavolini e due portiere compagne che servono appunto a parar le due testate dell'alcova; quasi tutte l'altre son parate d'arazzi, e v'è ragionevole quantità di porcellane.

V'è un gabinetto (pare a me ottangolo) tutto fatto di specchi, toltone i pilastri negli angoli, dove gli specchi son commessi. Pende nel mezzo un gran lustro di cristallo, che a chi sta nel centro apparisce treplicato in ogni specchio come anche la figura di quel tale, e non solamente vi si vede il riflesso che ciascuno specchio mostra del gabinetto, ma, per ripercuotimento scambievole di tutti gli specchi infra loro, si vede in ciascuno una fuga di gabinetti con una quantità innumerabile di lustri, che di notte allo splendor delle candele bisogna che apparisca un incanto. Quivi tutti i mobili consistono in tante basi di legno dorato quante sono le faccie del gabinetto, davanti a ciascuna delle quali sopra ognuna di esse basi vi son l'un sopra l'altro quattro gran guanciali di raso nero con fiocchi d'oro alle cantonate, e con un semplice gallon d'oro che rigira la cucitura. Il color nero e la foggia del guarnire, così ... misteriosa, e il gabinetto, se potesse parlare, direbber forse aver veduta qualche bella coppia giacersi nuda sull'ampio letto formato dall'accostamento di sì fatti arnesi, senza che la ruvidezza dell'oro sepolto nelle commessure togliesse nulla della morvidezza del raso.

Il sotterraneo della casa è benissimo scompartito, e sono degne di memoria alcune cisterne, nelle quali pretese un cappuccino di poter conservar il vino fuora de' vasi senza pericolo di guasto. Le cisterne si fecero secondo il suo consiglio: il vino vi si messe e il vino si guastò, onde al presente vi si tiene, ma nelle botti. Il maggior difetto che abbia osservato in questa casa è che le basi delle colonne del second'ordine escono del capitello di quel disotto, onde vengono in parte a posare in falso intaccando dell'aggetto del cornicione. Soprattutto bellissimi son gli accessi per cui si viene da molte parti al palazzo, e popolatissima è la *Garenne*, che così chiamano il parco de' conigli, dall'affitto del quale cava il padrone sopra duemila franchi. La fine di questa villa sarà il cader nelle mani del re per un boccon di pane, tornandogli comodissimo per la gran vicinanza di S. Germano da cui non arriva a esser discosta due piccole leghe. Come ho detto da principio, m.r de Maison s'è talmente spiantato per condur questa fabbrica, che al più alla sua morte converrà ai figliuoli il disfarsene. Egli er'uomo di trentacinquemila lire d'entrata, ma il giuoco, le donne e la villa l'hanno ridotto in istato così miserabile per l'avere, come l'età, la corpolenza e qualche malattia abituale per la sanità.

Il resto di questi giorni l'ho speso in villa d'un amico mio in domestica conversazione d'alcuni suoi parenti.

16-22 giugno.

Oggi, dopo che sono uscito da madama di Chavigny, son andato da m.r Conrard e da m.r Chapelain; per tutto ho trovato che si discorreva della fuga o sia ritirata di madama Mazzarrina. Dal primo è venuto un uomo di molto garbo e che discorre con gran giudizio: m'ha detto che il motivo della pazza risoluzione della duchessa è sicuramente venuto per sfuggire il contradittorio, al quale doveva trovarsi ieri nella gran camera del parlamento insieme col marito, sopra la reintegrazione dei beni ch'ella pretende da esso in virtù della pretesa separazione conceduta loro per arresto di esso parlamento, con questa clausola però, che dovesse ricongiugnersi ogni volta che al marito gliene fosse presa la voglia; che conoscendo ella il proprio disavantaggio nella fermezza delle sue ragioni, s'era senza dubbio attenuta a questo stravagante e licenzioso partito sui consigli delle sorelle, guidate forse, più che dalla stravaganza del loro genio irragionevole, dall'interesse che si figurano dal rigirar talmente gli affari tra il duca e lei, che, fatto luogo all'intero divorzio, s'abbia a produrre per necessità il testamento del cardinale, in cui si pretende che sieno tali incompatibilità, che la roba caduta tutta nelle mani del duca, come il legittimo erede, vada repartita egualmente tra esse, come da persona morta *ab intestato*. Di qui è passato a dirmi, secondo le diverse interrogazioni che gli sono di man in mano andato facendo, che è indubitato che del danar contante del cardinale Mazzarrino il duca non ne ha veduto la metà, che l'intero non è palese ad altri che al re e a m.r Colbert, che i mobili comprati dal re per 450.000 franchi vagliono senza dubbio due milioni; che altre cose preziose del cardinale son passate nella guardaroba del re sotto nome d'impresto o di curiosità, che non son mai tornate né torneranno, che i beni stabili dell'eredità paterna del duca, valutati sopra 200.000 franchi d'annua rendita, al presente non arrivano a 25.000 scudi; che dei fondi lasciatigli dal cardinale, con tutto che nulla di considerabile sia stato alienato, con tutto ciò si fa conto che in brevissimo tempo la casa Mazzarrina abbia a contarsi tra le più disastrate di Francia; che un milione preso pochi mesi sono a 10 per cento fu dissipato in due mesi senza vedersene nemmeno esteriormente il fumo, ed ora pagarsene 10.000 lire l'anno d'interessi, che congiunte a quelle che si pagano per altre partite di debiti contratti dopo la morte del cardinale divorano la miglior parte dell'entrate del duca; che le cagioni di tal dilapidamento (a lasciar da parte le pie interpretazioni di coloro che l'attribuiscono secondo il solito costume a maledizione del cielo) si riducono non c'è dubbio al mal governo del duca e alla prodigalità della duchessa in primo luogo, ma la verità essere che le limosine, che di continuo cavano delle mani di quel buon signore per somme, preti, contemplativi e gesuiti hanno dato e danno il colpo mortale agli interessi della sua azienda.

23 giugno.

Oggi dopo desinare sono stato, dopo alcune visite di complimento, a veder la gente che si bagna nella Senna fuor della porta S. Bernardo, con mio grandissimo gusto. Subito fuor di porta si trovano sul fiume diversi legni collegati insieme a guisa di foderi, su' quali si spoglia tutta la canaglia, che per bagnarsi non si discosta molto dalla città, benché non lasci per questo d'esservene molta tra i ponti di Parigi. Quivi parimente hanno il lor bagno i lacchè, i quali mentre i padroni passeggiano si spogliano quasi tutti, quando non fosse per altro che per dare un tuffo e rivestirsi. Più lontano dalla porta si comincia a trovare una quantità innumerabile di barchette, nelle quali entra chi vuol bagnarsi, lasciando la carrozza sulla più vicina riva del fiume e facendosi traghettare dall'altra, come più solitaria e più ombrosa. Or quivi, parte vicino a terra e parte verso il mezzo dell'alveo, dove l'acque corron più basse, son piantati diversi casellini, formati di quattro pali fitti in quadro e coperti di lenzuoli bianchi, dentro i quali si ricovrano quei che si bagnano, o siano uomini o donne. È ben vero che gli uni non si mescolano con gli altri stando in acqua: ma quando le donne sono entrate fino alla gola, allora gli uomini s'accostano con le lor barche dalla parte che rimane aperta dei casellini, e di quivi le trattengono co' lor ragionamenti. Chi vuol usare finezza dà anche in tal caso il divertimento de' violoni, facendone venire il concerto in una barca separata. Se anche gli uomini voglion bagnarsi, si slontanano; è ben vero che quando essi e le donne si rivestono, ciò fanno nella medesima barca tirando a traverso una cortina di tela bianca, la quale non voglio credere che sia così pesante che qualche piccolo venticello non l'agiti e lasci correr la vista dall'una parte all'altra, anche prima che ognuno sia finito di rivestire. Intanto che le carrozze aspettano, cavalli e cocchieri e lacchè tutti si bagnano: questi si spogliano nelle carrozze, quelli sulle cassette, e così ignudi altri nuotano, altri cavalcando i cavalli staccati gli guazzano. Onde fa bellissima vista la varietà di tanti oggetti, vedendosi la ripa del fiume destra piena di carrozze, venendo le dame durante la bagnatura a far quivi il passeggio, il fiume pieno di notatori, di casellini e di barche coperte ancor esse di bianco: per lo che a qualunque ha letto l'*Arcadia* del Sannazzaro non è possibile che in un tal luogo non se gli ecciti una vivissima idea degli innocenti costumi di quel delizioso paese.

Più al tardi son andato sulla piazza dell'Hostel de Ville a vedere i fuochi che per la festa di S. Giovanni son accostumati di fare in Parigi a spesa della città. Era una macchina assai positiva, eretta davanti al portone del palazzo, ed i fuochi erano assai modesti. Davanti all'altre case s'abbruciavano botti e fastella, dei quali dopo estinta la prima fiamma, ho veduto uomini e donne e ragazzi d'un lentissimo passo girar intorno alle braci accese, ed ho inteso farsi ciò per un'antica superstiziosa devozione.

24 giugno.

Stamani domenica, sentita messa di buonissim'ora, son andato a Charenton per stare a tutto l'esercizio della mattina e quello del giorno, come ho fatto. Nell'andare ho inteso che vi son due strade, una delle quali gli ugonotti non fanno mai colle carrozze, poiché essendo sotto quasi tutta vota per le cave della pietra, non vogliono che, se il diavolo fa mai sfondare il terreno, s'abbia a predicare su tutti i pulpiti di Parigi e vender su tutte le cantonate il miracolo d'una carrozza d'ugonotti che nell'andar al falso culto di Charenton furono profondati. Charenton è un piccolo villaggio alla fine del quale v'è la chiesa della religione, intorniata da una parte da due cimiteri e dall'altra e di dietro da un gran cortile, tutto piantato di alberi da far ombra. La chiesa è assai grande e alquanto più lunga che larga. All'intorno ha tre ordini di finestre invetriate che rispondono sopra tre diversi piani, formati del piano terreno, del pavimento e di due ordini di logge che rigirano intorno tutta la chiesa, alle quali si va per quattro scale assai comode poste negli angoli della fabbrica, la quale, per esser tutta in isola, ha quattro porte nel mezzo delle quattro facciate. I banchi per le donne sono nel mezzo il d'intorno, e le logge sono occupate solamente da uomini: la situazione della cattedra, della sedia del lettore, i banchi degli anziani intorno di esse sono del tutto simili all'altre chiese de' riformati d'Olanda. Da principio il lettore ha letto intorno a una mezza ora della Bibbia; di poi è entrato il ministro, che dopo una breve orazione e una cantata d'un salmo ha cominciato una predica d'un'ora e tre quarti, nella quale sopra un testo del Testamento nuovo ha lungamente menato il can per l'aia amplificando, esagerando, spesso ridicendo le medesime cose e mai non provando nulla di quel che ha detto. Questi è m.r de Claude, di cui ho inteso dai medesimi ugonotti che scrive altrimenti ch'ei non parla, e che assolutamente per metter in carta è la prima testa ch'egli abbiano, come dimostrano alcune sue opere contradette a m.r Arnauld di Porto Reale. Finita la predica e le solite preci, s'è cantato un altro salmo, dopo il quale s'è fatto un battesimo di cui l'ordine è stato tale. È entrata la donna che teneva il bambino in braccio nel mezzo de' banchi degli anziani, e volta verso il ministro ha ascoltato una mano d'orazioni ch'egli ha detto sopra il fanciullo; di poi è sceso e, presentatosi uno degli anziani con una mesciroba d'argento piena d'acqua e uno sciugatoio in mano, egli ne ha presa un poco nella palma della destra e, dopo averne aspersa la faccia del bambino, ha detto la formula ordinaria con queste tre parole: «Antoine, je te baptize au nom du Père, du Fils et du Saint Esprit. Amen». Di poi, rimontato in cattedra, ha invocato la benedizione di Dio sopra il popolo ed ognuno è stato licenziato.

Veramente egli è un danno che questa gente non ammetta il merito delle buone opere, perché si potrebbono lusingare d'acquistarne molto con lo scomodo ch'egli hanno, non solo per aver a andare sì lontano da Parigi, l'inverno sepolti nel fango e la state arsi dal sole e affogati nella polve, ma per l'angustia del villaggio e delle miserabili osterie ove convien loro sfamarsi per aspettar l'ora dell'esercizio dopo desinare. Io ho mangiato in una stanza alquanto maggiore della tavola e della finestra, per la quale entrava tanto sole che, non potendo capir tutto sul pavimento, parte ne rimaneva sulle muraglie e parte sopra di me e sopra degli altri che stavano all'istessa tavola; eppur è certo che la qualità di forestiero in tutti i generi aveva obbligato gli amici miei, che mi ci hanno accompagnato, a farmi godere delle maggiori comodità possibili a trovarsi in quel luogo. Appena mangiato un misero boccone è sonata la campanella e siamo corsi alla chiesa, dove l'ordine dell'esercizio è stato il medesimo di stamani, toltone che dopo il sermone e le preghiere non c'è stata la seconda cantata di salmo.

Il ministro che ha predicato è il primo ch'egli abbiano per la cattedra, chiamato monsignore: e veramente, benché abbia forbottato malamente noi altri cattolici sopra la materia de' sacramenti, in ogni modo m'è dispiaciuto assai quando egli ha finito ed ho risoluto d'andarlo a visitare e di farci amicizia, tanto più ch'egli è stato a Firenze (pare a me l'anno '54), ha studiato nella libreria di S. Lorenzo, ha ricevuto molte grazie dal serenissimo granduca, vi tien molti amici e particolarmente il Redi, al quale si rassomiglia assai.

Finita la predica si son fatti tre matrimoni: gli sposi e le madri loro hanno assistito alla predica, anzi a tutto l'esercizio sopra due banchi posti sotto la cattedra in mezzo a quelli degli anziani, e al tempo debito levatisi in piedi hanno ascoltato diverse orazioni fatte dal ministro sopra di loro; dopo le quali, interrogati quasi con l'istesse formule della nostra Chiesa delle loro volontà e prestato l'assenso, il ministro ha chiamato tutta la chiesa in testimonio del loro congiugnimento; con che è stata finita ogni cirimonia, invocata come la mattina la benedizione di Dio sopra del popolo. Ritornato a Parigi son andato a smontare a Luxembourg, dove ho fatto sera.

25 giugno.

Stamani, che ogn'altra cosa pensavo, son venute due carrozzate d'amici a levarmi per condurmi a S. Germano, a veder nel piano d'Ouille l'accampamento della cavalleria della casa del re, situato con bellissimo ordine lungo la riva del fiume. Questa vista m'è stata di sommo gusto, essendo la prima immagine che a' miei giorni ho veduta di guerra rappresentata con un poco più di forza che non fanno le pitture e i disegni. Il descriverla per minuto sarebbe difficile e non servirebbe a nulla, bastando il dire ch'egli è un accampamento (forse di 1.500 cavalli) disposto con quella maggior larghezza e galanteria che permette il luogo e il tempo. Son da quindici giorni che vi sta la gente, e vi starà finché al re piace: che, secondo alcuni dicono, sarà per tutto il tempo della campagna. Il fine di S.M., oltre a quello di tener in continuo esercizio le sue genti e non lasciarle ammorbidire nell'ozio della pace, è principalmente il sodisfar la generosità del suo animo in quella forma ch'ei può con la vista dell'oggetto più caro, e così renderle meno sensibile il durissimo imperio fattole dalla sua moderazione nel concedere il riposo all'Europa con la conclusion della pace.

Da S. Germano siamo venuti a S. Clou, e dopo che s'è fatto notte siamo andati a casa da un *traitteur*, famosissimo sopra quanti ne sono in Francia, chiamato De Noier, che sta sulla fine del villaggio di S. Clou alla coscia del ponte. Questa casa è uno dei grandi scolatoi per la gioventù di Parigi, poiché per tutto l'anno, vengasi a che ora si pare e in quanti si vuole, in una mezz'ora s'è servito a quante dobble si vuol per testa in camere parate d'arazzi, lastricate di marmo, adornate con letti di riposo, con seggiole e con altri mobili nobilissimi, co' cornicioni delle volte tutti pieni di terre di Turchia, di buccheri e di porcellane così fitte che i vasi si toccano, con lustri smisurati di cristallo, con biancherie di Fiandra, con tutto il servizio d'argento, con tutti i piatti regalati di fiori secondo la stagione, con diaccio e con confettura bianca, canditi, geli bianchi, mangiari alterati con ambra, e insomma con ogni squisitezza, pulizia e galanteria. Quivi non mangiano se non i padroni; ai lacchè, dopo che hanno servito a tavola, il trattore dà danari e gli manda in un'altra casa vicina. La casa ha la sua vista sul fiume, dove anche rispondono due logge o terrazzi tutti pieni di piante d'aranci e di vasi di fiori. Vi si trovano talvolta quattro o cinque compagnie, e tutte nell'istesso tempo son servite con la medesima squisitezza, onde vi sono de' giorni che vi corrono così bene i cento luigi d'oro come i quattro altrove. Non meno riguardevole è la grandezza e la pulizia della cucina e della credenza, dove si vede tutta l'argenteria che sarebbe molta per un gran cavaliere. Insomma questo ancora è un luogo che può passare tra le cose notabili di Parigi e che solamente a vederlo, e vederlo in un villaggio, basta a insinuare un gran concetto di quel che sia questa gran città.

27 giugno.

Oggi non son punto uscito, ma il mio camerata mi ha detto esser stato a veder quel maestro che fa i ritratti in cera del naturale con tutto il busto, il quale gli ha da esser parecchi mesi che lavora attorno i ritratti di tutta la corte, re, regina, Monsù, Madama, Delfino, Mademoisella, Principe, Duca e altre dame e cavalieri principali; il tutto per commissione d'un tale che con essi vuol andar pel mondo per far danari, col fargli vedere come si fa degli elefanti. Vuol anche aver con esso seco un concerto di violoni; l'impresa si stima difficile a praticarsi, atteso l'incomodo e la spesa di portar così gran bagaglio, qual saranno tanti busti e teste fatte di materia così gelosa e così facile a rompersi. Pure egli è anche verisimile che costui abbia fatti i suoi conti. Della qualità de' ritratti non dico nulla immaginandomi che V.S. abbia veduto quello della duchessa Mazzarrina, che Scaramuccia portò con sé alla serenissima granduchessa o al sig. cardinale.

30 giugno.

Oggi sono stato in casa un assai buon cittadino, chiamato m.r Jeaux, a vedere una prodigiosa raccolta ch'egli ha fatto di stampe repartite in settantacinque volumi in foglio, venticinque de' quali contengono ritratti d'uomini illustri, non escludendo l'impronte delle medaglie cavate da Fulvio Orsino e riportate quivi con somma diligenza, e cinquanta, seguendo l'ordine della geografia del Daviti, contengono quante carte ha mai potuto rammassare non solo di province e di paesi particolari (il quale assortimento, a dire il vero, non è molto stimabile), ma di quante città e di quanti edifizi rari si ritrovano in ciascuna delle suddette province. Per esempio, nella Castiglia nuova è Madrid, e immediatamente dopo Madrid seguono tutte le vedute delle chiese e dei palazzi principali, del ponte, del fiume e, successivamente, ogni parte più riguardevole di cui nello spazio di venticinqu'anni gli è venuto fatto di trovar le stampe. Della sola fabbrica dell'Escuriale credo che assolutamente vi sieno da dieci o dodici carte, essendovi fino il ciborio e la pianta di esso in particolare. Venendosi al giardino d'Aranquez, oltre al palazzo vi sono tutte le fontane, tutte le vedute de' viali: e così, di man in mano in ciascun Regno ciascuna provincia, in ciascuna provincia ciascun luogo, in ciascun luogo ogni più minuta particolarità di esso, che dalla stima degli abitanti o dalla curiosità de' forestieri è stata giudicata degna di comparire alle stampe e al pubblico. Da questo si può ben argomentare che in questa raccolta vi sia per necessità tutto il buono, sì, ma molto ancora del cattivo e del pessimo, poiché avendo egli voluto rammassar tutto, fino ai teatri, alle feste e alle cavalcate fatte in ciascuna città, gli è bisognato pigliarle come le ha trovate; e non da per tutto s'incontrano i Callot, i Della Bella, i Poissy, i Blomart, i Nanteuil. Io non m'estendo molto nel ragguaglio di questo studio, poiché me ne rimetto ad una succinta istruzione la quale ho pregato lui medesimo a darmene, e ch'egli m'ha promesso tra quindici giorni, sperando che facendola io vedere in Italia possa più facilmente fargli trovar compratore: poiché essendo egli oramai vecchio, ed avendo figliuolo, la moglie lo sollecita a disfarsene. Ne domanda di prima chiesta quattromila lire. Mi scordavo che sotto a ciascuna stampa, oppure avanti o dietro di essa, ha riportato i luoghi di tutti quegli autori che si sono abbattuti a parlarne, e ciò col tagliare i fogli stampati di essi e riportargli accuratamente nelle finestre fatte alla lor giusta misura nei fogli reali onde tutti i suoi libri sono composti.

1 luglio.

Oggi ho perduta affatto la giornata al passeggio, e questa sera ho fatto una visita a due cavalieri svezzesi che se ne tornano al paese, della casa Guldenstiern, per la morte della madre, per partirne poi tra quattro mesi pigliando il dritto cammino d'Italia. Il minore m'è parso galante e di spirito, e di lui particolarmente il conte della Gardie, che n'è strettissimo amico, mi disse gran bene in Inghilterra.

2 luglio.

Ancor oggi non ho fatto molto non avendo, con aver due volte corso da una parte all'altra di Parigi, mai trovato l'amico che secondo il concertato doveva condurmi dalla duchessa di Vitry. Per disperazione ho dato fondo in due crocchi, e da ultimo in casa di certe femmine a far materia di riconciliazione con molti discorsi oziosi ed inutili.

3 luglio.

Oggi sono stato a veder la libreria della badia di S. Germano, di cui è presentemente abate il duca di Verneuil, che ne cava sopra 60.000 franchi di rendita, situata in tanti bellissimi fondi nei più vicini dintorni di Parigi. La libreria è assai grande e copiosa di manoscritti latini. Tra questi è sommamente considerabile una Bibbia giudicata di mill'anni, un Salterio scritto in caratteri di argento sopra vitellina pavonazza di ottocento, un messale di sopra seicento, e qualch'altro testo della Bibbia, piuttosto raro per la minutezza del carattere che per l'antichità.

Di quivi son andato alla badia di S. Vittore: n'è abate il vescovo d'Orléans, fratello del duca di Coslin, che tra questa, di cui cava sopra a trentamila franchi di rendita, tra quella di S. Giovanni d'Amiens, tra altri benefizi e l'entrate della sua chiesa si troverà da ottantamila lire di rendita. Ai monaci di S. Vittore, che son canonici regolari di S. Agostino, resteranno da ventimila lire. Questa badia fu fondata intorno a seicento anni sono da Luigi sesto, e da Luigi settimo fu notabilmente arricchita: ell'era prima in campagna, ma crescendo di tempo in tempo Parigi, è venuta a incorporarsi ne' foborghi della città. La chiesa, quasi affatto distrutta per l'antichità, fu rifabbricata intorno a centoventi anni sono con gran magnificenza, ma l'architettura è gotica. C'è un chiostro ragionevolmente grande e assai ricco di conci di pietra, e un giardino a due piani con un gran prato intorniato d'uno stradone tutto piantato d'alberi da far ombra. La libreria è divenuta grande per l'aggiunta di quella d'Arrigo Bouchet, numerosa d'ottomila libri, contrassegnati tutti in fronte con la sua arme. Costui ne fece la donazione l'anno '52 a condizione che tre giorni della settimana, cioè lunedì, mercoledì e sabato, la libreria dovess'esser aperta a chiunque vi venisse per studiare; il che fu cominciato a eseguire l'anno '54, che fu quello della morte del testatore, il di cui busto di marmo con doppia iscrizione è sulla porta della libreria dalla parte di dentro. Per tutta la lunghezza di essa adunque vi è un leggio andante, raddoppiato dall'una e dall'altra parte con spessi sgabelli per gli studianti, i quali dicono arrivar talvolta a quattrocento, essendo inoltre tutti i vani delle finestre occupati da piccole tavole co' loro sgabelli sotto, capaci di tre persone per ciascheduna. In testa alla libreria v'è la stanza de' manoscritti, dai quali è sempre venuta la maggior fama ad essa libreria, ed è considerabile come questi monaci hanno conservato con tanta esattezza quasi tutti i codici che si trovano sugl'inventari di quattrocento anni sono, cosa che non si trova, si può dire, in nessun'altra libreria di regolari. Quivi ancora è una Bibbia pretesa di mill'anni, con un seguito di quattordici altre Bibbie tutte intere e benissimo conservate, nelle quali si vede gradatamente la corruzione del carattere latino nel gotico. Vi son l'Epistole di S. Girolamo, di scrittura e conservazione maravigliosa, ma poco stimabili per le frequenti lagune onde son sparsi. Antichissimi son ancora due volumi, l'uno dell'Epistole, scritte in lettere maiuscole d'oro, l'altro delle feste principali di tutto l'anno. V'è un codice scritto in tavole cerate d'un carattere a me, al bibliotecario e a tutta la compagnia affatto inintelligibile. Le pagine son quattordici e sono incerate dall'una e dall'altra parte con certa mestura nera e dura sulla quale son graffiati i caratteri. V'è la Bibbia della regina Bianca, madre di S. Luigi, lasciata da essa in dono alla biblioteca. V'è finalmente un bellissimo Alcorano e un Euclide greco scritto a penna, ma di così bel carattere che è stato scelto per norma delle madri del carattere greco di questa stamperia regia. Mi scordavo che in questa medesima stanza v'è uno scaffale ripieno della scrittura dei concili dei Padri, ed insomma di tutti i libri stampati nel Louvre, legati superbamente in sommaco dorato, regalo fatto di fresco dall'abate vescovo di Orléans alla libreria.

Son poi andato a pigliare un po' di crocchio da m.r Justel, il quale mi ha dato tre nuove. Le prime due vengono d'Inghilterra e sono, l'una, che nell'isola s'è trovata una tal sorta di seme così minuta e impalpabile che ne vanno settecento milioni di granelli al grano. Nessuno ha dubitato che ciò poss'essere, ma molti hanno aùto gran difficultà a concepire come sia stato possibile a contar particelle che per necessità si credono invisibili. L'altra è del pensiero d'un certo autore che crede aver trovato una spezie di circolazione di sugo nutritizio in tutte le pietre, fino negli stessi diamanti, in quell'istessa forma che fa il sangue negli uomini e 'l sugo vitale nei vegetabili. La terza è d'un'esperienza fatta stamani in Parigi da questi signori dell'Accademia Reale. Hanno voluto vedere quanto peso può levare un robustissimo cavallo, non a strascicarlo ma a sollevarlo tirando una corda attaccata al peso e fatta passar per una carrucola sospesa in alto. Dicono non aver mai sollevato più di quattrocento libbre di sedici once l'una, e che, presi uomini in cambio di cavalli, non l'hanno potuto alzare se non in sette, onde a questo ragguaglio un uomo non leverebbe più di circa a ottanta delle nostre libbre, cosa che a tutti ha fatto credere che l'esperienza sia stata male eseguita. Mi ha poi detto per cosa certa che m.r d'Aubeville, ministro del re in Lorena, aveva veduto smontare in Nansi la duchessa Mazzarrina in casa d'una delle più solenni ruffiane di quella città, condottavi da un suo valletto di camera lorenese, e che dopo l'alloggio d'una notte se n'era partita la mattina seguente al suo viaggio; che detto signore aveva aùto gran prurito di farla arrestare, ma che poi aveva deliberato di non ne far altro. All'uscirmene mi ha promesso un'appendice alle memorie de' saluti di mare, che è un regolamento dato dal re medesimo due anni sono al duca di Beaufort circa al modo di contenersi nel saluto co' vascelli, con le squadre, con le flotte e con le fortezze.

5 luglio.

Stamani sono stato alla bottega di Pietro Jervis, riputato il miglior maestro per fabbrica di strumenti matematici che sia in Parigi. Ho veduto diversi lavori ed ho trovato che le divisioni sono assai esatte: ma per quel ch'appartiene alla lima, al travaglio dell'ottone e alla galanteria della manifattura certo vi è da migliorare assai, né credo che arrivi a un pezzo a quel vecchio d'Urbino. Di poi sono stato da m.r Paluz, bibliotecario di m.r Colbert, a ricordargli un estratto dell'indice de' manoscritti appartenenti al Regno che sono in quella libreria. Son poi stato a vedere la chiesa di S. Gervasio, ma più particolarmente la facciata, la quale è di tre ordini secondo la buona architettura, ma attesa l'altezza di tutta la macchina le parti rimangono tozze e mastine. La chiesa è gotica, ma grande e fabbricata nobilmente. Il palazzo della città sulla piazza detta *La Grève*, dove regolarmente si esegguisce la giustizia, ha la facciata e 'l cortile (che non è quadro ma tira al triangolare, in guisa che il maggior lato del triangolo rimane opposto all'entrata), l'un e l'altro fabbricato di pietra e grandemente ornato. In testa del cortile v'è sur un piedestallo la statua del vivente re che calpesta la ribellione civile, rappresentata in un uomo armato che nasconde il volto, onde molti lo credono figurato per uno dei capi più autorevoli delle passate civili discordie che vive ancora presentemente.

Dopo desinare sono stato ai Carmelitani Scalzi vicino al Luxembourg, chiesa d'architettura moderna ma non molto grande, la di cui cupola fabbricata dalla regina Maria fu la prima che si vedesse in Francia. Quivi in uno degli altari della croce, che è dalla parte del Vangelo, v'è una statua d'una Madonna a sedere con un bambino in braccio, donata dal cardinal Antonio. Ell'è creduta universalmente del Bernino, ma ell'è di Antonio Raggi detto il Lombardo, allievo dell'Algardi. Questo ed un altro suo compagno chiamato Ercole ebbero tanta stima appresso il Bernino, che egli, per troncar loro ogni strada di avanzamento, sotto apparenza di volergli proteggere gli impiegò in cose del loro mestiere bensì, ma che gli impedissero dal lavor di marmo. Questa statua dunque è assai bella, tanto più che gli è convenuto adattare il disegno alla grandezza del marmo, che era troppo misero al suo bisogno.

Son poi andato a veder l'acquedotto d'Arceuil, fabbricato con regia magnificenza dalla regina Maria per condur l'acque di Rongi, che condiscono tutte le fontane del giardino del Luxembourg e del foborgo di S. Germano attraverso una valle, per non far loro perder la forza di risalire in tanta lontananza da Parigi, essendone quivi più d'una grossa lega discosto. Questo acquedotto è fabbricato tutto di pietra viva ed è fatto in ogni sua parte con tanta sontuosità, che per agguagliarsi a quegli de' Romani non gli manca altro che la maggior lunghezza, e non estendendosi oltre la maggior distanza delle due colline ch'ei ricongiugne, la quale misurata così a occhio (poiché sul coperto pendente dell'acquedotto dall'una e dall'altra parte non si può camminare per misurarlo), averebbe a battere intorno a trecento passi. Quivi è un casino d'un tal m.r Moran, uomo che ha aùto altre volte qualche maneggio di danaro, non so se del principe o del pubblico, il quale valendosi del pendio della collina ha compartito in diversi piani un giardinetto per grotte, per fontane, per boschetti e viali deliziosissimi; il tutto però senza uscire della riga di comodo cittadino.

RELAZIONE

DEL REGNO DI SVEZIA

DELL'ANNO 1674

GOVERNO E STATO UNIVERSALE DEL REGNO DI SVEZIA

Scrivendo della Svezia, vengo subito assoluto dall'osservanza di quella superstiziosa esattezza che si prescrivono la maggior parte di quelli che intraprendono a scrivere d'imprese, benché notissime, i nomi antichi e moderni, i tempi e le ragioni perché variarono, le sue prime popolazioni d'onde venissero; quindi i costumi, le leggi, il governo, la religione, le guerre, le descrizioni geografiche, insomma tutte quelle più minute particolarità che vengono in mente a chi pretende di far passar per zelo d'appagare il lettore quel che è compiacenza di scrivere quant'ei sa. Io non mi stenderò in alcuna di queste cose, essendo stata mia cura, nel tempo che mi son trattenuto alla corte di Stockholm, il proccurar di fissarmi nell'aspetto presente senza molto darmi pensiero dell'erudizione delle cose passate, a fine di poterlo ritrarre così alla macchia, in una forma tanto riconoscibile da non avervi a scriver sotto: «Questa è la Svezia». Dicendo inoltre che tra le molte imperfezioni che si troveranno in questo discorso, una sarà la disuguaglianza con cui son trattate diverse materie, tra le quali parrà talvolta che io abbia fatto più caso di quelle di minor rilievo in concorrenza di più importanti: il che accade perché non di tutte avrò la medesima informazione e gli stessi riscontri per appurarle. E così, non il troppo diffondermi in quelle ma la necessità di passar leggermente sopra di queste, farà apparire quella sproporzione che io dico.

Ora, di quelle che non ho saputo a segno di poterne trattar con quella distinzione che richiederebbe la materia, mi sarà necessario il dirne incidentemente, or qua or là, quel tanto che m'è pervenuto alla mia notizia, secondo che mi caderà in acconcio. E per accennar prima qualche cosa in generale, il governo presente di Svezia, non quale apparisce ma quale egl'è, non direi che fusse altro che una pura aristocrazia mascherata con l'apparenza d'un governo monarchico, che per una né affatto immaginaria né affatto real repartizione della sovrana autorità tra 'l re e i sudditi potrebbe forse da' politici speculativi chiamarsi misto. Così il governo non è qual doverebbe essere, perché le leggi concedono agli stati maggior autorità di quella che effettivamente posseggono, né qual potrebbe essere, perché il re, che è ereditario ed ha l'armi in mano, potrebbe depender manco.

Ora, quello che defrauda del momento della loro legittima autorità gli stati ed incanta la forza del re, è il senato: a quegli sotto 'l manto di mediatore tra essi e l'autorità regia, a questo sotto 'l titolo di suo consiglio. È invero il senato per ragion d'uffizio l'un'e l'altra di queste due cose, ma non per verità. Non mediatore, perché si fa sempre avvocato del re, nelle mani del quale cerca sempre di condurre l'arbitrio e l'avere de' sudditi: l'arbitrio, acciò che sostenga appresso al re il credito della sua mediazione e fortifichi in conseguenza l'opinione della necessità ch'egli ha del senato, e nello stesso tempo gli serva di merito o di pretesto alla partecipazione del secondo (dico l'avere), il quale fintanto che non è nelle casse del tesoro regio non può il senato in alcun modo appropriarsi. Nemmeno può dirsi che 'l senato sia consiglio del re, ma in quello stato che di man in mano torna meglio alla grandezza, all'utile e all'autorità di esso senato, e ciò a qualsivoglia prezzo. Anzi, valendosi di questo titolo di consiglio del re, viene a tenere chiuso l'adito a tutti quelli che, non essendo interessati nella suggezione del re a questo fantastico tribunale, potrebbono consigliarlo secondo l'esigenza del suo vero interesse.

Per sottrarre i re da questa sorda tirannide bisognerebbe, o che nascessero fuori di Svezia o che almeno venissero alla corona con educazione straniera. Il re Carlo Gustavo, che fu padre del re d'oggi e che ebbe l'un e l'altro di questi vantaggi, fu in altra forma re perché fece sempre quello che volle e, secondo che stette continovamente con la spada in mano, tutto fece e non si trovò mai ch'ei contravvenisse alle leggi. Se fusse vissuto averebbe forse mostrato questo bel segreto al figliuolo, il quale per sua disgrazia educato sotto la tutela ordinaria delle leggi non prescritta dall'arbitrio e dall'educazione del padre, non so se arriverà mai a ritrovarlo, essendosi auto grandissimo riguardo a non lasciargli far provvisione di quegl'ingredienti che ci vorrebbono per lavorar da sé, onde non può trovarlo che per azzardo.

Ma basti aver dato questo cenno di quella realtà che, trattandosi del governo di Svezia, rimane occultata sotto 'l misterioso apparato di tante formalità: perché, a considerarle senza la contracifra di cui ho cominciato a dar la chiave, farebbon credere che in Svezia si fosse trovato il modo di ridurre in pratica le massime di quel perfetto governo che, scompartendo con discreta e non incompatibil maniera la suprema autorità tra 'l principe e 'l suddito, è stato sempre considerato o per affatto impraticabile o per seme di ribellioni o di tirannide.

Io non mi fermerò qui in rappresentare qual sia il di fuora di questo governo, giacché si potrà meglio vederlo nella copia che metto a parte dell'ordine e della forma di esso, ed anco in qualche modo si riconoscerà dalle notizie sparse in questa scrittura; ma per darne ora qualche saggio, dirò che il di fuori del governo di questo Regno apparisce depender dall'assemblea dei quattro stati, cioè nobili, ecclesiastici, burgesi e villani. Senza di questi non pare che il re possa levar sussidi né soldatesche, non poter da sé solo determinare della pace e della guerra, e molt'altre cose di simil natura: ed è così ben concertata in ogni sua esterna formalità questa apparenza, che quei medesimi che hanno parte nell'opera credono d'essere in realtà quegli stessi personaggi che rappresentano, senza accorgersi di recitar in commedia. La convocazione degli stati si fa ogni tre anni, o più spesso se i bisogni del re, cioè a dire nozze, coronazioni, guerre, preparamento di vicini, armamento di flotte lo richieggono. Allora si radunano nella sala grande del palazzo regio, nel fregio della quale son dipinte l'armi delle province e delle città della dominazione di Svezia, e quivi s'unisce il corpo della dieta, alla quale inviano tutti i territorii, non escluse le più remote province della Lapponia. In questa assemblea non hanno luogo se non quelle province che sono aggregate al Regno: la Livonia, l'Estonia e la Carelia, come paese conquistato, non vi hanno sessione; la Pomerania, le terre di Meklemburg e l'arcivescovado di Brema sono trattati come membri dell'Imperio. Nell'apertura della dieta, alla quale sempre suole intervenire il re, il cancelliere arringa il primo; poi ordina a un segretario di legger la proposizione del negozio, in cui si pretende che consista la mente del re, che sempre è un indovinello. Dopo letta la dà a esaminare al maresciallo della nobiltà, che viene a essere appress'a poco quel che è negli Stati Generali il pensionario d'una provincia, carica riguardevolissima e che suole servire di scala ai posti maggiori. Intanto che la proposizione si dibatte tra la nobiltà, informata e guidata per lo più dal suddetto maresciallo, tutti gli altri stati fanno i lor deputati per esaminare successivamente la medesima proposizione e riferire ciascuno al suo corpo. Sodisfatta, la nobiltà la manda alla burgesia, la burgesia agli ecclesiastici, questi alla gente del contado. Vero è che tutti riportandosi egualmente ai propri deputati, ne segue che costoro rigirano, se sanno, il loro corpo conducendolo dove vogliono, cioè dove vuol la corte: perché nella forma del presente governo niente ci è da sperare dall'aura popolare, ché se ci fusse lo stato capace di tenere assindacata la corte, certa cosa è che farebbono per lo stato quello che fanno ora per il re, da cui ci è d'attendere tutte le ricompense. Per esempio, il maresciallo della nobiltà aspira, finita la sua funzione, a esser fatto senatore: costui fa appresso i nobili l'avvocato del re, se non quanto talvolta si danno delle congiunture nelle quali, credendo egli di far meglio i fatti suoi con accreditarsi per cervello torbido e strepitoso, si getta a tal partito facendo apertamente broglio contro la corte, per dar motivo al re di levarlo tanto più presto di là avanzandolo a posto maggiore, più per paura che non gli guasti i suoi disegni che per gratitudine d'esserne stato ben servito. Dalla forma dunque d'agire dei deputati coi loro corpi risultano le risoluzioni degli stati, i quali per ordinario non si scostano mai da ciò che quelli dispongono. Non è per questo che non apparisca che tutti abbiano mano ai più rilevanti consigli e alle più importanti risoluzioni: e de fatto se lo danno ad intendere, se n'appagano e se ne gloriano, benché in sustanza il tutto sia opera di quei pochi che gli rigirano, che vuol dire de' sentimenti della corte e del senato.

Qui cade a proposito il parlar del senato, il quale, in luogo di formare un quinto corpo nell'adunanza degli stati, fa una figura a parte e una figura doppia, poiché, dopo aver servito di consiglio al re nell'eleggere i partiti da proporsi e nel regolare le domande da farsi agli stati, serve di mediatore tra essi e 'l re, per ottener loro quelle modificazioni che maggiormente desiderano; benché in questo giuoco, come ho già due volte accennato, tutto il suo negozio o fine consista in far valere al re il credito della sua interposizione appresso i popoli, e a' popoli il frutto della sua mediazione appresso il re, facendo apparire, particolarmente dove si tratta di levar sussidii, d'averlo indotto a contentarsi d'una somma molto più limitata di quella che da principio aveva fatto le viste di bisognarli o di volere. È il senato antichissimo in Svezia, rappresentando quel corpo de' magnati del Regno co' quali conferivano quegl'antichi re le materie di stato, formando, per così dire, d'alcuni pochi del corpo della nobiltà il loro consiglio. Da principio fu molto ristretto: poi in diversi tempi accresciuto, fu dalla regina Cristina, se non erro, ridotto a venticinque, e dal re Carlo Gustavo suo successore (che volle fomentarne la divisione e riempirlo di fazioni) al numero di quaranta, come è al dì d'oggi. È adunque il senato, a parlar propriamente, un consiglio del re, eletto e creato o dal re medesimo o da quelli che rappresentano l'autorità regia nelle minorità. Egli è anche vero che, sebbene questo consiglio è eletto dall'assoluta autorità del re, non lascia nello stesso tempo d'essere una spezie di consiglio della nazione, la quale rimette implicitamente al re il provvederla di questo tal consiglio: il che apparisce manifestamente nel giuramento che prestano i senatori in qualità di *senator regis regnisque Sueciae*, e nel non poter il re deporgli senza l'assemblea e 'l consentimento degli stati, facendo una specie di deputazione di due o tre di ciaschedun ordine, davanti a' quali hanno a processarsi e ha da risolversi, per comune accordo di tutti gli ordini, che 'l preteso reo, in virtù delle leggi del Regno, merita d'esser deposto.

Ora, come tutti i re pretendono d'avere sui loro popoli qualche *jus* di più di quelli de' quali i medesimi popoli vanno d'accordo, e per lo contrario, si trova che il re di Svezia pretende che il senato non abbia che il puro voto consultivo. Il senato s'oppone, allegando che non occorrerebbe ch'ei consigliasse quando il suo consiglio, particolarmente in caso di una generai conformità di voti, non dovesse obbligare il re a seguirlo. Questa disputa sta sempre in piedi; è ben ver che i re sono in possesso di farsi buona la loro ragione, toltone alcune cose le quali il re senza controversia non le può fare, e non le fa. Verbigrazia, il re non può descriver soldati (intendendo però di quelli descritti secondo l'ordinanze consuete delle milizie del Regno), perché le province hanno a pensare al mantenimento di essi, e non gli descrive. Il re non può levar le contribuzioni straordinarie, e non le leva. Non può pigliar moglie senza l'approvazione degli stati, e non la piglia. Non può assumere il governo prima di venticinque anni finiti, e non l'assume. Finalmente non può farsi coronare senza il consenso degli stati, e non si corona. E de fatto, non può il re dispensarsi dall'aver molta considerazione per il senato, poiché, sebbene egli fa senator chi ei vuole, fatti che gli ha non li può più disfare, entrano subito a parte di quella pretensione che mira a metter limiti all'autorità reale, appoggiandosi sulle leggi del Regno, l'aperta infrazione delle quali non può non essere sempre pericolosa: perché, sebbene i popoli odiano generalmente le persone de' senatori per ragion del loro fasto, della loro arroganza e della loro venalità, amano nondimeno le loro leggi, e non saprebbono facilmente comportare di vederle conculcate in pregiudizio del senato, più di qualsivoglia altra cosa. Insomma bisogna considerare il re in ordine al senato, come quel seme che è il principio, anzi l'unico e necessario principio dell'albero, e senza 'l quale l'albero non verrebbe mai; ma egli è ben vero che, una volta l'albero n'è uscito, getta subito le sue radici nel terreno e s'affermisce in quello, senza che per sussistere gli sia più necessario né l'appoggio né il nutrimento del seme che l'ha prodotto.

Del resto il re non solo fa tutte quelle cose che non cadono in controversia, come sono l'amministrazione della giustizia, che si fa sempre in suo nome, la distribuzione di tutte le cariche della corte, della milizia e del Regno, fabbricar vascelli, levar soldati del suo, gratificare colla donazione delle terre che appartengono alla corona, disporre liberamente delle proprie finanze, far nobili, conti e baroni; ma ne fa ancora molt'altre, le quali forse, a bene esaminarle, non potrebbe fare, come sarebbe a dire: non potrebbe fare alleanze straniere, e le fa, non può alterare i privilegi delle città, e gli muta, non può mover la guerra e la muove, come fece il re Carlo Gustavo nella seconda rottura con Danimarca, la quale pretese poi di far passare per una dependenza indispensabile della prima, che era preceduta con consentimento degli stati (e de fatto, durante la detta guerra tenne sempre la dieta in Gotteburg). Il fatto è che nelle parole del giuramento regio si pretende che vi sia equivoco, atteso un certo senso ambiguo, e che trattando dell'autorità del senato par che metta una cosa di mezzo tra consiglio e approvazione dei senatori; a' quali, sì come tocca far trovar buono agli stati ciò che di mano in mano torna comodo al re, secondo che aspettano, come s'è detto, dal re tutt'il loro bene o tutt'il lor male, così ancora s'ingegnano di servire al re, e trovando facile accordo co' deputati di ciascheдun ordine, sotto il manto di mediatori, come dissi da principio, fanno la parte d'avvocati del re servendo al suo e al proprio interesse.

Non è dubbio che questi arbitrii del re nelle materie controverse più delicate vengono regolati da molti riguardi: e presentemente il re, benché pretenda d'aver il voto decisivo, in ogni modo, quando la pluralità de' voti è in contrario, la segue, essendo questa una cosa che depende egualmente dal temperamento de' re e dalle qualità de' tempi, de' casi e delle congiunture. Torna anche in favor del re che, sebbene in generale a ognuno deve premere il proccurare l'estensione dell'*jus* popolare, in particolare però si trovan sempre molti a' quali non dispiace di veder depender le cose piuttosto da un solo che da quaranta. Inoltre non torna alle volte male l'avere il re per debitore di qualche sorta di trasgressione, servendo il lasciarlo impegnare a un arbitrio per tenerlo a freno in un altro e per impinguarli il processo in caso di maggiori attentati, come fecero a Sigismondo re di Pollonia, al quale fecero querela, fra l'altre cose, che egli avesse dato delle cariche senza il consiglio del senato.

Carlo undecimo regna presentemente, nato a Holmitz a' 24 di novembre 1655, figliolo del morto re Carlo Gustavo di Svezia e di Hedviga Leonora, della casa de' duchi d'Holstein, ancora vivente. Non ha il re alcun fratello o sorella, ed i principi del sangue reale sono il principe Adolfo, suo zio, la moglie del gran cancelliere, altresì sua zia, sorella del re morto, la moglie di Friz d'Assia, ancor essa zia, ed è madre di tre principesse, cioè della moglie del duca di Wolfenbuttel, della principessa Giuliana, della moglie del principe di Stel, della casa di Sassonia. Non mi fermerò qui a parlare delle inclinazioni o passioni di essi, riservandomi a farlo a parte nel fine di tutto questo discorso, insieme con quelle de' senatori e di qualche altro, di cui ho creduto bene ed ho potuto investigare qualche cosa di particolare.

Fa il re la sua residenza ordinaria in Stockholm, città popolata da ventimila persone, capitale di quel Regno, benché senza muraglie o fortificazione alcuna, situata in suolo ineguale ma praticabile da carrozze, là dove la terra orientale di Svezia per uno spazio di sei leghe si fende in una infinità di scogli, e per la gola di essi riceve da ogni parte l'acque del Baltico, finché, incontrandosi coll'acque dolci del Meller, si forma insensibilmente un confine incerto e dubbio di lago e di mare. Quivi ha il suo palazzo assai bello e grande detto *Slott*, che vuol dire *arx*, fabbricato dal re Giovanni, la maggior parte piuttosto colle proporzioni d'Italia che secondo le barbare e antiche del paese. La torre, con quella poca di fabbrica che v'è intorno, era la vecchia abitazione de' re e fu di Cristierno il Tiranno, cacciato da Gustavo primo. Va il re cercando d'aggiugnervi quelle cose che posson servirli e di comodità e di delizia e di sodisfazione, e adesso fa fabbricare una stalla, nella quale potranno tenersi sessanta cavalli di maneggio, che saranno tutti abbeverati alle loro medesime poste, facendo a ciascheduna di esse la propria fonte: le mangiatoie, del marmo del paese, unirà col medesimo palazzo per un corridore di legno; ed è certo che per una stalla sarà assai bella, non potendosi però dire né questa né l'altre fabbriche fatte con il buon gusto italiano, perché gl'architetti svezzesi vengono in Italia e, benché vedono il bello ed il buono, nondimeno, prevalendo in loro il genio cattivo alla buona scuola e l'ambizione dell'inventare non cedendo alla ragione, fa che s'appiglino molte volte al peggio. Con tutto ciò, chi arriva a Stockholm vi trova delle fabbriche che non solo non hanno le compagne in Alemagna, ma, mi sia permesso il dire, anche in Francia e, salvo che in Italia, in nessun'altra parte d'Europa; non dico né per la moltitudine né per la grandezza, dico per la regolarità dell'architettura, nella quale s'accostano più che altrove all'italiane, e per conseguenza all'antico; e ciò perché, sebbene vogliono sodisfare ancor essi al proprio genio d'inventare, nondimanco si contentano, se non del tutto, più degl'altri d'imitare.

Le case di Stockholm sono tutte fabbricate di muraglie, assai alte e in strade larghe, ed il fabbricare qui costa molto meno che in Francia. Degna cosa però è da sapersi che né in Stockholm né quivi intorno si fa calcina, non essendo il sasso di quelli scogli né altra pietra a proposito, onde vien tutta di Gottland, di Finlandia e di Pomerania, e viene nelle navi bella e spenta: e questo per sfuggire l'evidente pericolo che vi sarebbe di dar fuoco al legno, sempre, o che facesse acqua o non si potesse difendere dalla pioggia la calcina, che sopra vi fosse non spenta. I borghi e la più gran parte delle case sono di legname, e le più nobili sono come si vede nel seguente disegno n. 17, perché quelle della povera gente e le case de' contadini sono d'una struttura assai più ordinaria, non facendo altro che il camino di mattoni; coprono il tetto con scorze di betulla e sopra vi pongono pietre di terra con erba, la quale rinverdendosi nella primavera e nell'estate forma quivi una tale apparenza di prato che rende, per quanto si può pretendere da una tal cosa, vaghezza all'occhio, ed è col disegno notato n. 16. I camìni poco sopra nominati son posti sempre negl'angoli delle stanze, e dall'aggiunto disegno n. 18, si può riconoscere che essi mettono ad ardere le legna non a giacere, ma in piedi e che si servono di quella lamina di ferro che è nella gola del camino detta *spiell* per chiudere, fermata la fiamma, lo sfogo al fuoco, acciò più si diffonda per la stanza, essendo pochissimo l'uso delle stufe ed introdotto da poco in qua, e quelli che l'hanno le fanno accanto al camino per aver l'uno e l'altro, come nello stesso disegno è espresso. Vi sono bene le stufe pubbliche per lavarsi, ove servono tutto punto le donne, e sono parate di tela bianca, essendo in esse diversi scaglioni o gradini per porsi dopo lavato, o sugl'alti o sui bassi, secondo che più o meno si vuol pigliare l'aria calda per sudare, e per poter meglio comprenderlo ne ho fatto formare l'aggiunto disegno n. 15.

Non sono in Stockholm molte piazze, e la maggiore è quella del mercato del nort, ove ordinariamente si vende. Tra le chiese la più bella è quella degl'Alemanni, ove spesso si porta il re; quella poi del palazzo, ove si fanno le funzioni della corte e vi si depositano i cadaveri de' signori grandi, finché si portino alle loro terre, sarà di grandezza ....

E considerando il lusso di questa città, non solo nelle fabbriche ma nelle carrozze, ne' cavalli, in qualche tavola, nelle spese e nell'industria de' giardini, nello studio delle mode, nella curiosità delle galanterie di Francia e delle manifatture d'Inghilterra, nell'uso e nella stima, se non veramente nel gusto e nel diletto, degl'odori d'Italia, piglierei la città o, per dir meglio, la corte di Stockholm per una delle più illustri colonie che l'industria o la fortuna della Francia abbia piantato nel discoprimento della bellezza del presente secolo. Fra le mode che sono qua giunte di Francia, una è quella del vestire, onde, benché le donne della borgesia prima avessero un abito proprio com'è quello disegnato n. 8, nondimeno oggi è ridotto a praticarsi solo fuori di Stockholm, o pochissime l'usano in detta città. Il re e la nobiltà hanno formato un misto di franzese e svezzese, pigliando qualche cosa dalla moda di quella nazione ed aggiugnendovi molto del loro proprio gusto e capriccio, tale appunto qual è il disegno n. 10. Hanno carrozze e slitte, e secondo che la stagione, il tempo e 'l luogo lo richiede o permette, praticano anche le barche: le carrozze sono tutte fatte sul taglio franzese, ma di quelle che sono coperte e a due cavalli i borgesi non posson servirsene; usano bene slitte con un cavallo, come al disegno n. 1. Le slitte poi con le quali si corre ordinariamente sul Meller quando è diacciato sono come il disegno n. 5, portando la gente un fazzoletto al naso e sotto i piedi tenendosi pelli d'orso per ripararsi il possibile da' gran rigori del freddo: e delle barchette colle quali si va in tempo di primavera e di state a spasso sul Meller, eccone altresì il disegno n. 4; servon queste eziandio per traghettare acqua (la quale poi portano le donne come nel disegno n. 3) e sono sempre guidate tutte da donne, e giovani e vecchie alla rinfusa, delle quali è assai comun opinione che s'adattino secondo l'età a qualch'altra professione di cattiva fama.

LA CORTE CHE TIENE IL RE

Non ha guardie a cavallo, ma un reggimento d'infanteria armato di moschetti, mutando due compagnie alla volta la guardia, ed è di nazione .... Ha altresì una guardia di gente civile che porta l'alabarda, l'un'e l'altra vestita colla sua solita livrea di panno turchino con ricamo d'argento, del quale vien formata la sua cifra colla corona sulle casacche delle sopraddette guardie. Essendomi io abbattuto al ricevimento fatto al duca d'Holstein, posso credere d'aver veduto il buono e 'l bello delle sue guardarobe, che può consistere in circa dieci stanze d'arazzi signorili con i suoi letti, ed un'altra di velluto: non avendo veduto per altro grand'abbondanza d'argenteria, ed il meglio che mi desse negl'occhi erano dodici figure d'argento con una canestra in capo, che servirno di fruttiere in tutto 'l tempo della detta foresteria.

Il re ordinariamente mangia colla madre, per mostrare anche in questo quella totale deferenza che le porta, e fuori della città fa l'onore di mettere alla sua tavola quelli che arrivano a godere i posti maggiori, fino al colonnello; ma in Stockholm non vi sono ammessi se non i senatori, chiamandone or l'uno or l'altro, sì come quelli che son considerati per i personaggi più riguardevoli del regno e di maggiore stima. Poiché, oltre il passare per le loro mani tutta quella autorità che s'è detto di sopra avere il senato, si eleggono dal corpo loro, che è di cinquanta, cinque per le cariche maggiori del regno, cioè il gran *Drossart*, che vuol quasi dire viceré ed è il presidente del magistrato supremo della giustizia; il contestabile, chiamato in loro lingua *Marsk*, che presiede a quello della milizia, come il grand'ammiraglio a quello dell'ammiralità, ed il gran cancelliere agl'affari politici, ed il gran tesoriere alle finanze; delle quali cariche e magistrati io col medesimo ordine discorrerò, accennando in prima quello che a tutti generalmente appartiene.

LE CINQUE CARICHE DEL REGNO

È dunque da sapere che anticamente quelli che possedevano queste cariche amministravano gl'affari più importanti del regno, i quali per la loro quantità e per poca applicazione venivano trascurati: onde, per rimediare a questi disordini, l'avo e 'l padre del re Gustavo vollero istituire i cinque di sopra accennati magistrati, de' quali costituendo però essi presidenti, venivano ad alleggerire loro il peso delle fatiche. Ma per vari casi allora succeduti non poterono mettere in esecuzione questi salutari consigli, che il re Gustavo, se gli fosse stata concessa e più vita e maggior quiete, voleva ultimare, come successe poi dopo la sua morte nella minorità della regina Cristina: poiché in tal tempo ritrovata una riforma di governo scritta dal gran cancelliere per ordine del re Gustavo, nella quale vi erano questi cinque magistrati, fu questa bene esaminata, e di poi ricevuta ed approvata dagli stati. Oltre il vantaggio che portano seco queste cariche, d'esser presidente, vi s'aggiugne ancora che tutti cinque insieme compongono in tempo di minorità la tutela regia, ed hanno in simile occasione o maggiore o minore l'autorità secondo le congiunture de' tempi e l'abilità delle persone, allargandosi fino all'amministrazione del danaro, pigliando cognizione di tutte le spese, anche della guardaroba e della casa. Nell'ultima reggenza non si sono radunati insieme come rappresentanti l'autorità regia se non nelle spedizioni delle lettere: nell'altra si radunavano qualche volta a parte, ed avevano le loro risoluzioni il vigor medesimo che hanno d'ordinario le regie.

La giustizia.

Il conte Pietro Brahe al presente ha il posto di gran *Drossart* che quasi corrisponde al gran giustiziere nel Regno di Napoli, ed è il presidente del supremo magistrato della giustizia, che decreta ciò che è sottoposto, o direttamente oppure per legittima appellazione, al giudizio regio. Compongono questo magistrato, oltre il sopraddetto capo, quattro senatori, sei nobili ed altrettanti leggisti che formano il numero di diciasette, ed a questi vengon subordinati i segretari ed i notai ed il fiscale regio, con tutti quelli che amministrano giustizia. Ha facoltà di rivedere le cause degl'altri magistrati, di dar sentenza di morte in assenza del re, l'assistenza del quale è però sempre necessaria per graziare i condannati. Ma perché sarebbe impossibile alla gente più lontana, per la spesa del viaggio e per altri incomodi, il poter ricorrere a questo magistrato, hanno costituito tre altri tribunali col titolo di supremi in diverse parti del Regno, i quali abbracciano e si dividono tutte le province. Questo adunque, che per ordine e per dignità è il superiore a tutti, risiede in Stockholm e si distingue dagl'altri non solo per esser composto di persone riguardevoli e per distendere la sua autorità sopra tutti (quelli) che amministrano la giustizia nelle province e città del regno di Svezia, ma per esserli soggetti eziandio quelli che con particolar privilegio sono esenti dagl'altri giudizi. L'altro de' supremi magistrati risiede in Jenekoping, presidente del quale è un senatore, con l'aggiunta di sei nobili ed altrettanti leggisti, avendo i propri segretari, notai e fiscali, distendendosi la sua giurisdizione per tutta la Gottia. Nella città d'Abó è l'altro magistrato supremo, colla presidenza di un senatore e colla medesima qualità e numero di persone dell'ultimamente nominato: la Finlandia, e tutto quello che vien compreso dall'una e l'altra Carelia, è sottoposta alla di lui amministrazione. L'ultimo di questi è costituito in Dorpat, ed è composto come i due sopraddetti e comprende sotto di sé la Livonia e la Ingermania. Da questi tre tribunali supremi non si dà appello, e solo a chi si tiene gravato è salvo il ricorso al re per la revisione.

Si concede bene l'appello dagl'altri tribunali non supremi, e l'ordine col quale si procede è il susseguente: le sentenze de' giudici particolari d'ogni distretto, i quali aprono tre volte l'anno il loro tribunale, si devolvono per appellazione a' giudici della provincia che chiamano *Lagmans*, che per essere cariche d'annua rendita almeno di millecinquecento scudi, sono sempre nelle mani de' primi signori del Regno; questi però non l'esercitano che per sostituti, i quali tengono giustizia un tempo solo dell'anno. Da' *Lagmans* si devolvono al parlamento, il quale alle volte nelle cause più gravi e difficili le partecipa al re, che, se merita il conto, dà degl'aggiunti al parlamento. Dal parlamento hanno l'appello al re esaminandosi nel collegio delle revisioni, del quale ordinariamente è presidente il cancelliere della corte, e, secondo l'importanza della causa, vi sono deputati senatori o altri che intervengono al medesimo giudizio. Se poi alcuno di gran condizione e costituito nelle supreme cariche commetta delitto di lesa maestà, la cognizione del quale fosse propria degli stati, allora il re raduna i detti supremi magistrati col rimanente de' senatori, prefetti del Regno, consoli di Stockholm, d'Upsalia, di Gotteburg, di Norkoping, d'Abò e di Viburg, i quali sostenendo le veci degli ordini hanno l'autorità di sentenziare, e nessuno di qualsivoglia condizione può sottrarsi da questo giudizio: ed in tal congiuntura il sopraddetto viceré del Regno è il presidente, oppure per legittima causa non potendovi egli intervenire, sostiene le sue parti il gran cancelliere, assistendovi a' loro posti i senatori e gl'altri, secondo i lor gradi. La maggior parte delle occupazioni di questi cinque magistrati sogliono essere nell'inverno, rimettendo quasi ognuno a questa stagione i suoi affari per la comodità di viaggiare sopra le slitte, con le quali attraversandosi fiumi ed i laghi diacciati si abbrevia notabilmente la strada.

La milizia.

Nel secondo luogo vien considerato il contestabile del Regno, da loro chiamato *Marsk*, e presentemente ha tal carica il conte Carlo Gustavo Wrangel, il quale presiede al magistrato che ha sotto il suo comando tutto ciò che appartiene all'ordine militare: cioè, tanto la cavalleria quanto l'infanteria e comandanti d'esse, e l'artiglierie, attrezzi ed altre provvisioni militari, sopraintendendo eziandio alle fortificazioni. Questo magistrato (che, come s'è detto, ha presidente il contestabile) è composto di due senatori che hanno aùto cariche di guerra, e d'altri quattro che l'esercitano attualmente, e per ordinario dal *Campiductor* (quando è forestiero), supremo capitano delle guardie. Sono subordinati a questo i suoi segretari, notai, copisti, che con ordine conveniente registrano le cose a questo luogo trattate.

L'ordine delle cariche militari in Svezia è questo: la prima è quella del gran contestabile; poi quattro marescialli di campo, posti occupati al presente da Gustavo Bannier, Enrico Horn, Cristofano Horn (che è stato aio del re) e l'Helmfelt; il gran maestro dell'artiglieria, che adesso è carica vacante; il generale della cavalleria, che è il conte Gustavo della Gardie (ben è vero che in oggi vi è ancora il vescovo di Heutin, generale della cavalleria alemanna, la quale non è carica permanente ma si provvede secondo le congiunture); il generale dell'infanteria, che è Pierre Sparr; un luogotenente generale della cavalleria, che è ora Aschemberg; per luogotenente della cavalleria alemanna è stato progettato il conte di Konigsmarck, che è in Francia da che cominciò questa guerra; luogotenente generale della cavalleria svezzese è Schultz. In Livonia hanno ancora un tal Fersen di detto paese, uno de' migliori uffiziali che comanda in tal posto in quella provincia; a Narva vi hanno un altro svezzese che si chiama Taube, gentiluomo di nascita, che è stato colonnello di cavalleria dopo maresciallo della corte ed è stimato assai ordinario.

Dopo questo succede quel posto che chiamano general maggiore, che corrisponde quasi a brigadiere. Il suo carico consiste in comandare un'ala, comando per altro troppo grande per un colonnello; tocca a lui portare il nome ed in sustanza egli è in una armata quel che è il maggiore in un reggimento, sempre ve ne è uno alla testa d'un'ala della cavalleria, e due o tre innanzi a' battaglioni dell'infanteria. Nelle truppe di cavalleria svezzese adesso è Wolmar Wrangel, nell'alemanne è Gisi, che ha servito di colonnello nel circolo della Bassa Sassonia. Il general maggiore dell'artiglieria è Sueblad, che è stimato un buon uffiziale e adesso quasi comanda interamente l'arsenale, per non vi essere il gran maestro dell'artiglieria. Per l'infanteria alemanna hanno due generali maggiori: Dellvik e Volfeg, tutti due buoni uffiziali; per la svezzese il general maggiore è Mortaigne, olandese, buon uffiziale ancor esso e soldato di fortuna. Gl'altri uffiziali sono: colonnello, luogotenente colonnello, maggiore, capitano, quartiermastro; ed in ciascun reggimento vi è il predicante, il segretario, il preposto. Questi generali, eccettuando il contestabile, non hanno servito che di tenente colonnello o capitano.

Le guerre che fece il re Carlo Gustavo nella Danimarca e Pollonia consumarono quasi tutti i buoni e vecchi soldati avanzati a quella dell'Alemagna, e non bastarono a farne de' nuovi, e di quelli che erano rimasti, in sedici anni di pace, la maggior parte si sono ammogliati: onde avendo le loro famiglie, difficilmente si potrebbono rimettere al mestiere. Inoltre porta gran pregiudizio alla milizia la massima, forse più radicata in questa nazione che nell'altre, che la sola nobiltà abbia le cariche eziandio di capitano, e perché ciò puntualmente si è osservato nella reggenza, di qui è che è come impossibile che la gente di fortuna sia avanzata e si cimenti, avendosi solo riguardo alla nascita e punto al merito.

Tale è l'ordine delle cariche militari in Svezia, ove è molto facile operando bene essere avanzato, poiché la vasta giurisdizione de' comandanti primari dà loro luogo di farsi, quanto in altro paese, delle creature, essendovi ogni giorno congiunture per tenersi sempre, anco in tempo di pace, molte milizie in piedi, le quali consistono in questi reggimenti, intendendoli per ora della cavalleria: (1) d'Uplandia, (2) di Vestrogotia, (3) di Smolandia, (4) di Schonen, (5) di Ostrogotia, (6) di Bohus (della Svezia); (7) il primo, (8) il secondo, (9) il terzo di Finlandia; e (10) quello della nobiltà, il quale ordinariamente non esce di Svezia; (11) Blecking ed Halland insieme fanno un solo reggimento.

I reggimenti d'infanteria sono i seguenti: (1) d'Uplandia; (2) primo, (3) secondo, (4) terzo di Vestrogotia; (5) primo, (6) secondo, (7) terzo di Smolandia, (8) di Ostrogotia, (9) di Vermeland, (10) di Sudermanland, (11) di Dalarne, (12) di Vermeland, (13) di Jemteland, (14) di Nordwestbotten, (15) d'Osterbotten, (16) di Helsingeland, (17) di Schonen, (18) di Halland e di Blecking, (19) di Mineurs, (20) di Dragoni, (21) un reggimento di Svezzesi ed (22) un altro di Finlandesi. Genti per l'artiglieria: un reggimento di Svezia, un reggimento di Pomerania, un reggimento di Livonia, e questi tre reggimenti non hanno mai il loro numero se non in tempo di guerra.

Stipendio della cavalleria: un solo colonnello ha millecinquecento scudi d'argento di Svezia; un tenente colonnello 700; un maggiore 240; un *maistre des logis* 160; due scrivani hanno per uno 40; capitano 240; luogotenente 170; cornetta 170; due caporali hanno per uno 40; scrivano 40; furiere 30; predicante 30; proposto 30; cerusico 30; due trombi hanno per uno 15. Il maresciallo è pagato com'un altro soldato.

In ogni compagnia sono 150 soldati, e questi non hanno altro assegnamento che un paesano, che li paga a ragione di scudi 30, per il quale aggravio detto paesano gode qualche piccola esenzione. Oltre questa paga gl'uffiziali hanno altri vantaggi, cioè il mantenimento de' cavalli ed altre piccole cose, ma il semplice soldato non ha altro che i sopraddetti 30 scudi.

Gl'uffiziali dell'infanteria che hanno stipendio in danari sono: il colonnello, che ha 1.500; tenente colonnello 750. I seguenti non hanno alcuna paga in contanti se non entrano in guarnigione o in guerra: maggiore, *maistre des logis*, predicante, cappellano, scrivani (due), auditore, barbiere (con tre compagni), proposto (con tre compagni), furiere, capitano, luogotenente, alfiere, sergente, scrivano, *Rustmester* (*maistre des cuirassiers vermeils*), sei caporali, due tamburi, settantadue moschettieri per compagnia, settantaquattro picchieri per compagnia.

Tutti gl'uffiziali, come si vedrà ancora de' soldati, hanno terre, una parte però della lor provvisione l'hanno in contanti dalla camera de' conti, ma questo a stento, spartendosi il più delle volte o la metà o 'l terzo o 'l quarto, secondo che vanno l'annate e le spese del re.

Nel far nuove leve d'infanteria, sì come nel reclutarla, si tiene lo stesso ordine come appresso, colla sola differenza che nelle reclute non vi è bisogno del consenso degli stati, come nell'altro caso. Da ogni dieci o venti contadini si cava un soldato, secondo da qual de' due numeri hanno stabilito; e se l'eletto vuol esentarsene, tocca a lui a proporre un cambio, quale s'accetta o no secondo che viene giudicato abile per la professione. In alcune province i soldati hanno qualche cosa invece della paga, in alcune non hanno niente di positivo, godendo solo qualche piccola esenzione: nelle prime i soldati hanno terre a loro destinate, ed ad ogni otto soldati viene assegnato un paesano che diventa loro contadino. Il podere di costui è una tenuta di terra, che per la parte del padrone frutta in grasce intorno a dodici talleri d'argento; così quel podere è spartito in otto porzioni, delle quali ogni soldato riconosce la sua. Per ordinario uscendo dalla casa propria va ad abitare sopra quelle terre, ove si fabbrica una casetta di legno in mezzo d'un campo capace di starvi a diacere, e niente più, e quivi s'industria servendo per opera al proprio contadino nel lavoro delle terre proprie o d'altri, tanto che possa sostenersi. In ciascuna provincia vi sono de' contadini esentati, come si dirà in altro luogo, che addimandano *Roer*, onde in quelle province ove vi sono molti *Roer* non si fa quasi soldato alcuno, e nell'altre più. Di qui viene che non si può mai sapere precisamente il numero dell'infanteria svezzese, perché i reggimenti di quelle province ove sono pochi *Roer* saranno di duemila uomini; per lo che questo modo di far reclute cagiona che alcuni reggimenti s'aumentano straboccchevolmente, e degl'altri il numero è pochissimo. L'infanteria non tiene appresso di sé l'arme, ma le vengon fatte dare dal re quando deve marciare, onde non è per conseguenza esercitata, e gl'uffiziali d'essa non sono obbligati di stare al reggimento fino a tanto che non sono per uscire.

Nella cavalleria vi è un numero fisso, e non cresce né scema, e in occasione di guerra, che vogliono aumentarla, si fa tamburo battente come negl'altri paesi. Il semplice soldato a cavallo ha la terra d'un contadino, il quale è obbligato a menar buono al padrone a ragione di trenta scudi l'anno, come s'è visto di sopra. Il cavallo, la sella e l'armi sono dati la prima volta dal re, rimanendo sempre alla casa del soldato, il quale morendo, la moglie è obbligata a fornire un nuovo soldato al re, trattenendovi in quel posto chi ella vuole senza farlo arruolare: il che passato l'anno si deve fare. Onde, se ha figliuoli in età competente ed abili, sì come essi sono eredi così ancora uno di essi bisogna che sia soldato; se non ha figliuoli o non sono abili, allora si rimarita, ed il marito volendo è soldato, altrimenti fa di mestiere mantenere uno, verbigrazia un servidore, al quale d'ordinario dà dieci scudi l'anno. Se muore il cavallo, se si perdono l'armi e la sella, tutto è a carico del proprietario della terra, ed in tal modo la cavalleria è sempre compita, perché i successori o sono soldati per sé o gli mantengono.

Tanto l'infanteria, però, quanto la cavalleria di Svezia non è delle meglio esercitate, perché non gli fanno fare gl'esercizi se non una volta l'anno, reggimento per reggimento, e al più al più qualche uffiziale subalterno esercita la sua compagnia, ma ciò non è praticato da tutti. Nondimeno sono assai considerabili le forze della Svezia, sì perché il popolo è proprissimo per la guerra, sì perché vi è sempre una grand'armata in piedi e sì perché vi sono molti nobili che non sanno fare altro mestiere che quello del soldato. Il popolo è proprio per la guerra, come quello che tollera facilmente le fatiche ed è parco e frugale nel vitto; inoltre ogni soldato s'adatta meglio d'ogn'altra nazione a tutto ciò che li può far di bisogno, tanto d'intorno la sua persona che del suo cavallo. Vien però detto dal medesimo contestabile che sieno più ardite le truppe nuove svezzesi che le vecchie, poiché per mancanza di spirito non apprendendo il pericolo, lo vanno ad incontrare, il quale conosciuto in qualche occasione forse troppo lo temono. E per verità non si può dire che per natura sua questo popolo sia bellicoso, non riconoscendosi in esso una fierezza tale che li possa far meritare questo nome: di radissimo vengono tra loro alle mani, dicendosi dell'ingiurie colla spada accanto, la quale staranno gl'anni senza adoperare, dal che si può conoscere il temperamento della nazione. E ciò supposto per vero, mi pare che gl'Italiani siano di genio più bellicoso del loro.

In qualsivoglia modo che sia, la Svezia si rende fortissima per il sito, e sebbene ella non ha molti luoghi fortificati, quali appresso accennerò, nondimeno si può dire che ella sia come una piazza che non può esser presa; tutto quello che si può fare è bloccarla: questo segue ogni volta che Danimarca, Brunswich e Brandemburg siano in lega contro di lei. Solo due piazze si possono considerare per buone: l'una è Carlestatt sul Weser, due leghe sotto Brema verso il mare, l'altra è Wismar, che è il Carlestatt di Lubecka, la quale nel 1664 implorò la protezione di Svezia contro la Danimarca, appunto vent'anni dopo che aveva mandato un araldo in Svezia ad intimar la guerra al re Enrigo congiuntamente colla Danimarca, e che aveva messi in mare sedici vascelli, de' quali per la tempesta sulla fine della campagna se ne persero tredici, e fu allora che il re diede quella bella risposta all'araldo, interrompendolo dopo la dichiarazione fatta per parte della Danimarca, dicendo: *«Reges regibus bellum indicunt, civitates civitatibus»*; e, voltategli le spalle, lo mandò al senato acciò la repubblica di Lubecka intimasse la guerra al senato di Stockholm.

L'altre fortezze poco vagliono, e per particolarizzare qualche cosa sopra di esse dirò che in Norvegia vi è Bohus, che è un castello che non vale niente; lo stesso si può dire di Gotteburg in Svezia; in Halland vi è Halemstatt, e fra questo e Gotteburg è situato Varberg che ha un castello assai buono. Laholm ha il fiume ma con poco fondo, ed il castello è piccolo; Elsinborg non è quasi niente; Landskron è in Schonia. La città di Malmoe è assai forte, e la cittadella benissimo fortificata. È di poca stima Cristianstad in Schonia, come Cristianopoli in Blecking. Calmar è benissimo fortificata, ma non è finita. Le montagne che sono per tutta la Norvegia le servono di fortezza, non v'essendo per altro se non qualche piccolo ridotto. In Livonia le principali sono Riga e Reval, molto considerabili; nell'Ingria Narva, in Finlandia Wiburg ed il castello d'Abó, che è mediocre.

L'ammiralità.

Il terzo magistrato è quello che soprintende all'ammiralità, che ha per presidente il grand'ammiraglio conte Gustavo Ottone Stembock, e per assessori due senatori, i quali per ordinario hanno servito in mare, come anco quattro vice grand'ammiragli oppure capitani anziani dell'armata, uno de' quali è sempre il comandante dell'isola. Vi sono ancora i segretari, notai e copisti, i quali registrano quanto occorre conforme gl'altri magistrati. Da questo si ha cura di tutte le navi regie da guerra e d'altri piccoli legni, siano in qualsivoglia luogo, toccando a esso a provvedere quanto fa di bisogno per il mantenimento di essi. Da questo medesimo magistrato dependono i marinari ed insomma tutto ciò che appartiene all'ammiralità, avendo il grand'ammiraglio più largo campo d'arricchirsi d'ogni altro uffiziale del Regno, mentre egli ha l'amministrazione del danaro assegnato alle cose del mare e alla paga de' marinari, il numero de' quali e il loro soldo è in arbitrio suo il regolare, il che egli fa a misura delle contingenze che corrono e della propria discrezione. È certo che presentemente l'ammiralità è nel migliore stato che sia mai stata, mercé d'un giovane nominato Clerck che n'è maggiore. Questo giovane essendo buon meccanico ed economo ha migliorato la propria abilità coll'osservazioni fatte in Olanda e in Inghilterra, e colla sua applicazione ha ridotto le cose in buon stato, di pessimo che si trovavano tre anni sono. Vien notato per difetto considerabile nell'ammiralità di Stockholm che tutti i vascelli stanno nell'acqua dolce, il che è certo che apporta loro gran pregiudizio.

Danno fuora una gran lista che contiene un numero considerabile di vascelli, ma per verità non son tanti, non potendosi far capitale presentemente di più di ventiquattro o ventisei, riducendomi a far questa tara perché io, oltre gl'altri riscontri, non ho mai trovato nell'ammiralità più di duecento persone a lavorare, compresovi tutte le maestranze, intagliatori e maestri d'asce e simili. Il maggior vascello che abbiano è quello che chiamano la *Corona di Svezia*, ed è tanto grande che io non ho veduto l'eguale né in Olanda né in Inghilterra. Porta da 120 pezzi ed è di bellissima proporzione, pretendendosi di aver unito tutto il buono della fabbrica olandese e dell'inglese, e per verità è stimatissimo da tutte le nazioni. Il capomastro che l'ha fatto era inglese, ed è partito disgustato; quello che vi è adesso è parimente inglese, ma non è grand'uomo: in ogni modo, se il maggiore continua a starvi, e avviene che gli somministrino danaro e che lascino d'invidiarlo per non esser di nascita (essendo la nobiltà in possesso d'aver tutte le cariche, nelle quali è in propria libertà l'accrescersi l'utile), è capace di metter le cose in buono stato. Vi è però apparenza che non possa durare, considerato il poco zelo ed attenzione che hanno quando si tratta del servizio del re.

Il miglior vascello dopo la *Corona* è la *Spada*, e poi i *Sette Pianeti*, de' quali chi porta 100, chi 90 e chi 80 pezzi, e fuori di cinque o sei tutti gl'altri son rifatti, essendo una gran parte di quelli presi a' Danesi nella battaglia del Sundt. Sopra le navi da guerra hanno i timballi (e le lor casse son di rame) coperti con incerati: e benché i pezzi appariscano tutti di bronzo, nientedimeno sono stato assicurato che ve ne sono moltissimi di ferro, dipinti e datogli sopra una tal vernice che regge all'acqua. Di questi son ben provveduti, sì come di cordaggi e vele; stanno però male di monizioni e altri attrezzi da guerra.

I marinari formano tre reggimenti e son provvisionati come i soldati a cavallo, avendo circa a trenta scudi l'anno, che vengon loro dati da otto o dodici contadini. Il grand'ammiraglio comanda ad un reggimento, e i due ammiragli agl'altri due, ed i capitani e tenenti fissi di queste compagnie sono anche capitani e tenenti de' vascelli da guerra.

Due compagnie stanno ordinariamente all'Holm (nel qual luogo, posto sopra tre scogli, ci è l'ammiralità, come nel disegno seguente numero 22), e queste servono in quel che occorre, ed in specie per far salve e cose simili. Gl'altri reggimenti stanno alle lor terre e sono cinquemila persone, delle quali non so se mille sieno state una volta sola in mare, e tutti sono obbligati a venire al servizio ad ogni cenno dell'ammiralità. Non è però maraviglia se sono ignorantissimi, non perché la nazione non sia propria per questa professione, ma perché non sono esercitati, non facendo se non piccoli viaggi per il Baltico e pochissimi in Inghilterra, Olanda, Francia e Portogallo, e quelli che escono dal Baltico navigano per lo più con legni piccoli senza carta, fidandosi d'una tal pratica che hanno nel riconoscere le stelle: ma essendo gente di poco giudizio e il più del tempo ubriachi, di qui è che si possa far poco conto di loro, superandoli in questo i Danesi, poiché, sebbene questi hanno meno mercanzia, hanno bisogno di più vascelli per trasportarla, calcolandosi che per il solo pesce d'Islanda vadano 24 navi l'anno, e nel regno di Norvegia vi faccino 2.400 viaggi.

I capitani ed i tenenti de' detti marinari in Svezia in tempo di pace non hanno altro se non che le divise e quei contadini che mantengano un soldato tutti in comune: gli danno non so se un quarto o mezzo scudo, onde hanno tanti quarti o mezzi scudi quanti sono i marinari nelle loro compagnie, e questo non sempre in danaro ma in caci, burri, pollami e cose simili, il che fa che si proccurano qualche approveccio nel cassare e nell'arrolare di nuovo.

La cancelleria.

Il gran cancelliere del Regno è il presidente del quarto magistrato che si chiama della cancelleria, possedendo presentemente questa carica il conte Magno Gabriello della Gardie, al quale sono aggiunti quattro senatori per assessori, il cancelliere della corte, due segretari di stato della principal nobiltà. Appartiene a questo magistrato tutto quello che riguarda i consiglieri aulici, ambasciadori, residenti, agenti, segretari, referendari, copisti, tanto del Regno quanto quelli che assistono giornalmente alla cancelleria. In esso si formano i decreti, statuti, editti concernenti a' privilegi personali, alle città, alle province e a tutto il Regno, conservandosi appresso il gran cancelliere il gran sigillo, ed il sigillo delle firme ordinarie appresso il cancelliere della corte, oppure, in sua assenza, appresso l'anziano di segreteria: e tutti gl'atti pubblici, prima che si presentino al re per firmarsi, si devono sottoscrivere dal gran cancelliere o suo luogotenente, andando gl'altri sottoscritti dal cancelliere di corte o dal segretario, che gli presentano. Nella cancelleria si distendono anco le plenipotenze, se ne spiccano tutte le spedizioni, si fanno i trattati cogl'amici e vicini. Per essa passano i negozi cogli ambasciatori stranieri, ed insomma ha la direzione totale degl'affari politici, e di più anche in essa si determinano quelle cose che ordinariamente richieggono tutti i senatori, i quali sempre si adunano per mezzo del gran cancelliere in un luogo più appartato della cancelleria. Vi si conservano tutte le scritture, le quali per l'addietro si trovavano tenute molto scarse e confuse per tutto il Regno: perché, in tempo che vi era la religion cattolica, i frati francescani erano allora i segretari ed i cancellieri, non essendovi molti che sapessero fare altro mestiere che servirsi della spada, onde tutte le scritture e registri restavano appresso di loro in vari conventi, tenendogli assai ordinariamente. Ma nello sconcerto grande del cambiamento della religione tutto fu disperso, e molti s'appropriarono quelle scritture che crederono poter loro star bene l'averle piuttosto appresso di sé che ne' pubblici archivi. Di qui nasce la grand'oscurità nella quale sono molte cose del Regno e delle famiglie, al che con gran fatica e pena ha proccurato e proccura di riparare quanto può il gran cancelliere.

L'aver parlato della cancelleria, alla quale, come s'è detto, è commessa l'amministrazione del politico, mi dà congiuntura di trattare degli interessi della Svezia, il maggiore de' quali, sì come il discreto lettore può assai facilmente intendere e pianamente credere, sarebbe la conquista della Danimarca, sì come, all'incontro, della Danimarca sarebbe la conquista della Svezia, con questa differenza: che la Svezia è tanto superiore di forze alla Danimarca che ella da sé sola potrebbe tentarvi sopra qualche cosa, il che non potrebbe farsi dalla Danimarca sopra la Svezia, se non fosse unita con Brandemburg e con

Brunswich, nel quale caso si ridurrebbe la Svezia in grandissime angustie. Il maggior pericolo però degli Svezzesi sarebbe quando conquistassero la Danimarca, perché il re di Svezia averebbe allora comodità maggiore di mettere in esecuzione uno de' modi più facili per rendersi assoluto monarca nel suo paese valendosi dell'armi (come abbiamo osservato) della Danimarca: perché, soggiogata che questa fosse, non averebbe di chi temere che l'investisse nel tempo che gli fusse occupato negli affari del suo Regno, come facilmente potrebbe seguire stando le cose nella forma presente. Se il re Carlo, quando ruppe colla Danimarca la pace poco prima fatta seco con quel trattato che gli portò la provincia di Schonia e Blecking, avesse assediato in cambio di ... Coppenaghen, gli riusciva facilmente d'impadronirsi di tutta la Danimarca, perché era allora quel re disarmato ed occupato in aggiustare quel Regno a suo modo, ed averebbe Carlo potuto allora perfezionare l'opera di ridurre la Svezia a più stretta servitù. Ed è comune opinione che, dopo seguita di nuovo la pace, fosse egli quello che suggerì al re di Danimarca il valersi della congiuntura, per l'armi che si trovavano per la guerra in piedi, per farsi sovrano, sì come fece, non con altro fine se non per fare all'altrui spese esperienza di ciò che egli medesimo, o in un modo o in un altro, disegnava di fare. Onde la cognizione che hanno gli Svezzesi, che ogni progresso del loro re sopra la Danimarca può essere il veleno della loro libertà, doverebbe essere d'impedimento al tentar cosa alcuna sopra quel Regno. Oltre di che, dalle guerre del re Carlo Gustavo si può anco dedurre che generalmente siano inclinati alla guerra solo quanto richiede la necessità e la reputazione del Regno: poiché, potendo questo re raccorre i frutti delle sue armi vittoriose in una pace che gli portava tutta la Prussia e tutto il danaro della Pollonia, e volendo (anzi che contentarsi di ciò) seguitare avanti la sua conquista, facendo venire nello stesso tempo di Svezia la corona per coronarsi re di Pollonia, dal che conoscendo gli Svezzesi che la sua ambizione andava più in là del semplice nome di vendicatore dell'onore della Svezia, si raffreddarono gl'animi loro in quella guerra e conquista; ond'egli vedendosi a risico di perdere la propria reputazione, stimò bene desistere dall'impresa abbracciando l'occasione che impensatamente incontrò di una guerra contro la Danimarca, come quella che per allora scopriva meno la sua ambizione e che era più plausibile al Regno, perché aveva una tale apparenza di necessità per l'attacco che dalla medesima Danimarca veniva fatto. Non per questo però ardirei d'affermare che gli Svezzesi non volessero mantenere una guerra che non avesse altro fine che il conquistare: prima, perché conosco che son poche le massime che si possono stabilire infallibilmente per vere, e che fra le più sottoposte alla variazione sono quelle che si formano intorno a ciò che sia o appare uno stato, potendovi essere infinite cagioni, e nascere mille incidenti bastanti a produrre mutazioni; secondariamente, perché mi convincerebbono l'imprese di Gustavo Adolfo e le conquiste che in diversi tempi si sono fatte, come della Livonia e dell'Estonia sopra i Pollacchi, dell'Ingria, di Kexholm, di Narva e di Neuslot sopra i Moscoviti, e della Pomerania, del Bremese e di Werden nell'Imperio.

Ma quando pure la Svezia volesse applicare all'impresa contro la Danimarca, cert'è che questa potrebbe farla con più vigore e facilità d'alcun'altra: perché, attaccando la Norvegia, ella può inondare sopra questo Regno con tutte le sue forze e senza l'aiuto d'alcuno, mentre i medesimi stati che permettessero al re il fare la guerra lo fornirebbono a' confini delle cose necessarie, delle quali nessuna gli manca fuori del denaro, sì che non resterebbe da pensare ad altro che al modo di far marciare le truppe. Vi sono però le sue difficoltà, come strettezze di passi e la sterilità del paese, onde si rende difficile il mantenimento dell'armate, ché, se sono grandi, manca loro il necessario per la propria sussistenza, se sono piccole possono esser battute da' paesani, gente più robusta e più riposata di loro. Se si considera la guerra contro l'isole, gli costerebbe molto più per ragion del trasporto, mentre non fosse diacciato il mare; e poi si tirerebbono addosso incontinente le forze dell'Olanda, la quale non permetterebbe mai che la porta del Baltico fosse chiusa da così gran potenza, e che tanto diventerebbe maggiore dopo un tale acquisto. Di qui è che si dice non esser capace la Svezia sola di farne da se medesima l'impresa. Ciò nonostante, il morto re fece quel che fece senza assistenza d'alcuno, e benché non facesse tutto fece però assai, e si vedde allora che anche tutto si poteva fare: per lo che non è impossibile che se ne trovi un altro il quale col vantaggio di questi lumi, col credito, co' suoi popoli, e col pigliare meglio le sue misure ponga felicemente ad effetto quel che finora o è stato creduto impossibile o si è vanamente tentato.

Presentemente la Svezia ha pace con tutti, solamente co' Moscoviti corrono pendenze sopra i confini, di niuna importanza però, e da farne strepito solamente in caso che o l'una o l'altra parte cercasse pretesti per far la guerra; per la quale la Svezia è molto forte, sì perché ha buone piazze di frontiera, le quali essi non sanno espugnare, sì perché le è molto facile il trasporto delle sue truppe in Livonia, le quali essendo molto bene disciplinate, prevalgono in campagna a quelle de' Moscoviti che non hanno disciplina. Tutto ciò è vero nella guerra difensiva, giacché quanto all'offensiva non è cosa da pensarci, quantunque per altro molto desiderino gli Svezzesi di allargarsi per quella parte: poiché i Moscoviti abbruciano tutta la loro campagna, avvelenano l'acque e si serrano nelle piazze, le quali difendono egregiamente. Tutto quello che si potrebbe fare sarebbe il prepararsi per quella banda alla guerra: mostrare di volere invadere la Moscovia e poi gettarsi sopra la Prussia, non senza speranza di buon successo, perché l'espugnazione di Danzica non è cosa impossibile a riuscire, stante che le sue fortificazioni non si possono difendere con poca gente, ed il terreno è ottimo per aprire la trinciera. E presentemente la congiuntura sarebbe bellissima, mentre i Pollacchi sono intrigati nella guerra col Turco, la quale gli rende incapaci di porgere assistenza a' loro confederati, né gli lascia pensare ad alcuna delle vecchie pretensioni contro la Svezia, le quali anche furono composte nell'ultima pace.

La Danimarca si vede aliena dal tentar cose nuove senza gl'impulsi o dell'imperatore o dell'Olanda, i quali considereranno prima molto bene se compia loro l'accendere questo fuoco, per il quale la spesa delle legna averebbe a farsi tutta o quasi tutta col loro danaro. Solo dunque nelle congiunture presenti i Franzesi possono far nascere delle novità a questo stato, mentre hanno per il loro partito il gran cancelliere del Regno, che vien considerato come loro mallevadore nelle operazioni della Svezia, tutti i pensionari e creature de' medesimi, che per mezzo di loro essendo entrati in senato vengono costretti a mantenere le medesime massime (questi avendo sopra di ciò, conforme l'uso, dato il voto in scritto, non sono in grado né ardiscono di mutarsi): per altro non vi è alcuno che creda che compla l'esser franzese ed agir per la Francia. Di questo partito, benché egli non sia bisognoso come per lo più i pensionari, è il conte Nils, genero del gran cancelliere: ma ancor egli ha i suoi fini, fra i quali considerabile è quello di mettere in voga il mestiere che arroge maggior autorità al suocero; ma è di maggior considerazione quello che viene dal figurarsi povero e dall'altre conseguenze che ne possono derivare. Il gran cancelliere stimò di fare assai a stipulare ultimamente il trattato colla Francia, e se non lo concepì in termini più chiari in quel che riguarda l'obbligo d'agire, fu perché non credeva di poterlo rendere plausibile altrimenti: lo fece dunque con apparenza del fine unico di conservare la pace dell'Imperio, con animo però d'interpretarlo secondo l'esigenze delle congiunture, come ha sempre proccurato di fare.

Ed al vero ei s'appose nel giudicare che il trattato con la Francia, in termini che costrignessero al maggior obbligo, sarebbe riuscito a molti poco caro ed accetto, poiché quelli del partito contrario non hanno tralasciato di farsi forti, dicendo che per avere i Franzesi rotta la pace di Osnabrugg niun obbligo correva alla Svezia d'operare; che si trovavano le frontiere d'Alemagna deboli; tutti i vicini armati, né potersi sapere quel che fosse per portare la fortuna dell'armi; e che sarebbe di loro se i Franzesi si ritirassero, rotti e disfatti, alla fine della campagna? Doversi radunare il parlamento d'Inghilterra e chiaramente conoscersi dove mirasse l'inclinazione del popolo: onde, se costrignessero il re a dichiararsi del partito opposto alla Francia, che sarebbe del loro commercio? che non farebbono dieci navi olandesi o inglesi all'imboccatura del Sundt? ed a che termine allora si ridurrebbono l'entrate regie, e chi ne risarcirebbe loro il danno? La Francia in questo caso assai farebbe a fornire i sussidi promessi, i quali non sarebbero bastanti a mantenere in Alemagna l'armata necessaria ad assistere i Franzesi e coprire le terre della loro giurisdizione: soccorsi maggiori non potersi sperare, sì perché allora non potrebbono, sì perché ancora, quando la fortuna è loro favorevole, vogliono regolare il tutto a loro piacere, pretendendo di sforzare a quel che loro più torna utile e comodo, e di pagare uomo per uomo come se avessero a trattare co' Tartari. Inoltre, come si potrebbono schermire da una guerra che necessariamente moverebbe loro la Danimarca, Brunswich, Brandemburg ed il Moscovito? In essa non può apportare alcun vantaggio la religione, trovandosi tutte le potenze protestanti congiunte coll'imperatore, anzi il solo ramo cattolico di Brunswich essere co' Franzesi. Aggiugnendo ancora esser pendente per la reciproca sicurezza un trattato colla Danimarca: potersi pure aspettare di vederne l'esito, piuttosto che renderne disperato il successo con una guerra fuor di tempo e precipitosa, che indugiando potrebbe farsi con avere guardato il fianco almeno dalla parte di Danimarca. Doversi anco aspettare il risultato della solenne imbasciata spedita a Vienna per vedere se con maniere amichevoli si potesse lo stesso conseguire: doversi sostenere la mediazione, né doversi deporre così facilmente un carattere che può conciliare stima e rispetto appresso tutte le potenze interessate in questa guerra, per gettarsi in un partito che non si sa di che condizione sia per divenire.

Dall'altra parte il partito franzese non aveva alcuna ragione che potesse agguagliare l'accennate, e forse la cosa si riduceva solo al punto dell'onore e dell'impegno, facendolo un interesse politico del Regno quando che non può esser considerato per tale che da un privato. Accresceva però il vigore a queste deboli ragioni l'ardore e l'inclinazione che ha il re alla guerra, a tal segno che gl'animi stavano sospesi considerando che fine potessero avere le cose; pure alla fine il voto del re ha operato che queste truppe si mandino in Alemagna sotto il pretesto d'assicurarsi da' vicini. E non poco a ciò avrà contribuito il gran cancelliere, il quale è molto avanzato nel credito appresso 'l re e, secondo l'apparenza, sempre più vi si stabilirà, ed a misura secondo che il re anderà assaporando il comando egli crescerà in stima. Il che è stato da lui ben preveduto, e l'ha fatto apparire nell'affaticarsi più d'ogn'altro a far dichiarare il re maggiore, nel quale maneggio si è fatto forte sull'esempio della regina Cristina, che uscì della minorità di diciotto anni, contro la disposizione delle leggi che vogliono che ciò segua nell'età de' ventiquattro. Ci ha però fatto la sua parte la regina madre, alla quale rappresentarono il vantaggio d'avere a depender piuttosto dal re suo figliuolo che da tutto il senato.

La camera de' conti.

Il quinto ed ultimo magistrato è la camera de' conti, a cui il gran tesoriere del Regno (che oggi è il barone Stenone Bielcke) presiede: due senatori del Regno gli sono assessori, altrettanti nobili e due de' più vecchi camerati, un segretario, referendario e notaio; appresso di questi si conserva il danaro, ed a loro si rendono i conti. È loro particolare sollecitudine che si facciano le riscossioni e le spese a debiti tempi, e che l'entrate non si diminuiscano ma più presto s'accrescano: laonde l'ispezione si compete loro nelle cause del fisco e di tutte le cose che si dicono *de regalibus*. Deve essere suo pensiero che le spese bilancino l'entrate e che a suo tempo corrispondano gl'assegnamenti, che la fede pubblica e 'l credito si mantengano appresso i mercanti, acciocché astretti dal bisogno possano essere sovvenuti da loro e provveduti.

Ma perché si possa vedere in un'occhiata in che consistono l'ordinarie spese della corona e quali sieno gl'assegnamenti per farle, porto qui il bilancio dell'anno 1669 e 1670, con la valuta delle monete, per venir poi a discorrere più diffusamente sopra ciascheduna capo dell'entrate.

RELAZIONE DI TUTTE LE SPESE DELLA CORONA DI SVEZIA

FATTE GL'ANNI 1669 E 1670

	1669	1670
	talleri e soldi	talleri e soldi
Per la casa reale	1.339.000,29	131.852,29
Per la vedovanza della regina madre	115.000	115.000
Per quello che si dà alla regina Cristina invece delle dogane, che le furono offerte quando risegnò	9.000	9.000
Per la pensione del principe Adolfo, fratello		

del re defonto	9.000	9.000
Per reggenti e senatori	245.800	203.600
Per il parlamento di giustizia di Stockholm		
	26.000	17.000
Per il parlamento di Jenekoping	14.832	12.834
Per il collegio di guerra	23.250	24.050
Per gl'uffiziali del reggimento della nobiltà		
	5.931,2	5.931,2
Per la cavalleria	204.021,9	204.021,9
Per li dragoni	4.956	4.956
Per l'infanteria	139.042,10	139.042,10
Per l'artiglieria di campagna di Jenekoping		
	9.366	9.126
Per tutto il treno dell'artiglieria e provvisioni		
di quelli che tengono conto degli arsenali		
	35.366	35.366
Per il trattenimento delle guarnigioni	28.445,24	33.203,8
Per provvisioni di piazze e castelli	4.690,6	5.684,20
Per le fortificazioni	43.634	43.634
Per le ammonizioni	75.000	75.000
Per ogni sorte d'appartenenze di guerra		
	15.300	15.300
Per il collegio dell'ammiralità e trattenimento		
dell'armata navale	275.700	275.700
Per la cancelleria	125.550	80.750
Per ambasciatori, inviati e residenti	30.000	30.000
Per la camera de' conti	48.577	42.323
Per il collegio del commercio	11.575	14.250
Per il collegio delle miniere	46.897	51.123
Per le cancellerie	15.897	15.897

Per le spese della caccia	7.340	6.890

Per le provvisioni degl'uffiziali delle dogane

	20.636	20.125

Per le provvisioni degl'uffiziali delle province,

castelli e case reali del dominio del re

	126.750,19	122.204,16
Per il clero	52.482,29	53.118,6
Per il mantenimento delle chiese	22.606,25	22.466,5
Per l'accademie, collegi e scuole	48.576,29	48.576,29
Per spese di spedali	28.188	27.988
Per spese straordinarie	180.000	180.000
Per il collegio delle riduzioni	11.150	11.150
Per pensioni a diversi particolari	19.150	10.000
Per gratificazioni	12.344	9.455
Somma totale	3.401.118,22	2.113.996,14

RELAZIONE DELLE RENDITE DELLA CORONA DI SVEZIA

talleri

La Svezia rende ogni anno ai re	2.367.289
Il principato di Finlandia	353.126

Le province di Schonen, d'Halland e di Blecking, e tutto quello

Che è stato conquistato sopra la Danimarca nell'ultima guerra

	353.279
La provincia di Bohus	6.163
La Livonia	219.262
La Estonia e Ingermanland	44.160
La Pomerania, Wismar e sue dependenze	216.888
Brema e Werden	268.499
Somma	3.945.688

Oltre a questo la regina Cristina gode 225.000 talleri, la qual somma dopo la sua morte deve unirsi alla corona.

Il modo di contare in talleri e soldi è questo: ciascun tallero vale due cristine della moneta corrente di Svezia, e ciascheduna cristina 16 soldi, 56 de' quali fanno una pezza da otto, di modo che l'entrata di 2 anni arriva a 7.891.376 talleri, e l'uscita del medesimo tempo a 5.515.105,14; con che restano liberi ogni due anni 2.376.271,4, che ascende in un anno a 1.188.135 talleri e 30 soldi, i quali ridotti a raistalleri ne fanno 169.734, che vale la medesima quantità di pezze da otto. Da queste si deve dedurre 60 in 80 mila pezze da otto che pagano ogn'anno d'interessi, e le paghe del capitale di molti debiti che non possono far di meno di pagare, perché i senatori vi sono obbligati come persone private, di tal maniera che l'anno 1670 ebbero bisogno (nonostante il danaro di Spagna che s'impiegò a pagar le spese dell'assedio di Brema) di 40.000 pezze, che non furono pagate sino all'anno 1671: ed è cosa certa che è loro mancato molto danaro, perché hanno ritenuto ad alcuni mercanti l'assegnazioni che avevano loro fatte, rimettendogli ai sussidi che sperano ottenere da uno de' due partiti, benché non si sia potuto penetrare il perappunto della quantità della quale hanno aùto di bisogno.

Tutto il sopraddetto bilancio è tenuto a scudi d'argento, e come tale deve considerarsi. La maggior entrata del re consiste ne' tolli, che sono i diritti che pagano all'entrare e uscire le mercanzie del Regno, il che principalmente si ricava di Stockholm, Norkoping, Calmar, Westerwick, e crederei di potere assicurare che questo importi vicino a due terzi dell'entrate del re; dal che si può argumentare che cosa voglia dire alla Svezia una guerra nella quale sia interessata una potenza che possa chiuderle le porte del Baltico, e quanti sussidi stranieri ci voglino per fare il bilancio, non che per somministrare danaro di vantaggio per mantenimento delle milizie. Del resto, toltone questi tolli, non credo che vi sia effetto più liquido e considerabile di quello degl'acquisti d'Alemagna, de' quali il solo stato di Brema passa 340 mila scudi, e di questi 160 mila ne rende una sola striscia di paese d'otto o nove leghe lunga, che è quella parte dell'Arcivescovado da Buxtehude fino al mare. In quest'entrata de' tolli è anco compreso l'appalto del sale, il quale, poiché vien fatto venire di Portogallo da' mercanti particolari, vien contato sotto questo medesimo capo, sì come gli altri appalti del zucchero, tabacco, pesce, catrame, rame e ferro, de' quali si discorrerà più precisamente e più a lungo. Fra questi sono ancora i piccoli tolli, che sono le mercanzie del Regno trasportate da un luogo all'altro del medesimo Regno. I contadini pagano ancora un altro aggravio che chiamano *Exeises*, che è il mantenimento de' marinari, ed altre gravezze ancora, oltre la gabella di tutto quello che mangiano, che è un'imposizione universale, e questa gabella è differente dall'altra chiamata i piccoli tolli.

Vi sono i sussidi, i quali levandosi per ordinario sopra i contadini con un modo assai particolare, ho cercato di saperlo, ed è questo. Prima la nobiltà era franca da' tolli ed il re restava molto defraudato, perché ognuno prestando il nome ai mercanti ed ad altri non esenti, venivano anche questi ad esentarsene con pregiudicio dell'erario regio. Fu proposto alla nobiltà che renunziando al privilegio dell'esser franca da' tolli si contentasse d'aver la franchigia per i propri contadini, il che gli sarebbe risultato (anche servendosene senza fraude) in qualche utile, come appresso si vedrà: onde la nobiltà accettò il partito. Sono i contadini del Regno di due sorti: *Skattebund* gl'uni, gl'altri detti *Frelsebund*. I primi son quelli che hanno terre in proprio, le quali passano di padre in figliolo: questi son obbligati a lavorare le terre del re e dei nobili, mentre li sono stati assegnati diciotto giorni dell'anno, cioè dodici con un cavallo e sei con un uomo, potendosi anco sbrigare in un giorno, se vogliono, lavorando con sei uomini e due cavalli; onde, essendo vicini alle terre d'un nobile, diversi di costoro che sono obbligati a lavorargli le terre si spartiscono tra loro le faccende, concertando chi di seminare, chi di far la raccolta e chi d'aggiustare le terre. Questa sorte di contadini hanno una tassa determinata, che pagano al re e che non può augmentarsi; e questi son quelli che formano il quarto stato e per conseguenza hanno sessione nelle diete, e il loro abito è secondo il disegno n. 9. I secondi, detti *Frelsebund*, son quelli che sono del continuo al servizio d'un nobile, e devono lavorare per lui tutto l'anno, e corrispondono a' nostri contadini poiché, oltre l'obbligo di lavorare le terre che son loro assegnate, devon far tutto quello che bisogna in certo genere al padrone, come sarebbe far vetture, portar acque, e somiglianti, e il loro abito è come nei disegni n. 6-7. Praticano ancora questo: di dare la locazione di quelle terre di nov'anni in nov'anni, con far pagare, per così dire, un'entratura la qual consiste in un bue, in una vacca e in quattro o cinque patacconi, o simili. Del resto sono come affittuari di beni, salvo che in cambio di dare al padrone il suo diritto in danari lo danno in grasce, secondo che sono tassati i terreni che vengono loro assegnati; di più danno quello che chiamiamo «vantaggio», che sarà un agnello l'anno, diciotto o venti libbre di burro, tre o quattro galline. La differenza maggiore e più importante che è tra *Skattebund* e *Frelsebund* è che ne' sussidi che si danno al re dagli stati questi pagano il doppio di quelli, talmente che se si deve dare al re 300 mila scudi dal quarto stato, gli *Skattebund* ne pagano 100 mila, e 200 mila gl'altri; dovendosi avvertire che vi è ancora un'altra suddivisione, cioè che i contadini si considerano in quattro modi, cred'io, secondo la fertilità e quantità delle terre che hanno, come interi, mezzi, quarti e ottavi di contadino, pagando a proporzione tanto le contribuzioni quanto la descrizione de' soldati. E di qui nasce che non si può sapere che cosa cavi il re dall'entrata che tira da' contadini, quanto ne dà alle sue truppe, essendo in arbitrio d'un nobile il dimezzare e considerare ancora in grado inferiore un contadino a suo capriccio, così diminuendogli il fitto e annua ricognizione, o perché la terra rende meno o per carità verso colui per esserli la famiglia cresciuta: ed in tal caso quello viene a pagare al re a proporzione e secondo il frutto che annualmente mena buono al padrone del mezzo o del quarto al quale è stato ridotto, e per far ciò bisogna che vada al *Fogden* del re per far raccomodare, per così dire, la decima; e quei ministri doverebbono pigliare i lor riscontri per ritrovare la verità e fuggire la fraude, ma in ciò seguono molti inganni facendo valere il danaro in pregiudizio del re. Il re non può levarsi tali sussidi sulle terre d'un nobile, ma questi vengon levati dal nobile e dati al re: e qui accade talvolta che i più violenti e più spiantati fanno grand'angherie a' lor contadini, facendosi con quest'occasione pagare di più ed appropriandoselo in util proprio; ma ciò è per abuso, e non deve considerarsi altrimenti che per una violenza.

La franchigia data a' nobili in luogo dell'esenzione de' tolli consiste in che tutti quei contadini, sieno di qualsisia natura, che si trovano abitare ne' dintorni d'una casa nobile senza altre terre estranee che ne gli dividano, son tutti esenti da imposizioni. Questo ridonda in benefizio del padrone, perché è certo che essendo quel contadino sempre miserabile ed appena sostentandosi con la sua famiglia, se non avesse il modo di pagare il sussidio con quello che gl'avanzasse, bisognerebbe che lo pagasse con quello che gl'è necessario per vivere, e alla necessità dovrebbe supplire il padrone se volesse che fusser lavorate le sue terre. È adunque della buona economia del padrone il mettere in tali case contigue le famiglie più bisognose, per sollevarle e per lasciare sottoposti all'imposizioni quelli che hanno più il modo di pagare, per francare nel medesimo tempo sé d'avere a pagare al contadino quello che l'essere nobile l'esenta dal pagare al re. Ma si è così bene intesa questa economia dalla nobiltà, che non solo attendono a questo riguardo, ma per fare a tutti godere del benefizio dell'esenzioni, se si trovano avere venti case di contadini in una terra lontana da quella ov'è la loro casa nobile, vi fabbricano una stalla, e con quattro pennellate di rosso e mettendo sopra la porta la sua arme la dichiarono per casa nobile, cioè per casa da padrone; e così tutte quelle case che prima pagavano al re, con far questo non pagano più, onde son ridotti i sussidi a una somma assai piccola ed un giorno si ridurranno a niente.

Hanno ancora un altro ripiego, quando si trovassero tre o quattro case di contadini separate da casa nobile e che intramezzi altri per le lor terre: poiché a' contadini che stanno quivi danno un titolo di quei servitori che chiamano giornalieri, cioè marescalco, fontaniere, giardiniere, e con questo vengono resi egualmente esenti. Ciascun di questi adunque ha assegnati i suoi terreni o il suo podere: resta la terra nobile, nella quale niuna casa di contadino si lascia essere, ma si dà a lavorare agli *Skattebund* e ai *Frelsebund* più vicini, talmente che a capo dell'anno vengono fatte tutte l'opere, e delle rendite alcun altro non ne partecipa che 'l nobile. Su queste terre non cadon mai imposizioni di sorte alcuna: e questo costume è pregiudiziale all'universale, poiché tutto quello che è terra nobile è a gravame e a sostentamento della povertà, essendo che i contadini non ne partecipano altro che 'l sudore e la fatica; ma questo è un vantaggio e privilegio che in queste parti è permesso alla nobiltà, che sola ne risente il comodo.

Quanto alle terre, sono tutte separate da alcune pietre, di quando in quando, per denotare i confini, e queste pietre si chiamano *Roer*: *Roer*, cioè termini. Ora, i contadini rinchiusi dentro i *Roer* di una casa nobile son gl'esenti dall'imposizione degli stati, se non in quanto è in arbitrio de' padroni l'esiger talvolta da essi in proprio qualche ricognizione: e i cattivi economi, anzi dissipatori soglion fare al contrario della buona regola ponendo nel distretto de' Roer i contadini più ricchi per poterli maggiormente spremere e tassargli, e verbigrazia per salvargli di pagare nelle diete dieci al re, farsene pagare otto o nove in proprio; e gli *Skattebund* ceduti a' nobili dalla regina Cristina e da altro re sono passati alla loro giurisdizione con gli stessi carichi e privilegi che avevano sotto la corona, talmente che l'acquisto fatto da' nobili è che in cambio che lavorassero per le terre del re quei diciotto giorni l'anno, gli lavorano per loro, sì che hanno acquistato propriamente tante opere.

Il resto delle finanze consiste in quello che si esige ogn'anno da ogni borgese, il che si fa senza alcuna regola, ma a discrezione, essendo tassati a proporzione di come sono giudicati ricchi, e si può calculare che un mercante di mezza riga n'esca con quaranta talleri, ed il pubblico si contenterebbe che tutti pagassero in detta conformità.

Le rendite delle terre regie, che una volta erano di qualche considerazione, ora la regina Cristina l'ha ridotte a pochissimo: e fra le tasse d'uomini e di bestiami, e fra i sussidi che dà il paese, non credo che si possano ragguagliare lire cinquantamila.

Oltre le dette entrate vi sono quelle degl'appalti, i quali sono del zucchero, del tabacco, de' cannoni e godrone, della pece e catrami, e del sale. Quello del zucchero è il più rilevante ed ancora il più regolato. In quel del tabacco vi sono interessati il ciambellano del re ed un altro cavaliere di corte, oltre alcuni mercanti, che in tutto fanno il numero di cinque o sei. Mi par che paghino cinquantamila talleri di questo paese. Il negozio de' cannoni è per privilegio della vedova del vecchio *Rustmester*, Anna Maria Guldenklou: consiste in quei cannoni che si caricano a Stockholm e si trasportano fuori, perché per quelli che si fanno in altri luoghi della Svezia e si caricano in altri porti pagandosi solo secondo le tariffe del re, resta il traffico libero.

Quelli che hanno l'appalto del godrone sono diversi mercanti particolari, ancor essi da cinque o sei: tutto quello che viene di Finlandia si porta a Stockholm, e però è sottoposto all'appalto. A Calmar e Ostervick pure se ne carica, ma in questo, che anco è migliore di Finlandia, non hanno punto che fare gl'appaltatori.

COMMERCIO E MINIERE

Il negozio della pece e catrame, che sul principio fece tanto bene, è al presente caduto, e per riconoscerne le cagioni bisogna farsi un po' più da lontano. Questo è stato da ventiquattro anni in qua con un fondo di centomila raistalleri nelle mani d'una compagnia, la quale ebbe la sua patente dalla regina Cristina nell'anno 1640, allora confermatagli dal parlamento, e dopo da due re successivi e loro parlamenti. Il privilegio della compagnia si stende a tutta la Finlandia, Norland e le parti dell'oriente e del nort della Svezia, dove si fa tutto il miglior catrame, con obbligo agl'appaltatori di pigliarne quanto n'avessero somministrato i detti luoghi. E perché era d'una tal quantità che per supplire a' bisogni d'Europa tutto poteva avere spaccio, fu sul principio con sommo lor vantaggio, di modo che ne' primi dieci anni raddoppiarono ogn'anno il capitale, finché, venendo loro somministrato da' luoghi sottoposti all'appalto otto o novemila tonnellate l'anno, dove prima ne fornivano cinquemila, ne cominciarono ad avere troppo gran quantità. Appunto in quel tempo sorsero nuovi pretensori a quest'appalto, e lo cercarono con gran premura, come quelli che non erano informati del pericolo imminente per la troppa abbondanza, onde riuscì a' primi il disfarsene e vendere alli nuovi tutt'il loro catrame, che consisteva in diecimila tonnellate. Di più a' medesimi furono lo stesso anno somministrate da' paesi appaltati altre diecimila tonnellate, talmente che restarono sopraffatti dalla copia della mercanzia, per pagare la quale fecero tanti debiti che non hanno potuto fino a quest'ora rimettersi. Inoltre, essendo ogn'anno eccessivamente caricati ed avendo così durato con incredibil danno della compagnia per lo spazio d'anni dieci, furono alla fine sforzati nel 1669 a supplicare S.M. di voler limitarne la quantità: che fu loro concesso dal re, e provvisto che da quelle province non si mandassero che cinquemila tonnelli l'anno di catrame ed intorno a seimila di pece, che dovessero riceversi dagl'appaltatori e pagarsi a danari contanti a ragione di ventitré talleri per tonnello; di più, il re alleggerì loro l'aggravio riducendolo a dodici talleri meno per tonnello di quello che pagavano per avanti. Con questi privilegi speravano di risarcirsi dentro a qualche poco di tempo: e veramente ne hanno spacciato una gran quantità, sì del vecchio come di quello che continovamente vien loro somministrato; con tutto ciò non si sono rimessi e restano sempre indebitati, e dentro e fuori del Regno.

Ciò ha dato motivo alle querele di molte città e province appaltate, ed ha facilitato la licenza ottenuta mesi fa dal signor Giacomo Simple di poter estrarre in tre anni tremila tonnelli di catrame e cento di pece; al conseguimento della qual concessione, per altro molto pregiudiziale all'appalto, hanno assai contribuito due o tre personaggi principali guadagnati da lui, ed anco gl'ha non poco giovato l'aver ceduto ad una pretensione che aveva sopra la corona di quattromila lire sterline. Questo è quello che ha ridotto gli appaltatori all'ultimo sterminio e gl'ha fatto perdere affatto il credito, di modo che, se non si revoca la concessione del Simple, saranno sforzati a disdire l'appalto e restituire, nella confusione delle cose presenti, la patente ad intraprendere tutto il negozio del catrame e della pece; e credesi che in un modo o in un altro si terminerà innanzi che il parlamento del prossimo mese d'agosto si raduni.

Oltre a' sopraddetti luoghi vi sono ancora altre città nelle parti meridionali della Svezia che non sono state sottoposte alla compagnia e dove si fa milledugento tonnelli di catrame e pece, come a Gotteburg, Calmar, Wiburg, Westerwick ed isola di Gotland. Ma questo catrame non è molto buono per i vascelli ed è inferiore a quello della compagnia a ragione di sedici per cento, e spacciasi la maggior parte a Brema e ad altri luoghi della Germania inferiore. Ne' tempi andati si abbruciava poco catrame in quelle parti, ma da dieci anni in qua sono arrivati a consumarne la quantità accennata di 1.200 tonnelli: bene è vero che consumandosi in tal modo i loro legnami, che sarebbono il caso per la fabbrica de' vascelli, si crede che ciò darà causa a una proibizione o almeno limitazione in una quantità minore. Egl'è però da sapere che il catrame, il quale ora si ritrova in Svezia, in Inghilterra ed in Olanda non venduto, sarà intorno a diecimila tonnelli meno che non era quattro anni sono, in Inghilterra non vi essendo presentemente seicento tonnelli, non sufficienti per un mezz'anno, in Olanda duemila, dove solevano averne quattromila d'avanzo, e in tutta la Svezia più di seimila, che altre volte ne aveva un magazzino di sedicimila.

Questo è lo stato in che si trova adesso la compagnia del catrame e pece, di modo che non vi può mai essere una più bella congiuntura per pigliarne l'appalto. Se gli Olandesi lo pigliassero, potrebbero gl'Inglesi per ripiego cavarlo da quei luoghi spiccolati della Svezia e Norvegia. Ma in caso che l'Inghilterra v'applicasse si ridurrebbero gli Olandesi in cattivo grado, mentre ne consumano essi ogn'anno il doppio più di quello che fanno gl'Inglesi a causa delle lor flotte d'aringhe e d'altre per la Groenlandia, Russia e mare Baltico; sì che si verrebbe ad incomodar molto il loro commercio e se ne caverebbe grand'utile col venderlo loro a prezzi esorbitanti. Ne risulterebbe vantaggio ancora all'Inghilterra per la navigazione, giacché bisognerebbe impiegarvi molti vascelli e centinaia d'uomini, per esser quella una mercanzia che occupa molto luogo, e si troverebbe di più il Regno sempre provvisto a buon mercato, tanto in tempo di pace che di guerra, con accrescimento considerabile dell'entrate regie per l'utile che le dogane ritrarrebbero dal negozio che tutto si farebbe in Inghilterra. Per quest'appalto, che dovrebbe durare lo spazio di sette anni, basterebbe un capitale di trentacinquemila lire sterline; e dovendosene pagare al re di Svezia cinquemila l'anno, che è il doppio di quello che se n'è pagato per addietro alle dogane, è probabile che si spunterebbe la proibizione di far catrame nelle parti meridionali della Svezia, o almeno che se ne limitasse la quantità con includer l'articolo del contratto.

L'appalto del sale non è costituito in una forma tanto ordinata quanto è quella de' sopraccennati, poiché in esso non è determinato il numero degl'interessati, né è propriamente una compagnia ma un negozio di burgesi particolari, i quali partecipano a misura della parte che hanno sopra i vascelli che lo conducono, ed è necessario che sieno burgesi giacché le navi svezzesi non possono appartenere a forestieri. Il re ne cava i suoi diritti ordinari ed il sale si vende più o meno secondo l'annate. Tutto il sale vien condotto di Portogallo, non entrandovene punto di quello di Francia, benché non sia proibito, non per altra ragione che per essersi cominciato a questo modo. I vascelli che vanno per esso in Portogallo godono l'esenzione d'esser franchi, privilegio conceduto loro perché sono grandi e però abili alla guerra, nella quale son obbligati a servire alla corona secondo che la congiuntura o 'l bisogno lo richiede; e sebbene vi sono degl'altri vascelli piccoli inabili alla guerra, i quali godono questo medesimo privilegio, ciò segue per abuso o perché qualche signor principale vi è interessato, e per bisogno d'accrescerne il numero.

Anche le compagnie degl'altri appalti hanno il medesimo privilegio di franchigia; è però necessario di sapere che per questo privilegio di franchigia non s'intende che godano un'intera esenzione, ma solo una diminuzione o defalco dagli aggravi ordinari, consistendo in pagare, per ragione di esempio, dieci quello che i forestieri pagherebbero sedici.

Oltre la detta franchigia ve n'è un'altra per la quale i vascelli che ne godono sono considerati come mezzi franchi, poiché pagano minor dazio de' vascelli stranieri, e maggiore di quello che pagano li franchi: questi sono di burgesi, i quali portano il stendardo o passaporto di Svezia a loro soli conceduto, e fu introdotta questa differenza nel traffico con privilegiare i soli vascelli svezzesi intorno al 1667. Al che poi ne' trattati di commercio non s'è provveduto: ed allora né gli Inglesi né gl'Olandesi reclamarono, per esser fra loro in guerra, e la Francia, benché oziosa, stette cheta. Fra gli altri motivi della detta innovazione fu quello d'allettare a pigliare la burgesia, abilitandovi però anco i forestieri, purché dieno due mallevadori per sei anni di pagare i carichi della città, passati i quali sono liberati dalla loro obbligazione, ed al nuovo burgese resta la libertà o di continuare o di rinunziare alla burgesia, la quale porta il solo obbligo della religione.

Di tutto il numero de' vascelli che fanno il commercio di Svezia (e questi sono stati comprati la maggior parte da Olandesi o Inglesi da 20 anni in qua, che cominciarono a navigare con vascelli propri), quelli che appartengono a padroni svezzesi sono meno della metà, il resto è quasi tutto di forestieri che hanno preso la burgesia: di questi la maggior parte sono Olandesi, gl'altri Lubecchesi, Amburgesi e di Pomerania, qualcheduno Danese, ma pochi, poiché loro non estraggono altro dalla Svezia che il ferro, uno o due Inglesi, niun Franzese. Sono pochi gl'Inglesi che pigliano la burgesia, per tre ragioni: la prima, per la grand'avversione che hanno a quel paese; la seconda, perché sotto il finto nome di burgese possono fare il medesimo come se fossero tali; e la terza è per l'obbligo che vi è di lasciare un terzo del loro avere nella città di Stockholm quando van via, dal quale è molto difficile di sottrarsene perché si dà ordine a tutti i burgesi con i quali hanno contrattato, di mostrare i loro libri, e secondo che da quelli apparisce si giudica degl'utili fatti, e per conseguenza ancora dell'avere e del capitale.

Hanno ora gli Svezzesi rinnovato molte gravezze sopra i mercanti forestieri, perché così sperano di far il trattato e regolamento del commercio (che si doverà fare tra un anno) più vantaggioso. In primo luogo è uscito un bando che nessuno straniero possa negoziare più di due mesi l'anno in Svezia, salva però l'elezione de' mesi: la fine di questo bando (oltre la mira d'allargare la burgesia, per la quale non mancano d'attenzione) è stata l'arricchire parecchi burgesi principali, i quali hanno capitali del loro e vogliono obbligare anche i più poveri bottegai a comprare le lor mercanzie col danaro contante, dove li forestieri gli facevano tempo un anno. Costoro fanno come quei cattivi economi i quali, invece di tener bassa e corta la vigna nuovamente piantata ad effetto che faccia piede, cominciano il secondo anno a potar lungo, e per un poco d'utile presente non hanno alcun riguardo al mantenimento.

È poco che sanno quel che sia commercio, e perché hanno d'avanti agl'occhi l'utile che ne riporta l'Olanda e l'Inghilterra, non possono darsi pace che non riesca altrettanto a loro; aggiungasi che sempre hanno del bisogno, il che fa che tirano ad ogni piccolo guadagno, ancor che in erba. E invero il considerare l'avanie che fanno a' forestieri è cosa da stupirne, se non che questi trafficano cogl'Inglesi, cogli Olandesi e co' Franzesi giusto come un giocatore di vantaggio giuoca col cucciolo: gli mena buono tutto quello che vuole, ed egli con tutto ciò non perde se non quello che vuole. Questi vantaggi gli sono stati permessi perché, quando hanno cominciato a darsi al commercio, ognuno gli considerava per una nazione capace di conquistare l'universo ed ognuno, con apprensione di poterne aver bisogno, gli faceva il ponte d'oro; ed ora non gli fanno riforme perché pigliano il vantaggio sopra la lor goffaggine e si ricattano ne' prezzi. Questo però torna meglio a' Franzesi che agl'altri, i quali portano bagattelle da tassarsi più ad arbitrio che non sono i panni ed altre simili cose; inoltre, perché consistono le loro mercanzie in miscee e piccole cose, più facilmente le frodano per la comodità del nasconderle, ed ancora perché sono i prediletti, la ragione di che ha la sua sorgente da altra natura. Se una volta si vorranno impacciare cogl'Italiani, bisognerà che s'accordino a farla un po' più al pari, perché l'Italia non se ne può servire per i suoi smargiassi, essendo troppo lontani, e perché gl'Italiani non essendo così facultosi come i Franzesi, Inglesi ed Olandesi, non possono accordare così larghe condizioni come gli sono state accordate dalle sopraddette nazioni e specialmente da' re di Francia e d'Inghilterra, i quali con poco incomodo hanno potuto fare i generosi sopra li averi de' loro sudditi.

Svian pertanto in questa maniera il loro negozio, e questo pregiudizio all'universale è cagionato da alcune poche case svezzesi, le quali vorrebbono assorbire tutto, e per forza di danaro guadagnando chi bisogna conseguiscono l'intento loro.

Quantunque però usino gran rigori e che mettino alle mercanzie gravezze esorbitantissime, a tal segno che ve ne sono di quelle (come sono i nastri rasati) che pagano quaranta per cento, che è veramente il più, e che il meno sia dieci per cento, nientedimeno si può calculare che una mercanzia per l'altra non ecceda in realtà gli otto per cento.

Considerate tutte le sopraddette mercanzie che la Svezia manda fuori o che riceve, si fa il conto che ella, oltre il baratto di esse, abbia di bisogno ogni anno d'arrogere un milione di contanti: e che sia il vero, in dodici anni da diverse corti d'Europa hanno tirato tre milioni d'oro effettivi, eppure ad ogni modo ve n'è una scarsità grandissima, onde mi pare che si possa dedurre che il contante si estragga.

Da dieci anni indietro avevano molta argenteria, catene d'oro, gioie, insomma le spoglie dell'Alemagna: ora il tutto è consumato, perché non bastano neanche i sussidi esterni e vi bisognano i capitali per supplire a' viaggi della gioventù, alle mode ed al lusso introdottovi dalla prodigalità della regina Cristina. Ed è tanto vero che non v'è danaro, che in tutta la Svezia non v'è alcuno che si possa chiamare mercante banchiere, non ci essendo chi faccia negozio di danaro contante e chi dia e pigli per mestiere somme considerabili. Un mercante olandese non ordinerà ad un mercante svezzese che paghi molto danaro, se non sia suo creditore, oppure gli ordinerà che se ne rivaglia prontamente in Amburgo o altro luogo a lui comodo.

Bisogna considerare costoro per mercanti particolari, ciascheduno secondo la sorte della mercanzia che traffica, non vi si trovando dieci case che con danaro effettivo possano comprare mille scudi di mercanzie. Pigliano ordinariamente ogni cosa a credenza, il più delle volte dagli Olandesi, i quali più dell'altre nazioni hanno il modo di mettersi al coperto per cavar loro la maggior parte delle mercanzie di Svezia. Che se per fortuna alcun mercante arriva a fare qualche ricchezza, si fa subito nobile, e sebbene alla nobiltà nuova è permesso il trafficare senza pregiudizio, nientedimeno difficilmente possono continuare poiché il danaro che dovrebbe impiegarsi nel negozio viene speso nel mantenimento del posto, o sia in fabbricare o sia in comprar terre, oppure in altre cose che si richiedono a far figura di nobile.

Per riparare a siffatto inconveniente e impedire l'estrazione di tanto danaro vorrebbero introdurre delle manifatture, sì come fanno: ma ciò non basta, mentre ancora non possono supplire al bisogno della corte, e spezialmente in materia di panni, che è quello di che hanno più bisogno. Lyonancher, che è quello il quale ha fatto il partito con la corte di fornire tanto panno che possa servire per i soldati e per le livree a un certo prezzo, non può riparare al bisogno, onde compra dagl'Inglesi intorno a diecimila ale d'Inghilterra de' loro panni, facendo pagare al re il panno svezzese, per quanto dicono gl'Inglesi, allo stesso prezzo che egli paga quello d'Inghilterra, il quale fa passare per panno meglio lavorato per servirne gl'uffiziali ed altre persone di conto. Se a questo mercante non manca il danaro, potrà per altro far qualche cosa, avendo i tessitori e le altre maestranze a bonissimo mercato. Nel collegio del commercio è stata portata ultimamente una pezza di panno inglese per lavorato in Svezia, secondo quello che suppongono gl'Inglesi: né pare fuori del verisimile la loro supposizione (potendovi essere interessati de' signori di condizione, o per essere associati al negozio o per essere stati guadagnati), poiché il panno svezzese è pessimo, non ha corpo e, bagnato, rientra moltissimo, né è buono che per la gente ordinaria, mentre per fabbricarlo si servono delle lane d'Alemagna, incapaci di far panni fini per esser dure e intirizzite come crini di cavallo.

Il mercante sopra nominato ha per privilegio di non pagar dazi di quello che impiega nella sua manifattura, onde di tutto ciò che a questo fine s'introduce il re ne perde i tolli, e di più sente il pregiudizio di pagare il panno svezzese al prezzo del panno inglese; e di vantaggio ancora perde i tolli di quel panno forestiero che di più s'introdurrebbe quando non vi fosse la detta manifattura. È però vero che in questo modo si dà animo e s'abilitano i sudditi a poter fare senza i forestieri e si trattiene anco il danaro nel Regno. Mi pare che un anno per l'altro questo mercante venda panno per sessantamila scudi, e può far certo capitale di duecento scudi la settimana per pagare le maestranze, le quali si può dire che ne cavino il puro sostentamento della vita, ed anco stentato. Certe donne che conciano la lana, feci il conto che guadagnavano intorno a tre crazie il giorno; altri hanno il vitto e il vestire, come quelli delle manifatture dell'ottone di Rosenstroom. Non gli si fa però gran torto, perché gli Svezzesi sono i nemici della fatica, e per voler che lavorino è necessario che crepino del bisogno.

Si sono anco introdotte altre manifatture, le quali consistono in calzette all'inglese e ricami alla franzese: lavorano l'oro, lo filano, conducono la seta dalla trafusola fino a fare i velluti, mezzi velluti, telette ricche, dommaschi, taffettà, che in verità riescono pessimi e diseguali; fanno il canutiglio e *cammellotti*. I velluti sono assai buoni, ed il mercante nominato il Finese ne è buon maestro: cede però alla fabbrica di Utenhoff, al quale mi pare che i fautori di Lyonancher tentino levare i privilegi. Fu ancora introdotta la concia delle vacchette all'usanza di Moscovia da quei villani che dopo le ribellioni si ritirarono in Ingermanland; i medesimi hanno fatto conoscere quanto per innanzi si mandasse male di legno di querce, che si tagliava per fare i tonnelli, avendo essi una particolare attenzione d'andare a' versi del legno, nel qual modo si cava lavoro quasi la metà più che a tagliarlo come facevano prima senza tale avvertenza: ciò dependeva dal primo colpo d'asce, il quale dato non era più reparabile lo strazio. Qualche poco di vacchette si comincia a fare a Norkoping e a Narva, ma non è cosa che faccia corpo ed al più servirà per il paese, e saranno sempre più care di quelle che costano ad Arcangiolo.

Veniamo ora al forte del commercio di Svezia e vediamo che cosa ella somministri agli altri paesi. Il commercio del Baltico è importantissimo, uscendo di là, oltre le altre cose, gran parte di ciò che è necessario ad armar vascelli da guerra, tanto che le maggiori potenze marittime n'estraggono il mantenimento primario delle loro flotte. Esce dal Baltico ferro, rame in rosette, fil d'ottone, cannoni, chiodi, canape, legni di querce di Pomerania (ed ecco il disegno della dogana, ove tutta questa roba si scarica), perché quella parte che esce di Norvegia è di poca considerazione e serve appena alla decima parte del bisogno. Si cavano bene di Norvegia i sapini per fare il fondo de' vascelli, riuscendo questo legname il migliore per quella parte che sta sott'acqua. La Livonia fornisce canape ed alberi, e quelli per i vascelli maggiori si cavano bonissimi di Gotteburg.

Ora il commercio del Baltico, tanto necessario, come s'è detto, può considerarsi in gran parte degli Svezzesi, mentre in mano loro sono tutti li porti di maggior rilievo, toltane Danzica e Lubecka, perché Mecklemburg non ha altri porti di conto fuori che Wismar, che è nelle loro mani, e nella Curlandia non se ne considera alcuno. E perché per il Baltico si conducono gli grani e le biade della Pollonia che servono all'Olanda, di qui è che gli Svezzesi si rendono molto più necessari agli Olandesi, a' quali potrebbero torre il pane, che gli Olandesi agli Svezzesi: potrebbero impedir loro solamente il sale che gli viene di Portogallo, mentre di questo se ne potrebbero provvedere ancora in Danzica; è ben vero che quello di Portogallo è migliore per salare le carni. Onde, se gli Svezzesi si rendessero padroni di tutto il Baltico, sarebbero più rispettati da quella potenza, a cui il commercio di detto mare è tanto necessario. Non mancano per altro di provvedere a lor medesimi, e proccurano per ogni strada di accrescere il loro commercio, e per distruggere quello di Brema e condurlo a Carlestatt, piazza reale due leghe sotto alla medesima Brema, hanno levato un dazio che vi avevano: ed a mio vedere ciò gli riuscirebbe anco più facile se il re si disponesse a concedervi libertà di coscienza. Coopera al fine di condurvi il negozio la comodità che hanno i vascelli grossi di condurvisi carichi, il che non possono fare se non a due leghe da Brema: e di più, perché quivi entrano con una marea e con l'altra escono; facilità e comodo che esperimentano di quanto utile gli sia nel trasporto che fanno de' loro effetti del Bremese, che in una marea portano in Amburgo e gli vendono al prezzo che vogliono. Onde per questa considerazione è da credere che la Svezia si interesserà nella conservazione di Amburgo, nel quale luogo troveranno il conto loro fin tanto che sarà libero e grande.

Il porto di Carlestatt è buono e si può dire una delle migliori cose che gli Svezzesi abbiano fatte, benché in sustanza non senza ragione alcuni lo giudichino da farne più capitale per piazza di guerra che di commercio, sì perché la fede degli Svezzesi non alletterà mai i mercanti più di quella degli altri potentati, i quali non si trovano così spesso in bisogno, sì perché ci vuol molto a fare che uno si risolva a lasciare il luogo dove è già stabilito per andare a stare in altro paese sotto leggi non conosciute; soggiugnendo ancora questi tali che Carlestatt è fondato in un luogo stato altre volte inondato dal mare, e perciò sottoposto sempre al medesimo pericolo. Nonostante le dette attenzioni presentemente il negozio è per la maggior parte in mano agli Olandesi, calculandosi che due terzi delle mercanzie che entrano ed escono appartengono a negozianti d'Amsterdam, e di quivi si spandono per tutta l'Europa: e del danaro che si piglia a cambio pure i due terzi si tirano su' mercanti d'Amsterdam, e non ci sarebbe riscontro nessuno, fuori che per Amsterdam ed Amburgo, di fare un cambio con quei luoghi ove contratta l'Italia, e forse in un anno non si troverebbe per cento scudi. Ed è da avvertire che oggi in Amburgo e nelle altre città d'Alemagna si cambia sulla regola della moneta di Lubecka, facendosene menzione nelle lire di cambio, dicendo per esempio: 1.000 raistalleri a trentadue soldi di Lubecka.

Si fa questo gran negozio di dare a cambio agli Svezzesi, per l'azzardo che questi fanno di creder più che altra nazione, e per altri vantaggi che ha il mercante olandese: perché, quando il mercante svezzese manda all'olandese una nave per suo conto, gli manda la fattura e, secondo che ha bisogno di danaro, fa la mercanzia più a buon mercato, non potendo aspettare di venderla a miglior congiuntura. Il mercante olandese, subito che sente uscita la nave da Dalerham, l'assicura, ed assicurata che ell'è piglia la mercanzia, la quale per l'assicuramento già non può più perdere, e paga il prezzo che gli ordina lo svezzese. Ora quello ha primieramente il vantaggio nella mercanzia per averla pagata anticipata, e l'altro, oltre questo danno, soffre ancora quello dell'assicurazione. Se poi manda la mercanzia in conto proprio, perde, oltre la provvisione ordinaria, il mezzo per cento il mese, che paga per il comodo del danaro anticipato, col quale solo traffico si sono in Amsterdam molte case arricchite a segno considerabile: in questo modo ha fatto la roba Tripp, mercante d'Amsterdam, ed a ciò alludono i cannoni e palle d'artiglieria che sono di bassorilievo sul cornicione della sua casa, la quale, a non saperne il misterio, si giudicherebbe del Ruyter o del Tromp.

Tanto dunque perde lo Svezzese sulla prima nave che manda di negozio, e quel poco danaro che gli viene nelle mani è subito di nuovo impiegato in altre mercanzie, sulle quali, per avere il danaro pronto per continuare il traffico, vi perde ancora, ed intanto egli non ha mai nelle sue mani danaro: e questo è il vantaggio che riceve la Svezia dalla facilità degli Olandesi. È però vero che alle volte gli Olandesi ci rimangono col loro troppo fidarsi, e arriscano delle mercanzie di Svezia, e non possono sfuggire di non star sotto a grossissime somme: ed allora bisogna che vadano senza misura e discrezione. Ma non si può far altro, e chi vuoi negoziar con Svezzesi è necessario che si riduca ad aver pronto anticipatamente il danaro, cioè si riduca a prestarlo in sustanza a sei per cento l'anno, col pegno in mano delle mercanzie, per pagarsi del ritratto delle medesime.

Hanno gli Olandesi un altro vantaggio, che è quello di noleggiare con i loro vascelli pigliando il nome d'un burgese, al quale danno un tanto per alleggerirsi gl'aggravi sotto quel nome, essendovi alcuni mercanti che non fanno altro negozio. Ecco quello che salva di molto gli Olandesi e contribuisce a fargli star cheti agl'aggravi che nella Svezia sopportano i forestieri: perché sotto sopra il pubblico sta in capitale, poco importandogli pagar più per un conto e guadagnare col farsi noleggiatori delle mercanzie dell'altre nazioni, riducendosi tutto a battezarsi per svezzese. Questa è un'industria praticata solamente dagli Olandesi, e tutti gli svantaggi allegati dagli Inglesi consistono nella loro disapplicazione e negligenza in aguaglio degli Olandesi, i quali per la propria abilità al commercio non cedono ad alcuna nazione.

Su questo consiste il maggior fondamento del commercio dell'Olanda colla Svezia, mandandovi poi anco, ed avendovi grande spaccio la sua tela fine, venendole dell'ordinaria d'Alemagna per via di

Lubecka e d'Amburgo, e della grossa ne vien lavorata nel paese, ove hanno poco lino; ma ne vien loro una buona parte di Livonia, sì come anco di Riga e di Reval. Quanto al panno d'Olanda, non è in grande stima, messo a terra dall'uso di quel d'Inghilterra, del quale se ne spacceranno venti pezze, per così dire, a proporzione d'una di quel d'Olanda. Il panno grosso per la gente ordinaria si fabbrica nel paese e si chiama *walmar*: della cocciniglia ve ne vengono poche libbre d'Amsterdam, d'onde viene anco del zucchero, sì come d'Inghilterra e d'Amburgo, e qualche poco col sale di Portogallo, e lo raffinano nel Sudermalm. Vengono d'Amsterdam ancora delle drapperie di seta, benché vi abbiano poco smaltimento, poiché han solo spaccio nella città di Stockholm. I mercanti che lo pigliano sono tardissimi a pagare, e se promettendo fra sei mesi sodisfanno fra un anno si considerano per puntuali: la ragione è perché l'uso di simil mercanzia è solo per la nobiltà, dalla quale si esige difficilmente il danaro, talvolta per non volere, ma il più per necessità. Drappi a opera da loro chiamati broccati pure vi si mandano d'Amsterdam, con la maggior parte delle pezze di seta lisce. Il negozio delle stoffe fiorite che vengono d'Amsterdam è nelle mani degli Svezzesi e Alemanni, i quali commettono tutti in Olanda, non s'impacciando con simil mercanzia di Francia, come quelli che avverebbero scapito in concorrenza de' Franzesi, e non troverebbono i partiti che per i tempi de' pagamenti trovano cogli Olandesi.

Queste mercanzie, come si riconosce dalle lor tariffe, sono sottoposte a grossissimi dazi, ma si chiude gl'occhi e vi si fa bottega a spesa del re, al quale però torna per un altro verso rendendosi in tal maniera maggiore il traffico. La maggior parte degli olii, che sono di Spagna e d'Italia ed in particolar di Maiorca, vengono d'Amsterdam e qualche poco di Portogallo co' vascelli che portano il sale: il consumo è pochissimo servendosi del burro, a segno tale che a mandarvi, per così dire, olio per valuta di venti raistalleri si troverebbe intrigato e averebbe de' fastidi a salvarsi. D'Amsterdam hanno eziandio le spezierie e l'acquavite, della quale ne viene ancora di Bordeaux e d'Amburgo in tempo di pace; gli speziali svezzesi fanno ancor essi dell'acquavite, ma cosa di regalo e non fa corpo, e fra questa poco si servono di quella d'anici, de' quali n'è poco consumo. Manda l'Olanda anco del nastro fatto *au moulin*, col quale instrumento un uomo solo ne fa quantità grande, e vi manda delle calzette che ivi si fanno come in Inghilterra: il nastro però, la maggior parte, anzi dirò più de' tre quarti vien fornito dalla Francia, e questo è lavorato al mestiere o alla mano ed è per il più di seta, a opera o liscio. E queste tali mercanzie hanno pure, come s'è detto, gabella grossissima, benché la maggior parte venga frodata.

In secondo luogo si considerano gl'Inglesi, de' quali presentemente non ve ne sarebbe alcuno che non s'obbligasse ad andarsene se potesse ritirare i suoi crediti: ma il non poter ciò fare, e la speranza di migliorare le presenti dure condizioni gli trattiene, non essendo più come da principio che anco gl'Inglesi, per la scarsità de' vascelli svezzesi, godevano del vantaggio nel noleggiare. In che stato essi in oggi si ritrovino si può argomentare dall'essersi veduto che Coventrey, quando fu quivi ambasciatore, facendo una grandissima spesa pigliava tutto il danaro da due case di mercanti inglesi; e l'inviato presente venendo d'Inghilterra con Shualswenk, che era il primo mercante di questa piazza, gli dette in Londra 400 lire per averle in Stockholm subito arrivato, oppure dieci giorni dopo: stettero cinque settimane in mare, e dopo questo spazio arrivati al termine di dieci giorni, si lasciò rivedere con 40 lire, poi con 60, poi con 30, ed in sustanza stette sei mesi prima di ritirare il suo danaro. Per non far torto alla nazione s'accostò prima, in altre occasioni, ad un altro mercante inglese; alla fine è stato forzato risolversi far capitale di Duflon, come fa sino al dì d'oggi. Non è dubbio che i mercanti inglesi diranno che fa loro torto, e che potrebbon servirlo colla stessa puntualità, ma egli sa molto bene che non farebbon diversamente da' primi. Quanto vi è di buono è che al tempo d'un nuovo trattato gli compenserà questo torto presente, producendolo per argumento del poco guadagno per procacciar loro vantaggio maggiore.

Procede loro tanta grande scarsità di danaro perché, quando i mercanti inglesi danno le loro mercanzie, non vengono pagati che fra sei mesi o un anno, ma quando vogliono mercanzie del paese bisogna che sborsino prontamente il danaro. Anzi molte volte nemmeno riscotendo al tempo determinato, sono costretti a tenere impiegato sempre il danaro che tirano d'Inghilterra nelle mercanzie che mandano fuori di Svezia, di modo che il danaro che hanno per supplire a ciò che portano di mercanzie, meno di quello che ne conducono fuori, sta sempre impiegato, e quello che va riscotendosi in molte volte serve per disimpegnarlo e per rinvestire: talmente, che il danaro non si ferma punto nelle lor mani e così non ne hanno per fornire gl'altri per via del cambio. Oltre di ciò pagano le mercanzie dazi grandissimi, i quali non scemano, benché sia scemato il valore delle robe: e de fatto le saie d'Inghilterra pagano tanto di dazio ora che sono in abbondanza, quanto facevano una volta che erano meno comuni in Inghilterra, e perciò più care in Svezia, e per conseguenza vi si faceva sopra miglior negozio. Il far le frodi in mercanzie grosse guadagnandosi i maestri de' tolli vien supposto per difficile, perché i loro luoghi sono sempre, come da per tutto, appostati da molti; e come qui il bisogno è grande, applicano, con maggior premura che altrove, a scoprire gl'altrui mancamenti per levargli d'uffizio. Si aggiunge che un maestro di tolli che pigli una volta cento lire sterline è divenuto, per così dire, schiavo, e bisogna che nell'avvenire meni buono tutto ciò che l'industria di quel tal mercante gli saprà domandare di ricompensa, sì come quello che gli ha le mani ne' capelli.

Portano gl'Inglesi nel Regno di Svezia del lor panno, calzetti di seta, tabacco, zucchero, ogni sorta di spezierie, piombo ed anco tele dipinte dell'India, ma di queste non in molta quantità. Cavano dal Regno pece, catrame, rame, fil di ferro, alberi di Gotteburg e di Riga, trasportando per ordinario per 80.000 lire sterline, e portandone per 50.000, con supplire a quel di più che trasportano co' danari contanti. Le mercanzie che più spacciano son quelle di panno e delle calzette; anzi, a questo solo si riduce il lor negozio, a portar tabacco e zucchero. Cominciarono dopo l'ultima guerra, che gli Olandesi non potevan navigare. Anco le spezierie sono introdotte solo ultimamente, ed ora son per dar giù, particolarmente quando saran finite di vendere le prese fatte sulla flotta dell'Indie. Si servono, per mandare le loro mercanzie, di quei vascelli svezzesi che portano in Inghilterra il ferro ed il godrone; e quando tal occasione manca loro le mandano al Sundt e le fanno scaricare a Helsenor, di dove poi le levano gli Svezzesi, atteso che il re di Danimarca, di tutto quello che di passaggio sbarca nel suo Regno e non vi resta, non piglia più d'un per cento, e ciò sulla semplice dichiarazione de' mercanti, nemmeno essendo obbligati gli Svezzesi, quando ricaricano, a pagar cosa alcuna di vantaggio. Si vagliono gl'Inglesi di questa congiuntura per mandare le lor mercanzie, perché un vascello inglese che abbia e padrone e roba inglese paga tanto, che per salvarsi si rende difficile trattar con loro, sì che per necessità convien servirsi di quei di Svezia. Questo fa che 40 vascelli col solo traffico di Svezia sarebbono impiegati, che non bastano, e con essi 4 mila marinari: il che tornerebbe molto bene alla marineria svezzese, la quale con questa comunicazione averebbe una scuola per migliorarsi, dove, essendo ignoranti, ne segue danno per loro medesimi ed anco per l'altre nazioni, seguendo spessissimi naufragi, o sia in andare in Inghilterra o ritornando in Svezia, il che non seguirebbe sott'altra marineria.

Condotte che sono in Svezia, le mercanzie vengono custodite in un magazzino pubblico sotto due chiavi, una tenuta da borgomastri l'altra da mercanti inglesi: e questi son obbligati d'andare al magazzino due o tre giorni della settimana a mostrarle e venderle agl'altri mercanti, i quali pigliando qualche cosa s'accordano di pagare o in danar contante o in ferro, fil di ferro, pece e godrone, e in sustanza in quelle mercanzie che gl'Inglesi trasportano di Svezia. Quando si concorda di pagare in contanti, l'ordinario è far più di sei mesi di tempo al pagamento, così si viene a sodisfare col ritratto delle medesime mercanzie, e per lo spazio suddetto gl'Inglesi non esigono alcun interesse. Ma perché gli Olandesi fanno tempo uno o due anni al pagamento (che non posson fare gl'Inglesi avendo bisogno più presto del lor danaro), ne deriva che essi facciano in Svezia il maggior traffico. È però cosa certa che se l'Olanda volesse cavare tutte le mercanzie di Svezia, bisognerebbe che gl'Inglesi s'accomodassero a fare il medesimo partito, o si contentassero d'andarle a prendere dagli Olandesi.

Con tutto ciò gl'Inglesi hanno vantaggio nel panno, essendo il loro in maggior voga, benché anco in questa lor medesima mercanzia gli Olandesi, colla solita industria e applicazione al negozio, una volta la facevano vedere agli stessi Inglesi, poiché compravano il panno d'Inghilterra e poi lo portavano in Olanda, dove gli davano l'eculeo, per mezzo del quale una pezza di 100 braccia ricresceva fino a 120 e 130: così potevano dare i panni d'Inghilterra a miglior mercato degl'Inglesi, salvandosi sul moltiplico, il che faceva stordire il mondo. Ora gl'Inglesi hanno imparato questa invenzione e la fanno da per loro, onde gl'Olandesi non possono passar loro innanzi co' panni. Ma, superato questo impedimento, è sopraggiunta un'altra disgrazia, mentre il re diede a Wolmar Wrangel per favore, benché in pagamento d'un credito che aveva colla corona, una gran quantità di panno inglese che era stato preso per rivestire la soldatesca. Questo panno dunque, stato venduto a minor prezzo del solito, ha cagionato che i mercanti inglesi non hanno potuto smaltire il proprio: il danno maggiore però l'ha patito quello che aveva dato il panno al re, mentre non trova modo di riscuotere la valuta che è di 40 mila lire sterline, le quali gli erano state assegnate sopra i tolli de' panni inglesi; ma questi continuano ad andare nell'erario regio. D'ordinario però i panni d'Inghilterra, a comprargli a minuto alle botteghe degli Svezzesi, vi sono così a buon mercato come alle botteghe medesime di Londra, ma a comprargli all'ingrosso si pagano molto più in Svezia che in Inghilterra. La ragione è perché gl'Inglesi che vendono all'ingrosso a Stockholm, atteso l'avere ad aspettare il danaro alzano i prezzi e guadagnano assai, il che non posson fare i mercanti svezzesi che vendono a minuto, perché, avendo poco capitale e la mercanzia sempre debita per poter corrispondere a' tempi debiti, non possono sostenersi ed aspettar di vantaggio; onde, portandosi loro i contanti, non lasciano mai andar via purché trovino da salvarsi con ogni picciol guadagno, dove a Londra anco i mercanti a minuto fanno credenza, e non importa rimandare il compratore, non reggendosi solo sullo smaltimento delle mercanzie.

Le calzette, come dicemmo di sopra, sono considerate per mercanzie assai buone, mentre queste facilmente si frodano, quando fusse vero il supposto che vi fosse una lira sterlina di guadagno per paio. Lo smaltimento si fa di concerto con i maestri della dogana, e subito che sono nelle stanze de' fondachi di dogana son salve (perché, se si scoprono quivi, il doganiere è subito reo di non averle registrate ne' libri quando son passate le balle per le sue mani, entro le quali balle erano nascoste), talmente, che presto le vendono dandole i mercanti più a buon mercato, in modo che vendendole per loro conto ci possono fare qualche guadagno. E poi, quando arriva una nave, chi vi ha interesse invita quattro amici a bere, i quali escono quanto più possono carichi di simili mercanzie, che possono facilmente nascondersi: onde quasi tutte si frodano, a segno tale che il tesoriere disse l'anno passato non trovarsi ne' libri entrate nel Regno se non 8 paia di calzette di seta. Nondimeno agl'Inglesi paiono molto severi i maestri de' tolli, confiscando tutto quello che non si trova denunziato nelle fatture de' carichi: sì che, se ci è una pezza di 60 braccia e che sia espressamente 150, tutta la balla va in frodo.

Intorno al catrame e pece che gl'Inglesi cavano dalla Svezia può essere che nel nuovo trattato del commercio, che probabilmente si farà a Londra da Sparr, vi siano delle dispute, e se gli Svezzesi si mettono alti alzeranno ancora gl'Inglesi; onde si dovrà venire alla discussione del punto chi sia più necessario al compagno. Gl'Inglesi diranno che il catrame e la pece lo posson cavare dalla Nuova Inghilterra e di Norvegia; all'incontro si risponde che di Stockholm lo cavano tutti a un tratto, dove bisognerebbe in altri posti andarlo rammassando in più partite. Vi saranno delle contraddizioni eziandio a conto degl'alberi, poiché diranno che questi pure gli possono avere dalla Nuova Inghilterra, e agli Svezzesi, i quali daranno loro per obiezione la maggior lunghezza della gita, replicheranno esser vero, ma esser la navigazione meno pericolosa. Oltre che vi è un'altra ricompensa, che d'Inghilterra alla Nuova Inghilterra si va con due venti, ma d'Inghilterra a Stockholm ce ne vogliono cinque.

La maggior paura però che possano gl'Inglesi fare agli Svezzesi sarebbe intorno al ferro, del quale ne hanno grand'abbondanza in Yorkshire e in Surrey. Ci è un gentiluomo di Yorkshire, nominato Mr. Coble, ricco di 4 mila lire sterline d'entrata ed uno della Camera de' comuni, il quale propose anni sono in parlamento che se gli permettesse di lavorare quella miniera, il che gli fu negato per due cagioni: la prima, per non introdurre semi di mala sodisfazione colla Svezia; la seconda, per il dubbio che potesse un giorno mancare il legname per il gran consumo di legno che richiede una miniera di ferro, ed esser costretti a lasciare il lavoro, dopo avere sviato il commercio di Svezia e lasciato entrare altre nazioni al guadagno che fanno presentemente gl'Inglesi, trasportando nel Mediterraneo quello che pigliano di Svezia oltre al loro bisogno. Alla prima obiezione, di non sturbare la Svezia, mette solo in considerazione se per altri versi si potesse pensare al rilevamento di Svezia per la perdita che farebbe in conto del ferro. Alla seconda, che forse le legna non potessero supplire, risponde che tre miglia all'intorno di casa sua conta venti parchi (fra i suoi e quelli de' vicini), ciascheduno de' quali è capace di far andare un anno il lavoro, talmente che in capo a venti anni potrà ritornarsi al primo parco, obbligandosi di più a piantare tre alberi per ognuno che ne atterra. Da quel tempo in qua il parlamento ha àuto altre materie da trattare che di traffico: è però verisimile che se una volta si raduna senza mira di sindacare il re ed i ministri, e che pigli in considerazione il commercio, che si faccia qualche risoluzione, ed in particolare se ciò cade nel tempo che si rinnova il trattato del traffico colla Svezia, come ogni anno si fa. Gli Svezzesi però si ridono di questo ferro e dicono che non val nulla; gl'Inglesi ciò nonostante s'adulano, venendo di ciò assicurati da diversi fabbri.

Il danno, all'incontro, che riceverebbono gli Svezzesi, sviato che fosse il commercio d'Inghilterra, comincia dalla perdita di 100 mila scudi che portano a Stockholm gl'Inglesi ogni anno, per supplire a quel che ascendono le mercanzie che cavano di Svezia sopra quelle che portano d'Inghilterra: e 100 mila scudi alla città di Stockholm è una somma considerabile. E di più vi sarebbe il danno del rimaner loro in mano le mercanzie che gl'Inglesi levano, sebbene potrebbono sperare che gli Olandesi entrassero essi a provvedere il Mediterraneo del catrame e della pece, della quale molti luoghi d'esso si proveggono dagl'Inglesi; né pare che in ciò si dovessero ingannare. Ben è vero che non credono gl'Inglesi che gli Olandesi leverebbono il ferro, oppure, se levassero quello che gl'Inglesi mandano nello stretto, non leverebbero quello che ora assorbisce l'Inghilterra per proprio uso, avendovene allora del proprio. Di più il re di Svezia perderebbe i tolli della maggior parte delle mercanzie che più difficilmente si posson frodare, come sono tutte quelle degl'Inglesi, dalle calzette in fuora, e queste tali mercanzie pagano dazi altissimi.

Nientedimeno, il timore che gli Olandesi non entrino nella parte del lor commercio terrà sempre a freno gl'Inglesi e gl'impedirà il dichiararsi. Che se gli Svezzesi non accordan loro in Svezia quei medesimi privilegi che essi godono in Inghilterra, non tratteranno seco: il che si potrebbe fare unitamente dalla nazione inglese ed olandese. Ma ora non è il tempo per una parte d'esarcerbare gli Svezzesi, ed un'altra volta non tornerà bene all'altra parte; e così si tira avanti.

Tali sono le notizie che io ho saputo ricavare intorno al commercio che la Svezia ha con l'Olanda e coll'Inghilterra. Mi rimane ora d'accennare il traffico delle altre nazioni, ancor che non di molto rilievo in comparazione delle due prime. Consiste il commercio della Francia in mercanzie fini e galanterie, le quali vengono trasportate da due o tre vascelli piccoli che si fanno franchi colla loro industria: perché, avendo preso un poco di vino a Bordeaux, finiscono il carico con sì fatte manifatture a Roano, facendo tutto passar per vino, del quale ne va senza comparazione molto più nella città d'Amsterdam che in tutto il Regno di Svezia; dove non vi è gran consumo, nemmen di quello di Spagna, bevendosene solo l'inverno quasi come per acquavite, essendo d'ogni altro in maggior stima il vino del Reno, ed è la bevanda più deliziosa usata per ordinario dalla nobiltà. E questo è quanto alla Francia.

I Danesi portano viveri, cioè pesce, biade, burro, lardi, e quest'anno indietro ne mandarono sette navi, delle quali mercanzie vengon pagati male e loro vengono contraccambiate col ferro, che è quasi l'unica cosa che trasportano di Svezia, e pagano i Danesi dazi rigorosi, navigando le mercanzie su' loro vascelli. Ma anco essi da quattro anni in qua gl'hanno alzati, e fanno pagare un vascello svezzese più che un proprio, onde si riduce la cosa quasi all'uguaglianza.

In Inghilterra, accomodandosi all'usato stile dell'altre nazioni, aggravano ancor essi assai gli Svezzesi, sì come tutti i forestieri: il che non facendo gli Olandesi in oggi soccombono, e vengono in questa forma a scapitare i noli de' loro vascelli per l'azzardo di mettersi nelle mani de' loro fattori. Ma come che il paese ha aùto bisogno quest'anno di sale a cagione della gran perdita che se ne fece l'anno passato, si son serviti delle navi olandesi, le quali hanno pagato meno delle svezzesi e di più gl'hanno aùto a procacciare i passaporti di Francia.

Colla Moscovia aveva proposto la Svezia ultimamente di fare un trattato che uscissero da Narva tutte le mercanzie che ora vengono da Arcangiolo, credendo che, risparmiandosi e risico e spesa nell'abbreviare il cammino, potessero i mercanti pagarle quivi più care, e la Svezia tirare più tolli. Ma non credo che se ne farà altro, avendo conosciuto i Moscoviti che la mira degli Svezzesi tirava a rendersi padroni di tutto quel commercio, come sarebbe seguito dopo che fosse sviato il negozio da Arcangiolo, potendo allora ad arbitrio aggravar la mano sopra l'imposizione de' dazi.

Nell'India addirittura non negoziano gli Svezzesi: ma l'aver veduto che in Danimarca si preparavano per mandarvi alcuni pochi vascelli, fece tumultuariamente risolvere in Svezia a far un simil tentativo, fondati sul presupposto: «Se lo fa la Danimarca, lo potremo meglio far noi». Così messero insieme in quel furore da 20 mila scudi, parte in contanti parte in sustanza, e comprarono due navi: ma tra il costo di esse e la spesa dell'equipaggio fatto con il lor mal governo, restò assorbito il danaro, e quelle sono in oggi mezze fradice nel Meller. S'infilzarono a credere di poter aver gente capace per intraprendere questo viaggio, andati sulle promesse d'alcuni marinari che l'avevan fatto in servizio degli Olandesi, ma non d'intelligenza bastante a farlo da se soli. In oggi la cosa languisce ed è per morire sul suo letto.

Parrebbe che l'Italia potesse aver campo di negoziare addirittura con la Svezia, essendosi parlato che quivi si spaccino drapperie, e lisce e a opera, nastrami, olii: ma per informazione che io abbia preso veggo che è impossibile l'aprirvi case, non solo per lo svantaggio universale che vi hanno i forestieri, ma perché è impossibile 'l darsi a così buon mercato le drapperie e le pannine come quivi si vendono, lavorandovi lane di Pomerania e di Pollonia che sono a vilissimo prezzo, e sebbene sono cattive, e cattivi in conseguenza anco i panni, nondimeno se ne contentano, e d'Inghilterra hanno i drappi che vagliono meno di mezzo raistallero l'uno. Oltre che, fra le pannine che v'ha introdotto di fabbricare Lyonancher fa ancora quelle da bruno, come sarebbono rasce, ed a bonissimo mercato: né credo che tanto in Svezia quanto in Danimarca si potesse sperare di vendere olio per quaranta pezze da otto l'anno, facendolo per così dire venire a boccali d'Amsterdam e d'Amburgo. E, quello che più importa, non vi è cambio per luogo alcuno ove contratti l'Italia, fuori che per Amsterdam.

FERTILITÀ DEL SUOLO

Anco il suolo esteriore della Svezia è assai buono e, non contento d'esser di dentro pregno di miniere, vuoi produrre anco al di fuori i frutti e le biade, per quanto è possibile in un luogo tanto settentrionale. Però ordinariamente si calcola che renda sette per uno, e quando frutta meno è cattivo, quando più buono, trovandosi luoghi che fanno dalle nove fino a dodici per misura e, ne' luoghi che abbruciano i boschi, fino a venti, ciò praticandosi più qui che in ogn'altra parte, sì per la larghezza del paese sì per esser molto pieno di boschi. Anzi, è opinione comunissima che dall'infinitivo del verbo svezzese *svedia*, che vuoi dire abbrustolire, ne derivi il nome di Svezia, credendosi ciò derivato dal costume d'abbruciare i boschi, benché in oggi sia in alcuni luoghi proibito l'abbruciare; ma in quella vece lasciano gl'alberi a pianta e tengono sotto netto facendo cascare i rami piccoli e le foglie, per ingrassare il terreno e per far migliori ricolte, nella forma appunto che ancora in altri paesi si pratica.

Non serve però la loro ricolta a tutto il bisogno del Regno, benché per altro il grano e l'avena che ne cavano sia buona, e alle volte suppliscono la Livonia e la Schonia senza cavar fuori il danaro. Si lamenta bensì in tal caso la Livonia che le venga pagato in tanto ferro e rame, quando ne potrebbe cavare contante spacciandolo ad altri che ne hanno molto bisogno. Quando poi non bastano nemmeno le biade di quelle due province, e che è carestia, i più facultosi de' luoghi particolari ed i mercanti metton fuori il danaro e, distribuendo a' contadini da vivere a credenza, si pagano poi con quel che possono: tanto più che i contadini che lavorano i beni de' gentiluomini non sono mezzaioli, come in molt'altre parti, ma, dandosegli a lavorare verbigrazia un podere, gli s'assegna in proprio una tal parte di terra, tanta che il suo frutto possa servire al suo mantenimento, riservandosi i padroni anco sopra quella piccola tenuta una ricognizione di qualche frutto, ed il farsi condurre gratis le grasce proprie, dentro però la sola provincia dove sono tali beni. Ed insomma, sì come non devono dividere le ricolte, avendo quelle terre in proprio assegnate loro per vivere, così non sono anche obbligati a lavorare continovamente sul podere de' padroni, ma tanti giorni dell'anno per famiglia, parte colla persona propria e parte con i cavalli, ed il lavoro è distribuito in guisa che i poderi vengono lavorati a' lor tempi. Ma perché quello della battitura non è così regolato, e per scarsezza di sole riesce lungo, e bisogna differlo a ottobre e novembre, perciò gl'economi di Svezia hanno cominciato a praticar quello che si costuma in Finlandia, che per abbreviarlo fabbricano certi edifici che chiamano *Rie*, le quali sono con un passaggio nel mezzo libero, e dall'una e dall'altra parte sono due stufe alte e sfogate, acciò le faville vadano su e si spengano né dian fuoco al grano, che in covoni mettesi quivi a seccare a cavalcioni a certe pertiche.

Nel tempo che mi son trattenuto in Svezia ho osservato alcune piante o frutte, le quali mi è parso che abbiano qualche cosa di particolare, e di non l'aver vedute in altri luoghi. Una è che sugl'alberi detti sapini, che sono una specie d'abeti, nascono talvolta sulle cime più alte certi talli che, invece di gettare le foglie dalle parti, si stiacciano, e di tondi che sono crescono a foggia d'una lama di coltello, la quale non s'assottiglia colla punta ma termina con diversi ghiribizzi di rami e di messe diversamente attortigliate: e le foglie pare che, invece di nascer loro solamente erette per i soliti andari, nascano per tutta la lama e restino a quelli come incollate addosso, salvo l'ultima estremità di esse che, sollevandosi un poco dal piano dove tutte giacciono, renda la superficie d'esse alquanto scabrosa e disuguale. Uno di questi bizzarrissimo è nell'armeria del contestabile nella sua villa di Skokloster.

Famosa è un'erba di cui i Finlandesi si servono per veleno, ed avendone io cercato mi è stata data una specie di musco che fa sulle scorze di alberi, d'odore aromatico, e l'ho fra l'altre cose che presi: e questo che viene è di Dalarne. Nasce sui sapini, è assai lungo, fa cespo, e nel mezzo ha un fiocco di sustanza più tenue, ed è filinoso, simile al crin di cavallo bollito e arricciato, e di color berrettino scuro. Il musco l'inverno è verde chiaro, ed i contadini se ne servono per avvelenare i lupi, venendo supposto che sia la stessa cosa con cui in Finlandia avvelenavano gl'uomini.

Vi sono il *Tromber*, *Lingone*, *Hudone*, *Heckber*, che sono quattro specie differenti, dirò così, di prunella, della specie dell'uva spina, del ribes e d'altri simil frutti di pruni o arboscelli spinosi: di tutti se ne mangia, particolarmente per la gente bassa, che li considera come uno stravizio della primavera o dell'estate. Il *Tromber* ed il *Lingone* sono più stimati degl'altri; e del primo gl'orsi ne sono golosissimi. Egl'è certo che ci nasce sotto la neve e spunta dal terreno, attaccato a un solo sottilissimo gambo, come quello del fiore della caccia, della grossezza del qual fiore appresso a poco è la sua coccola o il suo granello che dir vogliamo. Ne' luoghi dove fa, che sono infiniti e particolarmente ne' boschi, si trova il terreno gremito di questo frutto, al tempo che la neve si strugge, ed ogni pianta del quale è da per sé, e consiste tutto il suo arredo nel suo granello in cima, di color di granato e d'un sapore tra il brusco e l'austero. Nondimeno è la sua polpa molto acquosa e grata al palato, ed ha questo di particolare, che colto e lasciato ammontato in una paniera o in un vaso, si mantiene senza corrompersi e senza aggrinzirsi e senza appassire. L'austerità del suo sugo, sì come è verisimilmente quella che l'assicura dal corrompersi, così fa ancora che le mosche non vi si gettino. Se ne fa talvolta del vino, come facciamo noi delle melagrane ed in Inghilterra delle mele e del ribes. Il *Lingone* è men brusco: di questo ancora tutti i boschi son pieni. Questa pianta ha le foglie per appunto come il bossolo, e per tale si piglierebbe se, oltre al produr frutto, non si estendesse un poco più fuori del terreno: ed ho detto estendere, perché va facendo giusto come la vite sopra la terra se non è sostenuta. Il suo granello è pieno come quello dell'uva e sgretola fra' denti. Sebbene i suddetti grani si conservano da per loro stessi, in ogni modo, per conservargli da un anno all'altro si suol far conserva del lor proprio sugo, nella quale stanno quelli che si vogliono conservare interi: e quando si cavano, o per mangiarli crudi o per scilopparli, si trovano così freschi, così pieni e così saldi come se allora si cogliessero dalla pianta. Dell'*Hudone* e dell'*Heckber* si fa minor conto.

NATURA DEGLI ABITANTI

Parlatosi della natura del suolo di Svezia, è necessario il dire qualcosa del temperamento ed abilità degli Svezzesi: e perché molto ha contribuito a levargli quella loro naturale rozzezza l'applicazione agli studi, è da sapersi che quattro son gli studi pubblici o, per dir meglio, università in questo Regno, e sono Upsalia, Lund nella provincia di Schonia, Abó in Finlandia, e Dorpat.

La prima e più principale, e della quale solo parlerò, è Upsalia, cominciata sotto Steno Sture, dal quale ebbe i suoi primi privilegi che dicono esser gli stessi aùti allora dalla città di Bologna. Non erano in quel tempo se non quattro soli professori, e leggevano in due scuole, che ancora si vedono in piedi dove chiamano auditorio iuridico. Lo Schefferio pretende d'aver prove che anco un centinaio d'anni avanti al detto Steno si facesse in Upsalia una particolar professione di lettere. Certo però è che solo allora ebbe la prima forma d'università, accresciuta poi finalmente sotto Gustavo Vasa, Carlo nono e Gustavo Adolfo, che, smembrato 300 e più contadini da' suoi beni patrimoniali, ne stabilì il fondo dell'università mantenendovi 24 professori, che tanti sono al presente.

Erano allora le provvisioni disuguali, ma la regina Cristina le ridusse tutte a 600 talleri d'argento, cioè 400 patacconi soli di contanti, e più un fondo di terra da potervisi ritirare i professori, di rendita intorno a 100 altri talleri d'argento: e tra questi ed altri incerti che non possono mancare, un professore averà 1.000 talleri l'anno. Ai teologi in cambio della villa sono assegnate chiese di campagna nelle vicinanze d'Upsalia, d'una rendita equivalente. I professori straordinari possono godere la dignità del rettorato, e questa va in giro, durando sei mesi. Ogni scolare che vien di nuovo dà uno scudo al rettore, ed i nobili trattandosi alla grande ne danno 20 o 80, ed alle volte maggior somma. L'addottorarsi a tutti costa la stessa spesa, la quale arriva a 150 talleri, che si repartiscono tra i professori. I decani delle facoltà di teologia, legge, medicina e filosofia hanno di più qualche straordinario, e quelli della filosofia hanno anche qualche cosa di più, ma hanno l'incumbenza della deposizione. La deposizione è una spezie di spupilla, in cui il depositore si mette in abito ridicolo alla presenza degli scolari in una sala, dinanzi al quale postosi il novizio in ginocchioni, gl'è dato dal medesimo depositore de' colpi, e impostogli di lasciare tutti i costumi fanciulleschi e gli usi che s'apprendono nelle scuole inferiori.

Il concistoro, dove si trattano le materie spettanti all'università, si compone di tutti i professori e vi presiedono il gran cancelliere, l'arcivescovo e 'l rettore. Oltre di questo ci sono le camere delle facoltà, ove si tratta ciò che riguarda la facoltà in particolare, alle quali presiedono i decani. Il numero degli scolari (che sono insolenti a misura del temperamento gotico) sei anni sono erano 1.500; ma ora fanno assai quando arrivano a 800, e assaissimo quando arrivano a 1.000. Si legge da' dottori tutto l'anno, fuori che ne' giorni canicolari, per Natale, per Pasqua e per la Pentecoste, a' quali tempi hanno otto giorni di vacanza: leggono il lunedì, martedì, giovedì e venerdì, e fra mattino e giorno le lezioni durano sette ore; se qualcheduno vuol lezioni particolari bisogna che le paghi del proprio. Il mercoledì ed il sabato si fanno in ciascuna facoltà le dispute, e chi sostiene stampa la materia che vuol sostenere in libretti, come facciamo noi: sostiene tre ore la mattina e tre la sera. I primi ad argomentare sono i professori della propria facoltà, e di poi chiunque vuole. I vasi delle scuole sono quattro, dove a tutte l'ore e nel medesimo tempo si fanno le lezioni, cioè due nell'auditorio antico e due nel gustaviano, così detto da Gustavo che lo fondò.

L'università è dirimpetto la cattedrale, fabbrica ordinaria ma ragionevole: quivi sono le camere delle facoltà e la residenza del concistoro, che è assai onorevole, con banchi intorno coperti di scarlatto ed in testa un baldacchino di velluto rosso. Vi è una stanza nuova destinata per archivio di tutte le scritture pubbliche del Regno, state finora sparse in vari luoghi e nelle mani di diversi particolari, ciascheduno de' quali ha ordine di consegnarle: queste sono bolle e lettere di papi e principi, concessioni di privilegi ed insomma tutto quello di cui può tornar utile il conservarsene la memoria per qualsivoglia capo. Ne ha la direzione un collegio che si chiama d'antichità, composto di due professori, un segretario ed alcuni assessori. E questo è stato pensiero del cancelliere vivente.

Nella medesima fabbrica vi è il tinello dove mangiano mattina e sera 60 scolari poveri, i luoghi de' quali dà il re, sì come il danaro per mantenersi ad altri 60 per cinque anni in circa: e questo gl'è dato anno per anno e con avvertenza che lo spendano nell'uso destinato, tal che gli scolari mantenuti dal re a spese dell'università, o vogliamo dire della casa di Vasa, sono 120.

I nobili o stanno in casa i professori o tengono case in proprio: gl'altri stanno dove possono e come si pratica negl'altri luoghi.

Vi è il teatro per l'anotomie, che è una fabbrica in aria fatta di tavole a foggia di cupola sul tetto dell'università, con due ordini andanti di vetri; inoltre una stamperia, benché cattivissima, ed una libreria che non è gran cosa, consistente in tre piccole camere, dove dalla magnificenza del cancelliere è stato posto il testo d'Upsalia detto il «Codice argenteo», del IV secolo incirca, tradotto in lingua gotica da un loro vescovo, in membrana pavonazza, riccamente legato in argento con bassirilievi: si conserva in una cassetta d'ebano. Egli lo comprò in Olanda a 600 patacconi d'oro, ed insieme con altri manoscritti, de' quali va attorno un catalogo stampato, lo donò a questa libreria. Vi hanno i quattro Vangeli e divers'altre cose.

Vi è finalmente il maneggio: il cavallerizzo ha 600 talleri l'anno di provvisione, di più le mesate degli scolari. La cavallerizza v'era anche per l'addietro, ma non con questo lustro, promossa anche questa dalla generosità del gran cancelliere, il quale quattro anni sono donò 24 cavalli.

Oltre tutto ciò vi è il palazzo del re, con la camera de' ritratti di Praga e un giardin di semplici donati all'università da Rudbech, il quale è medico di professione ma erudito in ogn'altra scienza, sì nelle meccaniche come nelle storie. Questo va componendo un libro e lo ha ridotto a buon termine: l'ha prima scritto in svezzese ed ora lo traduce in latino; con il quale mi dicono che intenda provare chiaramente la Scandinavia essere stata la prima terra abitata dopo la divisione che fecero i figliuoli di Noè, e dalla medesima esser uscite tutte le altre nazioni. Fa venire i Galli o Franzesi dal mezzo della Lapponia, ove trova un fiume che si chiama Gallus, e vuole che la legge Salica sia stata fatta a Upsalia ovvero a Salberg, perché sono situati sul fiume Sala. Pretende mostrare con evidenza che il tempio di Giano posto in Roma sia stato fatto sul modello di quel del vecchio tempio d'Upsalia, non ve n'essendo in tutto il mondo due che si somiglino quanto questi. Egli trova nella lingua gotica, o svezzese che dir vogliamo, l'etimologia di tutti i nomi delli dei della Grecia, cosa che non potè fare, per confessione di lui medesimo, Platone nella stessa lingua greca. Infine pretende che i viaggi d'Ulisse, d'Enea e degli stessi Argonauti sieno stati fatti nel mar Baltico, ponendo la Sibilla Cumea sul golfo gotico e le colonne d'Ercole allo stretto del Sundt.

Se sia per riuscir questo libro mi rimetto alla cieca venerazione d'un uomo tanto stimato e dotto: ma non lascio di riflettere separatamente da questo, quanto gli Svezzesi in generale sieno facili a credere, e forse più de' Tedeschi; testimonio ne può essere l'opinione che vi corre delle tante stregonerie che in quelle parti si facciano, onde a questo conto abbruciano senza discrezione uomini e donne, ed in particolare le vecchie e le più brutte. Mai si discorre d'altro che delle stregonerie delle province settentrionali, come di Norvegia, di Dalarne e della Lapponia, l'ultime delle quali sono descritte distintamente dallo Schefferio.

Ultimamente il re ha mandato il sig. Rosenane per osservare su che fondamento la giustizia proceda a gastigare, ed egli, come uomo di maggiore avvedimento e destrezza degl'altri, ha trovato precipitarsi l'esecuzion sopra indizii leggerissimi; con tutto ciò, l'abito dell'antica superstiziosa credulità ha ottenuto da lui più che non sarebbe convenuto. Insomma tutto si riduce ad accuse che fanno i ragazzi, i quali dicono che la notte sono condotti al *Sabat*, che è il luogo dove dicono radunarsi le streghe, e quivi essere due fazioni, una d'angioli bianchi l'altra d'angioli neri, appresso delle quali condursi molta gente, che dependendo da loro gli fanno la corte. Vengono, come essi dicono, trasportati in questo luogo non con il corpo ma con la mente, la quale, secondo il lor grosso modo d'intendere, è cavata per forza d'incanti da' loro corpi addormentati e condotta in detto luogo: poiché, avendo il detto sig. Rosenane messe guardie a' letti di detti ragazzi ed alle porte delle vecchie denunziate, si è assicurato che queste e quelli dormono la notte ne' loro letti; e ciò nonostante raccontano la mattina i ragazzi di aver fatto la solita estatica peregrinazione. Dicono che, condotti i ragazzi nel *Sabat*, vengono consigliati di confessare che sono in detto luogo, e pregati d'aderire agl'uomini neri, con essergli insegnate le devozioni, come il Credo e i Dieci Comandamenti d'Iddio; quivi gl'angioli bianchi hanno le lor camere a man dritta, delle quali il pavimento, le mura e 'l palco sono pure bianchi. Dicono comparirvi Iddio in una lunga vesta foderata di tela d'oro, e con una piccola barba bigia, che faccia venire a sé quei ragazzi e li chiami suoi bambini; che questi angioli facciano cascare il cibo di mano a' ragazzi a fine che non ne mangino, mentre stanno ritti avanti il pulpito quando si predica; che i medesimi abbiano del vino dolce per darlo a quelli che vanno alle lor camere, ma che la bevanda che hanno nella gran sala del banchetto non le paia buona, e che piangano fortemente quando si veggono mangiare in detta sala, ed abbiano sempre pronte le pezzuole per rasciugarsi, e che sospirando promettano gran gloria a quei ragazzi se vorranno ridire quello che veggono; che tanto per Natale quanto per l'altra Pasqua cantano sempre salmi, e benedicono la Madonna e 'l nome di Gesù. Dicono avere quasi tutti l'abito di tela, del quale il giubbone è corto e gli calzoni medesimamente corti e stretti: alcuni avere delle toghe lunghe e bianche, ed il berretto bianco con un orlo nero, avere gl'artigli o unghie grandi tanto agli piedi quanto alle mani, essere pelosi intorno alle ginocchia, ed alcuni avere l'ali e volare all'intorno.

Dentro Soderham ed i luoghi circonvicini non si discorre d'altro che di quello che si fa nella camera bianca, credendo di meritare in tal modo appresso gl'angeli d'Iddio. Vi fu però un borgomastro una volta, che mostrò di non aver paura di loro, poiché ad una brigata di ragazzi, i quali dicevano venir da lui d'ordine degli angioli per denunziargli che non vendesse il tabacco così caro, rispose che andassero al diavolo: perché lo vendeva il giusto prezzo, che non errava in questo, e che sapeva benissimo esser loro mandati da' lor parenti, che ne compravano assaissimo. Ma le donne di Soderham non furono sì accorte, perché, quando ricevettero il comandamento degl'angioli, che dovessero abbrucciare le loro berrette nuove, esse furono tanto buone che le buttarono su 'l fuoco.

Nella camera nera raccontano che vi si trovano molti di quelli che sono morti da pochi anni in qua: che si veggono molti nel Caldano, il quale è nella sala del banchetto ed arde con una fiamma turchina, pretendendosi quivi d'aver trovato il purgatorio e l'inferno. Per mantenere il popolo in fede e devozione degl'angioli, hanno da poco tempo in qua fatto credere a molta gente che un ragazzo della parrocchia di Norale abbia vomitato un serpente, che egli aveva inghiottito nel *Sabat* in pena d'aver mangiato di quello che gl'angioli neri gl'avevano dato, contro la proibizione de' bianchi: e l'ha reso, perché ha promesso d'esser loro obbediente per l'avvenire. Hanno anche dato ad intendere che un altro ragazzo, senza prima avere imparato neppure a leggere, si sia trovato, in virtù degl'angioli bianchi, sapere in un tratto tutto il catechismo a mente, e che quando era interrogato dove e da chi aveva imparato, rispondeva: «Dagl'angioli bianchi, nella lor camera».

Queste sono alcune di quelle cose che vanno dicendo per accreditare la loro superstizione. Del resto, esaminato se ad alcuno sia stato fatto del danno, o ne' corpi teneri de' propri figliuoli e ne' bestiami, non s'è trovato in quest'ultima perquisizione chi abbia àuto ardire d'affermarlo; nemmeno si trova presentemente fra essi chi dica esservi persone capaci di suscitar tempeste, di rovinare i frutti della terra colle gragniuole, e simili cose. Or qui non saprei decidere se eglino credano veramente le cose già dette, oppure se ciò si deve imputare alla malignità di coloro che, per accusare i loro nemici, si vagliano del deposto de' propri figliuoli, giacché è in arbitrio d'ognuno per questa via di far condannare al fuoco qualunque persona. Di ciò si può sospettare, mentre si sa che quante più streghe e stregoni s'abbruciano tante più se ne trovano, e può essere che si dia animo a far nuove vendette colla facilità del gastigo. Onde è verisimile che il modo di stirpare le stregherie e torre affatto il credito al mestiere sarebbe il non gastigare i delinquenti; ed invero egl'è così accreditato nelle parti più settentrionali, che nella Norvegia, più verso il polo, i figliuoli spartiscono con maggiore avidità e premura il magico equipaggio del padre morto che il rimanente degl'altri beni.

Fra gl'altri effetti che ascrivono a causa soprannaturale è quello del *Gan*. Questa è un'imprecazione, dopo la quale dicono che si senta venire come una sassata in una gamba o in altra parte del corpo, senza che si vegga né sasso né colpo: quivi entra a poco a poco la cancrena e se ne muore; non arrivando ad immaginarsi che possa essere un male proprio del paese, il quale cagioni quell'accidente, sì come si osserva in altri paesi esservi varie proprie disposizioni.

E tanto potrebbe bastare per concludere quanto gli Svezzesi siano creduli. Con tutto ciò non voglio tralasciare un'altra piccola cosa dalla quale il medesimo si può dedurre. Nella Finlandia si trova una spezie di scuoiattoli, i quali sono di tale agilità che saltano da un albero all'altro assai distante, per quanto mi è stato riferito: la grandezza loro è simile a quella de' nostri. Hanno la pelle bigia argentata, e la differenza da' nostri è nella coda e nelle gambe: quella è più corta, col pelo più folto e più basso, e nel mezzo è più grossa che nell'attaccatura e nell'estremità; le gambe sono piccolissime, come quelle de' ghiri, e quelle di davanti sono come inguainate nella pelle del corpo, dalla quale scappa fuori solamente il piede. Ciò che hanno di più notabile è un certo risalto, per così dire, cartilaginoso, dall'una e dall'altra parte del petto, lungo la fodera che abbiamo detto fare la pelle all'osso dello stinco, la quale riveste anche il detto risalto, sì come ricuopre tutto il resto del corpo dell'animale; di figura è bislungo, né più largo di un dito mignolo e anche meno; e secondo che, per quel che si può conghietturare, vi è un muscolo per via del quale possono abbassarlo ed alzarlo, di qui è che lo chiamano ali, e dicono che col benefizio di esse lo scuoiattolo vola. Io non l'ho veduto se non morto: crederei bene il loro volare non esser altro che il saltare che fanno; ed atteso che non veggono forse altro animale che faccia lo stesso, l'attribuiscono, con la lor solita facilità di credere, al volare mediante le suddette cartilagini, onde le chiamano ali. Vi è di più da osservare che queste sono in luogo dove non si può fare alcun equilibrio dell'animale, e che sono di una grandezza che non ha alcuna proporzione col corpo che doverebbe essere sostenuto.

Oltre all'esser creduli sono gravi, sospettosi ed altieri, e senza segreto, pigri e tardi al venire alla conclusione di quello che hanno da fare. Pretendono ricompensa d'ogni minima cosa, sto per dire anche d'una visita: sono ingrati, onde non si può pretender da loro un servizio, quando sieno restati obbligati un mese fa, perché, scordati del passato, ne vogliono di nuovo ricompensa. Sono irresoluti, né da loro si sente mai una risposta categorica, fra la gente eziandio con politica, trasportati dal genio di far mistero d'ogni cosa: il che arriva a tal segno che vuolci un gran negoziato a fargli risolvere a andare a desinare con alcuno, eppure è certissimo che mostrano maggior senso, che in niun'altra cosa, nel mangiare e nel bere. Sono spenditori nelle fabbriche, nelle quali hanno consumato tutti i danari portati di fuora. Sono vani, a segno che, scoppiando de' cannoni presi nella guerra di Danimarca col nome di Federico e di Cristiano, gl'hanno fatti rifondere col medesimo nome e medesima arme, e sono arrivati a far rifondere la campana che conquistorno nel castello di Cronemburg. Nella pace di Roskild vollero mettere un articolo segreto, con esso il quale obbligorno il re di Danimarca a non addobbare le stanze con esso gl'arazzi ove sono alcune battaglie tocche dagli Svezzesi, la presa di Calmar, una delle città principali della provincia di Smolandia, e l'incendio di Scara, capitale della Vestrogotia.

Non è però che non si trovino in Svezia uomini di savio e discreto avvedimento, egualmente capaci nel negozio e nell'armi, ed insomma atti a governare, parendomi che da qualche tempo in qua con molta ragione sieno accreditati fra di noi per una nazione assai diversa da quelle che ne la figurano le storie e le tradizioni: poiché non si valutava una volta di questa nazione altro che un valore spinoso e salvatico, il quale alcun nesto non soffrendo di gentilezza, si odiava piuttosto e temeva, che si amasse e stimasse. In oggi non solamente son bravi e insieme gentili, temperamento che una volta non s'incontrava di là da 50 gradi, ma vi se ne riconoscono de' garbati, degli spiritosi, de' dotti, de', quasi dissi, galantissimi: e vi è chi ha tal venerazione al lor governo politico, che poco manca che non invidino la lor prudenza e gli credano capaci di far col consiglio tutto o poco meno di quello che hanno saputo fare coll'armi. Questo concetto così avvantaggioso lo godono particolarmente appresso di noi Italiani e appresso de' Franzesi: forse di che credo che sia cagione, appresso però di questi, da una parte l'uniformità degl'interessi, che gli renda cari e stimati, e dall'altra la sicurezza e cognizione che hanno del vantaggio del loro temperamento sopra lo svezzese, gli lascia esser prodighi di quelle lodi e della dimostrazione di quella stima che non così facilmente vogliono accordare a qualche altra nazione. E di più gli considerano rivestiti d'una gloria che non hanno comprata a loro spese, e gli temono d'un timore remoto, che non influisce odio ma venerazione: tanto più che niuna fresca cicatrice gli fa sentire diversamente (gl'Alemanni però giudicano diversamente).

Ora, che che sia della verità e della falsità delle ragioni, concorro ancor io che in oggi la Svezia e gli Svezzesi siano molto diversi da quello che fu Valdemaro e Starkadero. Il fatto sta sul vedere se gl'uomini si son cambiati a proporzion di quello che si è mutato il paese. È però certo che si convengon loro tutte le lodi attribuite di sopra, quando si vogliono paragonare a' Danesi, adattandosi molto bene quello che qua dicono gli Svezzesi: cioè che Dio, creando il mondo, fatta la Danimarca, stracco dalla gran fatica, ordinasse al diavolo che si scapricciasse ancor egli in fare un paese a suo modo e suo favorito, ond'egli fece la Svezia, della quale ridendosi Iddio disse che non voleva disfare il fatto ma, per ridurre le cose ad uguaglianza, si risolvè di fare egli gl'uomini alla Svezia, e che 'l diavolo facesse quelli di Danimarca.

E a dire il vero, in questi due Regni è reciproca la differenza da uomo a uomo e da paese a paese. Questa differenza da uomini ad uomini, oltre quel che porta il naturale de' loro temperamenti, viene anche a farsi maggiore per essere in Danimarca la nobiltà pochissima, nella quale in 400 anni vogliono non esservi aggregate nemmen due famiglie; è numerosissima in Svezia, dove per la continua aggregazione corre risico che succeda al re di Svezia, coll'aiuto della nobiltà nuova, ciò che al re di Danimarca arrivò coll'aiuto de' borgesi, i quali odiando la nobiltà gli servirono di strumento per farsi independente dagli stati e veramente sovrano: e 'l medesimo può succedere in Svezia, poiché la nobiltà nuova odiando l'antica, dalla quale sola per ordinario il numero de' senatori si costituisce, può facilmente accadere che i nobili nuovi uniti col re, dal quale più dependono, distruggano ed aboliscano l'autorità del senato liberando il re dal quel giogo. Ed è al presente tanto cresciuta la nobiltà nuova, che non pur bilancia l'autorità della vecchia ma quasi la soprafà: ed ogni giorno andrà più avanzandosi, come appunto segue in Inghilterra, essendosi ridotto quasi tutto quel poco danaro che si ritrova in Svezia nelle mani della nobiltà nuova, che son quasi tutti mercanti ed in gran parte forestieri naturalizzati; i quali, subito che arrivano a uno stato di 60 mila scudi, aspirano a esser fatti nobili, e lo conseguiscono, ricevendo dal re nuove armi e nuovi cognomi, che sono per lo più cognomi da romanzi e per così dire parlanti, che significano quel che portano nell'armi. Così son tutti «torrenti di gigli», «fiumi di corone», «torrenti di rose», «corone d'argento», «corone d'oro», «dell'unghia d'oro», «dello sparviere sull'elmo», «montagne di pomi», che ciò appunto voglion dire i cognomi «Lilistrom» «Cronstrom», «Rosenstrom», «Silvercrom», «Guldencrom», «Gripenhielm», «Appelberg» e simili.

Ora, perché costoro, che sebben son nobili, non per questo entrano così subito né alle cariche di corte né in quelle del Regno, rimangono in una vita frugale e lontana dal lusso, anzi continovano pur anche ad ingerirsi, o addirittura o sott'altri nomi, nel negozio, aumentando sempre più la loro ricchezza: di qui è che, a misura che la vecchia nobiltà affaticata dal lusso e dalla corruttela ha bisogno di ripiglar fiato, s'imparenta con essi i nobili nuovi, i quali a poco a poco per tal via, e con l'appoggio delle parentele potenti, si rendono capaci prima degl'impieghi dispendiosi, e poi per merito d'essi acquistano ragione d'essere in conseguenza ammessi ancora agl'utili; i quali essendo il principale sostentamento degl'antichi nobili, mettendosi a parte di essi anche i nuovi, è forza che quelli vengano meno e che cacciati dalla povertà si ritirino a mangiar le loro grasce a' propri beni, cedendo il posto a' plebei; essendo veramente notabilissima la differenza delle ricchezze tra gl'uni e gl'altri, giacché ricchissimi posson dirsi i nobili nuovi, per quanto comporta un paese nel quale non si può pretendere se non di vivere comodamente, senza superfluità, lasciando cumulare all'altre nazioni i danari.

Tra le case nuove adunque ve ne sono moltissime che hanno 70, 80, 100, 120 e fino a 150 mila scudi di fondo. Ma fra la nobiltà primaria, eccettuato il *Richdrost*, il Nils Brahe, i due fratelli Kureck, Giorgio e Gustavo, il senatore Rolamb, governator di Stockholm, il grand'ammiraglio, la sua moglie ed il gran maresciallo conte Stembock, i quali hanno qualche larghezza di danaro, e con vivere aggiustatamente conservano un'azienda limpida e regolata: eccettuando dunque questi, in tutta la corte fra nobili antichi non si troverà chi per un bisogno istantaneo abbia 50 ungheri in cassa, reggendosi per lo più sulla stima e venerazione che seguita ordinariamente l'antichità delle famiglie, tra le quali si considerano come del puro sangue svezzese, e come quelle che sono state grandi da 400 anni in qua, particolarmente le appresso: Brahe, Bielcke, Sparr, Bannier Lyenhuffut, Bonde, Boot, Soop, Stembock, Horn, Kagge, sebbene questa non è stata in governo.

Il riscontro delle entrate della nobiltà si può avere facilmente dal reggimento di cavalleria della cornetta de' nobili, giacché per ogni 500 tonnelli di biada di rendita un nobile è obbligato a mantenere un uomo a cavallo, di modo che si calcola che 3.000 cavalli buttino 3 milioni di rendita, che si fa però conto che possano anche ascendere a 4, in 4 comprese le mercedi della regina Cristina, de' beni della corona. Il che non toglie che universalmente i nobili non abbiano una gran carestia di contanti, come si è detto di sopra, onde, avendo essi sempre gran bisogno de' mercanti, nasce da ciò che trattino con esso loro con maggior domestichezza di quello che per altro si converrebbe.

Altre volte vi sono stati diversi signori che amministravano sulle loro terre l'alta giustizia, in oggi si riducono a due soli: il Brahe nell'isola di Wisinburg, nel mezzo del lago Vetter, ed una famiglia d'un ramo di Sparr a Engsoi, isola del Meller, due leghe lontana dalla città di Westeros. Per altro ogni conte e barone fa giustizia nella sua contea e baronia: ma solo hanno *jus* del sangue i due suddetti, i quali mi pare ancora che per i due accennati luoghi siano esenti dalle contribuzioni.

Costumano in tutte le case i baldacchini, che collocano sopra le tavole, e questi in tempo di nozze si veggono nelle case eziandio de' borgesi, non vi essendo distinzione: sì che mi pare che si riduca piuttosto esser moda, che argomento di vanità e distinzione, facendo come quell'alemanno che, vedendo a Parigi un cavalier dell'ordine, mandò a chiamare un sarto perché gli facesse un ferraiolo con la stella d'argento, credendo che questa fosse la moda. Così in Svezia veggono il baldacchino in una casa e ognun l'alza in casa propria, passando per un mobile d'ornamento.

Del resto nella città non si veggono mai feste, mai spettacoli o radunanze di popolo, se non per occasioni di nozze o di funerali, e un signore di qualità sono solennissimi. Se gli fa funerale alle volte tre o quattro anni dopo la sua morte: si espone il cadavere con lumi in una delle principali chiese, di dove è portato nella chiesa del palazzo in deposito, finché sia condotto a sotterrare alle sue terre. Nel condurlo adunque nella chiesa del palazzo è portato in una bara adorna con drappi d'oro, sotto il baldacchino: avanti gli precedono a coppia i ragazzi delle scuole senza lumi, a' quali assistono i maestri delle parti per rimettergli nel tuono del canto; avanti la bara sono portate le armi e le divise del defunto, e la spada se è soldato; appresso il cadavere viene il re, in carrozza a sei, insieme colla regina, in una carrozza ricchissima, che è quella che già fu donata dalla Francia: seguono poi le damigelle della regina, vestite di bianco, con un gran strascico. Se il morto è signore di straordinaria qualità, il re in tal caso va a piedi. Dietro a tutti vengono i parenti vestiti a bruno come nel disegno n. 24.

Le nozze, che si solennizzano con gran pompa eziandio da' borgesi, consistono in andare alla chiesa a dar l'anello gli sposi, e con esso loro in fila a due a due tutti i parenti, precedendo a tutti lo sposo, avendo a man diritta il prete, o per dir meglio il ministro, come nel disegno n. 12. Alla sposa pongono una corona in testa, e mettendosi gli sposi in ginocchioni con le donne dalla parte dello sposo e gl'uomini da quella della sposa, reggono sopra ad ambedue un drappo nel tempo che il ministro fa la funzione di dar l'anello; e di poi, andando a mangiare, si pongono due tavole nella stessa camera, ponendosi gl'uomini in tavola distinta dalle donne, e quivi stanno bevendo e scherzando allegramente al concerto de' violoni che quivi assistono (e meglio si potrà riconoscere da' tre disegni numero 11, 13 e 14).

Fuori di simil congiunture non si sa quel che sia conversazione, fuori che col bicchiere alla mano: e questa per ordinario si fa con i parenti più stretti, perché ubriacandosi non vogliono parer quelli che sono, scorgendosi in loro sempre lo sforzato e l'attenzione di nascondersi.

L'estate si trattengon le dame giocando a due giochi di carte, *Beste* e *Lanoverure*; ma da poco è in costume anche il *Perquier*, gioco di tavole.

La regina sta per ordinario sola, non essendo costume che le dame frequentin la corte e comparendo da lei di rado anche quelle di suo servizio, e particolarmente quando si trova in campagna, mentre allora va, per così dire, a pigliar da sé le cuffie, e sempre si ritrova sola o per il giardino o per il parco.

In villa le dame e i cavalieri godono qualche maggior libertà che nelle città. Le occupazioni loro consistono nel levarsi l'estate alle dieci, e poi radunarsi in una sala per far un'ora di preghiere, ritirandosi dopo le dame a lavorare o leggere fino all'ora del desinare, nel quale consumano due ore; andando dopo dame e cavalieri alla rinfusa, con grandissima domestichezza, nel parco o nel giardino, sino a tanto che, unendosi colla compagnia, vanno tutti insieme su per i laghi in una barchetta, dove remano le fanciulle, servendo loro di qualche trattenimento una pesca assai comune ne' laghi, fatta con un edifizio chiamato *Calzar* del quale se ne vede qui il disegno n. 26. Talvolta per lor diporto costumano andare alle case de' contadini a mangiar della crema per lo più forte, oppure dell'oche salate o simili delizie.

Contribuisce, a mio credere, moltissimo a godere la campagna la comodità di andare da un luogo all'altro, non avendo forse in niun'altra cosa saputo riconoscere in Svezia attenzion maggiore che nel render comodo il viaggiare, non solo per i nobili e per la gente del paese ma eziandio per i passeggeri, che sempre trovano facilità di vetture e di posate, con un'ottima disposizione e regola: poiché le vetture si pigliano da' contadini destinati a tener la posta, e si paga un cavallo sei soldi di Francia per ogni lega, che val sei delle nostre miglia, e mancando i cavalli alle poste, son sempre provvisti da' contadini vicini, essendovi un tal ordine rigorosamente osservato. Ne' medesimi luoghi della posta vi si può anche alloggiare, trovandosi letti assai buoni, ma non già buone le vivande, consistenti in oche, in carne di porco o di vacca salata e fumata; si trovano però in alcuni luoghi dell'uova, del burro e del latte, bevendosi della birra detta *ula* in mastelletti di legno soppannati dentro di pece, la quale *ula* è grossa e nera e sa di fumo.

Il modo del viaggiar è civile, si fa sopra tregge di giunchi a quattro ruote, con due cavalli di fronte attaccati a quattro tirelle di legno, le quali tirelle e la sella sono come quelle del disegno n. 2, benché sia diverso il restante. Si costuma per la maggior parte di fare i viaggi d'inverno, per la comodità che rendono i fiumi ed i laghi diacciati di valersi delle slitte, facendone sul diaccio file di dieci e quindici, benché non sia ciò senza pericolo, perché è quasi inevitabile il morir di freddo a chi di notte s'addormenta nelle slitte; eppure per la brevità del giorno è necessario far la maggior parte del viaggio di notte, nel quale tempo quelli che s'addormentano cominciano per ordinario a sentire un certo dolore nel filo delle reni, al quale succedendo torpore di membri e di sensi, si muoiono. Oltre questo se ne corre un altro considerabilissimo, ed è che alle volte rompendosi il diaccio resta affondata la slitta e 'l viandante: ed è così poco straordinario questo accidente che non arreca più né maraviglia né terrore, né se ne fa più caso, onde gl'altri che lo seguono, senza altra diligenza che sfuggir la buca, tirano francamente innanzi il loro cammino.

Il tempo, nel quale con sicurezza si pratica il diaccio in Svezia, non è prima che intorno a Natale, durando quasi a tutto marzo. Da principio non è il diaccio più grosso di una spanna ed è sicuro, dove l'aprile, che è alto due braccia, è molto fallace, avendo cominciato già a far pelo in più luoghi. In Danimarca pure è grossissimo, benché sempre pericoloso: e di qui nasce il proverbio in Svezia, che d'aprile tutto il diaccio è danese, alludendo al carattere della nazione, tenuta da loro falsa e di poca fede.

Non vi è senza dubbio paese alcuno nel quale i passeggeri trovano maggiori comodità che in Svezia, per quel che riguarda alla notizia e del cammino e de' luoghi che hanno passati o che devon passare: poiché in molte province sono notati sopra le strade fino a' quarti delle leghe, il che praticano in differenti modi. In Schonen ed in Halland pongono in terra alcuni pietroni alti quattro e più braccia, ove è intagliata la cifra del re sotto la corona, e di poi il contrassegno della lega, della mezza lega e del quarto. Ne' paesi più salvatichi, come in Smoland e simili, invece di pietre mettono travi rincalzate da un muricciolo quadro, e nelle più civili sono ridotte a piramidi o a colonne dorate e dipinte. Per denotare lega intera, invece d'una pietra e d'un legno ne pongono due, per mezzo de' quali passa il viandante. In Ostrogotia fanno lo stesso, con questo: che sono alte sette o otto braccia, ed in cima vi fanno gli oriuoli a sole, che in Svezia si veggono in ogni capanna, perché ogni contadino li sa fare.

Ne' luoghi ove si mutano i cavalli, nelle province più civili, vi è sotto l'insegna il prezzo di quanto si ha da pagare la vettura di quivi all'altra posta, la misura della strada sino a quarti delle leghe, e non solo per la strada maestra ma per diversi luoghi che sono quivi vicini; dall'altra parte dell'insegna vi sono le misure, nella stessa forma, dell'altro cammino.

Questo è tutto quello che m'è riuscito d'osservare nel breve tempo che mi son trattenuto in Svezia intorno al governo e stato universale di detto Regno, alla corte, alle cinque prime cariche e magistrati, commercio, miniere, fertilità del suolo e natura degli abitanti; ora mi pare che mi resti se non accennare qualche cosa, come promesso sul principio, delle persone e casa reale, e di quelle de' senatori, o d'altri che ho creduto o potuto più particolarmente investigare.

IL RE E LA REGINA

Il re Carlo, undecimo di questo nome, ha la mina d'uomo impacciato e che ha paura d'ogni cosa: pare che non ardisca guardare nessuno in viso, e si muove in quel modo, appunto, come se camminasse sul vetro. A cavallo pare un altro, ed allora pare veramente il re: ha buona mina, è disinvolto, allegro, più risoluto di quello che apparisce in camera. Del resto veste pulito, però senza gala: tutto quello che porta è lindo, ma li piacciono i colori tedeschi, e tutto insieme è legato. Ha fondo di religione essendo stato educato col timor di Dio, il quale gli dura ancora. È liberale, ma più di quello che non conosce: talvolta piuttosto donerà 10 mila scudi d'entrata che 100 scudi. È costante nelle risoluzioni, cupo e riserbato, a segno talvolta di non poter cavar di bocca una parola: come seguì allora che, in concorrenza di due al tesorierato, avendo il senato rimessa a lui l'elezione quantunque fosse minore di 14 anni, per tre giorni continovi proccurarono di scoprire la sua inclinazione, ed altro non ne poteron cavare se non che gli sarebbero stati cari ugualmente tutti due. Di profonda simulazione e segreto fino all'eccesso, non ha mai ridetto quel che gli sia stato conferito: nondimeno è da esaminarsi se in una nazione poco tenace del segreto, questo che si trova in lui sia effetto di stolidità e d'astrazione piuttosto che di prudenza. L'opinione universale è che sia simulato, sebbene s'osservano delle dichiarazioni che non sarebbero necessarie: come per esempio, burlandosi de' conti in generale, disse ad un luogotenente delle sue guardie: «Che! vi date voi ad intendere d'esser capitano perché voi siete luogotenente di un conte? no del certo, non è più quel tempo».

Ora, come si può unire con una tanta simulazione questa dichiarazione così pubblica, che offendeva il primo grado del Regno, fatta senza proposito, a sangue freddo, e senza necessità?

Il suo forte è negl'esercizi cavallereschi: tira ben di spada e sta bene a cavallo. Si osserva però che vale più nel maneggio, dove si richiede maggior forza e vigore di corpo che arte o scuola, ond'è che fa meglio l'opere d'aria che quelle di terra.

Nel resto è ignorante di tutto: non sa la lingua latina né altra cosa, solamente parla bene nella lingua tedesca ed un poco intende la franzese. Una volta, essendo stato sentito parlare in questa lingua a un tale, vi fu chi pensò che quella confidenza potesse andare a parare più lontano, e se ne fece mistero. È stato educato nell'avversione alle cose straniere, né è stato difficile portandolo per altro il genio a non far nulla, ed essendo anche d'una straordinaria disapplicazione a tutto quello che ha da fare. Le sue inclinazioni sono alla guerra, sono alla caccia, sono agli scherzi; ond'è che egli ama i cavalli, ama i cani, ed ama coloro che han la mina a' discorsi ... e talvolta per le loro millanterie gli paiono gravi, ed ha gusto che seco si burli: i suoi scherzi sono urtoni, minchionature grossolane, e nel suo spirito gli motti che offendono passano per galanterie. Sa benissimo fare gl'esercizi militari, tanto a piedi quanto a cavallo, squadronare le milizie ed ordinarle in battaglia, e lo fa così bene e con tanta disinvoltura, ne parla sì fondatamente e ne rende sì buon conto che vedendolo alla testa delle sue truppe pare un vecchio generale, vi si riconosce il genio che anima queste operazioni, ed insomma è nel suo centro e nella sua sfera. Mangia bene, ma non è ingordo, altre volte giuocava, ora non giuoca più: nel giuoco pare avido, conta e riconta, guarda e riguarda, ma non arriva a riscaldarsi ed a sconcertarsi. Finalmente egli ha delle inclinazioni, ma non delle passioni che effettivamente si riconoscano.

La collera pare la più veemente, ma non vi è eccesso: il maggior trasporto è stato, mentre era briaco, il tirar la spada ad un uffiziale delle sue guardie, il quale gli parlava impertinentissimamente, e fu l'anno passato nell'isola di Oeland. Grida, s'adira, strapazza di parole lacchè, paggi e tutti quelli che gli sono d'attorno. Non è sensuale, e se ha fatto qualche scappata è stato messo al punto da altri: si discorre d'una vecchia donna di camera della regina, la quale apparentemente l'aveva sollecitato. S'imbriaca di quando in quando, più secondo le congiunture che per vizio: briaco non fa pazzie, poche volte è entrato in collera, solendo ordinariamente dare nell'umore allegro, nel ridere e nel dare urtoni.

Quando è ritirato colla sua gente, è molto familiare con esso loro e con loro scherza: se egli conosce che l'adulino non ci ha gusto, ma non lo conosce sempre; non vuole che gli si ceda nel giuoco né che gli si porti rispetto nel tirar di spada. Non ha gusto a parlar con altri che con gli Svezzesi e con i Tedeschi, la conversazione de' quali è la sua più grande scapigliatura e il più gran regalo, giacché con gl'altri forestieri ci ha positiva avversione: come con i Franzesi e con gl'Italiani, i quali sprezza e teme, e per il loro spirito e perché gli sono stati figurati capaci d'intraprendere qualsivoglia cosa; e come con gli Spagnoli, i quali non stima così cattivi, ma teme come osservatori; o al più ci è indifferente, come cogl'Inglesi e cogli Olandesi, credute nazioni di meno intrighi e di meno cabale, de' quali i senatori temendone meno, non hanno preoccupato il suo spirito con sì cattive impressioni.

È tutto nella mani del senato. Il suo maggior desiderio sarebbe che il senato risolvesse di fare una guerra e che lo mettesse alla testa dell'armata, ristringendosi qui tutta la sua ambizione e replicando spesso: «Quando vorranno questi signori che si faccia una guerra?». Ciò nonostante non sa né quando né come si debba fare, nemmeno si mette in stato d'impararlo, sì come né anche è capace d'altri gran pensieri, come sarebbe di farsi padrone del senato. In queste massime di subordinazione al senato è stato allevato dal suo aio Cristofano Horn, senatore del Regno.

Questo è un buon uomo, che beve bene e che possiede tutta quella bontà che l'ignoranza può produrre. Ha però promosso, così semplice com'è, tanto bene gl'interessi del senato, che se non poteva dare peggiore educazione al re come re, non gliel'ha potuta dare meglio per il senato. È soldato, ma non sa del mestiere se non per capitano di cavalli. Egli si è perduto per quello che disse nel senato quando si trattava di dichiarare il re maggiore, avendolo figurato come non capace di esserlo: faceva il suo conto, come che ciò tornava bene al senato, che egli lo guadagnerebbe, e così prolongherebbe la sua autorità sopra la persona del re; ma il senato non avendo potuto resistere all'istanze degli stati, i quali domandavano che il re fusse liberato della tutela, non è stato dal medesimo sostenuto ed al re si è reso ridicolo.

Già che abbiamo parlato del re suggiugneremo qualche notizia intorno ad alcuni suoi servitori. Il maestro del re è figliolo d'un vescovo, professore d'Upsalia, che si chiama Frigelius, uomo al quale l'aria della corte non ha fatto perdere la pedanteria: semplice assai, ignorantissimo delle cose del mondo, ma di buoni costumi, che non s'imbriaca e che teme l'odio, o fa le viste di temerlo; quello in che più spicca è la perizia delle leggi del paese. Mostra di amare teneramente il re, il quale essendone persuaso ha gran fede in lui: egli però non sa approfittarsene. È stato fatto nobile, barone e senatore, e con questo riman soddisfatta la sua ambizione: non vede il re che di rado. I suoi figliuoli hanno studiato col re e s'intendono di medaglie, sono però d'ingegno assai limitato.

Non ha il re di servitori vecchi che l'abbiano servito dall'infanzia, che un filandese aiutante di camera. Ora l'ha fatto gentiluomo: vuole nondimeno che lo serva nel medesimo posto, orpellato con questo titolo d'onore. È molto ignorante, non parla altre lingue che la tedesca e la svezzese. Non ha cavato dal re se non qualche danaro, e il poter render buoni uffizi per gl'amici e cattivi per i nemici: non è capace di far gran passata, perché il re non fa gran caso di lui, fuori di quello che riguarda il suo servizio. Adesso vi sono due aiutanti di camera, che gli sono subordinati e comandati da lui.

Sono considerati per favoriti: nel primo luogo, Aschemberg. Questo è un gentiluomo irlandese, che fu colonnello nell'ultime guerre d'Alemagna, e generale maggiore in quelle di Pollonia e di Danimarca. In Pollonia vicino a Conitz fece una buonissima fazione, il che gl'acquistò credito; dopo fu mandato a Sonderburg in Holstein, dove fu battuto dalle truppe ausiliarie pollacche ed obbligato a ritirarsi su delle barche, le quali si trovaron vicine alla fortezza, con una sola parte della sua gente. Del resto, egli ha operato bene altre volte, ed è uno de' migliori uffiziali che abbiano nella cavalleria: conosce però quel che vale, ed ha dato saggio della sua vanità nell'aver fatto dipingere in diversi quadri tutte le sue imprese. Il re l'ha fatto barone e gli dà speranza del governo di Bohus.

Schultz è gran scapigliato: amatore delle donne, del vino e del mangiar bene, è stato maestro di casa del cancelliere presente, il quale, senza che l'avesse molto servito, gli proccurò un reggimento, e dopo l'ha sempre protetto. Fu all'assedio di Riga, dove fece qualche cosa contro i Moscoviti. In un anno è stato avanzato ai posti di general maggiore e di luogotenente generale dell'infanteria, senza che abbia servito in altre guerre. Si crede che tal sorta di gente abbiano ottenuto cariche perché hanno dato ad intendere al re, altre volte datosi tutto alla nobiltà vecchia, che per bilanciare le cose bisognava far così, senza aver riguardo al merito d'alcuno.

Wolmar Wrangel è uno stordito, che nelle guerre di Danimarca fu capitano di cavalli, ed ora è sergente generale della cavalleria.

Rutercranz è gentiluomo delle nuove famiglie: ha insegnato cavalcare al re, dove consiste il suo forte: è amico di Stembock.

Tornando ora alle persone reali: la regina madre, Eleonora della casa d'Holstein-Gottorpp, è una buonissima principessa, devota e che non fa male a nessuno, ma leggera, incostante e che si diletta del mangiar bene. Quantunque non sia ambiziosa ha di molto credito col figliuolo, il quale l'onora infinitamente: anzi, egli non si ferma in Stockholm se non vi è lei, perché crede di non poter vivere senz'essa. Il re gli paga ogn'anno 10 mila talleri incirca, maneggiati da Gustavo Soop, senatore del Regno, il quale chiamano governatore della regina: e veramente dispone de' suoi beni come se fossero propri. Ella non ha alcun credito nel senato, nemmeno ne aveva nel tempo della sua reggenza, fuorché per il voto doppio. Le divisioni de' senatori gli averebbono posto in mano l'arbitrio delle cose, se ella fosse stata altra donna. Non può dunque niente, se non quanto l'accredita la confidenza col figliuolo; per la sua casa hanno tanto rispetto quanto comporta l'interesse di stato.

Li principi del sangue reale sono: il principe Adolfo, zio del re, la moglie del gran cancelliere, la moglie di Friz d'Hessen, sorelle del medesimo, e l'ultima madre di tre principesse: la moglie del duca di Wolfenbuttel, la principessa Giuliana e la maritata a un principe d'Helle, della casa di Sassonia. Quella che è in Wirtemberga è figliuola del Langravio d'Assia regnante, e una sorella della regina.

Il principe Adolfo non è molto conosciuto da chi non è stato alla corte se non dopo il suo esilio. Quel che se ne sa per sentito dire è che sia fedele verso gl'amici, ma strapazzatore de' servitori anche di qualità; disuguale, stravagante, odioso cogli Svezzesi; è povero, ha qualche tintura d'erudizione mal accordata. È maritato colla sorella del conte Nils Brahe, che gl'ha portato qualcosa oltre l'appannaggio che ha dal re, il quale non è più di 9.000 talleri; di quella moneta vive sempre in campagna, alle sue terre.

La moglie del gran cancelliere è trattata da tutti d'altezza: è una buona signora, savia e di somma virtù, che ha sempre teneramente amato il marito, né mai s'è mescolata nelle cabale.

La Langravina, d'età di 40 anni incirca, è una donna stizzosa, vana, stravagante, superba, malinconica: vive in Alemagna a' beni che erano del marito, immersa nella devozione. Di Svezia non ha nulla: è malvista dalla regina, alla quale quando va in Svezia parla con pochissimo rispetto.

La duchessa di Wolfenbuttel dicono che sia bella, e sarà intorno a dieci anni che è maritata. Quando il duca venne in Svezia si rese ridicolo per la sua gelosia, come anche per l'altre sue qualità, fisonomia, portamento, vestire, alterezza. Le gelosie furono principalmente con quel Konigsmark che è morto, il quale lo disfidò: ma la regina impedì. Sugl'occhi della corte trattò malissimo la sposa.

La principessa Giuliana stava alla corte sotto la cura e ne' medesimi appartamenti della regina, dalla quale la divideva la sola guardaroba comune; ebbe la disgrazia che ognun sa, più detestabile per il rimedio che per l'eccesso. Diceva bonariamente, fino a pochi giorni avanti il parto, di sentirsi ingrossare, talmente che le donne di camera riferirono alla regina che bisognava che ella fosse veramente gravida. La regina entrò in camera e gli disse di voler sapere quel che c'era: la principessa se gli buttò a' piedi in ginocchioni ed impetrò la sua protezione. Ad ogni modo, tutto andò al palio, sì per debolezza di condotta sì ancora perché i nemici del conte Gustavo Lilli vollero mettere il re in stato di non gli poter perdonare, chi per cacciarlo (come tutti gli gentiluomini della camera del re, che non eran conti, come sono la maggior parte), e chi per ottenere le sue cariche, le quali erano considerabilissime, essendo egli colonnello di due reggimenti di guardia. Sento che ancora la N.N. per odio contro la madre di lui, abbia contribuito alla pubblicità del negozio. La principessa fu mandata a casa la moglie del cancelliere a Lecko, dove partorì. Di lì fu condotta da una signora, tenuta per figliuola naturale di Gustavo Adolfo, maritata a un gentiluomo svezzese che si chiama Marchal, il quale si trattiene in campagna. Ora il re ha deputato al suo servizio una donna e gl'ha dato una casa, dove vive da per sé, col necessario per appunto. Lilli si trova in Amburgo, disgraziato, senza cariche e di più condannato a morte, benché la sentenza non sia stata pubblicata. La principessa è semplice, non è brutta, ma né anche bella, e non ha aria nobile; non si può sapere ciò che ne sarà in questo paese: se morisse la moglie del conte Lilli, s'aggiusterebbe il tutto.

Pochi giorni avanti che la cosa si scoprisse la moglie del conte ebbe un male stravagante con grandissimi vomiti, non conosciuto da' medici; con tutto ciò si è governata benissimo verso la principessa, portando acqua sul fuoco. Osservano che il parto ha gli occhi turchini, ed il padre e la madre neri; quindi i belli spiriti vogliono dedurre altre conseguenze.

La terza principessa è bella, ma forse più graziosa che bella, perché i tratti del viso non sono regolari; è grande e di bella presenza. Sono due anni che è maritata e non ha aùto niente: dopo maritata non è stata verbigrazia che venti giorni insieme con suo marito, il quale dopo se la condusse in Alemagna.

LA REGINA CRISTINA

Si dovrebbe ora parlare della regina Cristina: ma perché ella è così ben conosciuta in Italia quanto si sia in Svezia, e perché il mio viaggio è succeduto tanto dopo alla sua abdicazione e partenza dal Regno, tralasciando ogni altra cosa mi ristrignerò solamente ad alcune poche notizie intorno alla medesima abdicazione e motivi di essa.

Il gran cancelliere Oxenstiern fece il possibile per bene allevare la regina, e mentre che da lui fu governata ebbe sentimenti di giustizia e di prudenza. In una cosa sgarrò, che si credette di comandar sempre e che la regina sempre dovesse depender da lui: la buona maniera del conte della Gardie, che in progresso di tempo fu anch'egli gran cancelliere, è verisimile che la vincesse sopra la venerazione tenutagli. Quando il conte fu mandato in Francia, dicono per cosa certa che nelle lettere credenziali ci fussero queste parole: che ella mandava al re il più bell'uomo che fosse nel suo Regno. Questo, ritornando da' suoi viaggi con sentimenti pieni di prodigalità, ricresciuti ancora dalle fresche idee della corte che aveva trattato, fu il primo ad inspirarglilene. Da tali princìpi ne nacque che ella cominciò a far poco caso de' consigli del gran cancelliere, e disprezzandolo lo trattava da pedante: anzi, quando si fece la pace d'Alemagna, scrivendo al figliuolo gl'ordinò che a dispetto di suo padre sottoscrivesse la pace, altrimenti che il diavolo gliela farebbe segnare.

Contribuì molto alle profusioni della medesima l'avidità di tre signori, i quali allora erano chiamati i più grandi ladri di Svezia: Tunguel, Guldenclou e un altro, segretario di Livonia. Le profusioni dunque della regina e l'avidità di coloro che gl'erano attorno, praticati per tutto il tempo della sua reggenza, arrivarono a tal segno che vi sono delle province, e delle migliori, dove non resta un contadino al re; sì che si può dire che le principali cagioni de' disordini succeduti sieno stati la debolezza della regina e l'avarizia di chi la governava, piuttosto che alcun determinato consiglio o cabala, quantunque gli Spagnoli non vi abbian aùto piccola parte, essendo certo che don Antonio Pimentelli gli fece spender molto del danaro d'Alemagna, e proccurò di rovinarla per quei fini de' quali appresso si parlerà. E si crede che una delle ragioni della sua abdicazione fosse quella di vedersi esausta, e di non aver più modo di saziare l'ingordigia d'ognuno: di ciò i burgesi e contadini fecero molte volte pubblica querela nelle diete, quando, essendo indotta ad estrema necessità per mancamento dell'entrate della corona, ell'era obbligata a domandar de' sussidi, con aggravio dei medesimi burgesi e contadini che dovevano somministrarglieli. E sebbene le loro querele nel tempo della sua reggenza non furono udite, fin d'allora si motivò che per liberare il pubblico dagl'aggravi e stabilire l'assegnamento per la sussistenza del principe si dovessero ritirare gli beni da quelli a' quali erano stati donati.

Il re Carlo Gustavo, venendo alla corona, trovò che lo stato regio non poteva sussistere senza gli beni della medesima corona; e si crede che Herman Fleming, senatore del Regno e consigliere della camera de' conti, insieme con Coiet, segretario di stato, fussero quelli i quali gl'insinuassero questa massima. Almeno promossero quest'affare nella dieta, d'onde ne uscì un decreto, che quelli i quali possedevano i beni regii, o per mercedi o per compre o con altro titolo oneroso, gli potessero ritenere, ma che di quello che fosse stato acquistato o per donazione o con altro titolo lucrativo, ritornasse alla camera regia tutto ciò che fosse dentro una lega intorno alle case del re, oppure fusse de' beni che sono necessari alle fabbriche delle miniere, e la quarta parte del resto. Per l'esecuzione di questo decreto fu deputato un consiglio che si chiamò il consiglio della riduzione, il quale doveva riunire i detti beni alla corona; ma si è portato così male (sì come ancora il senato), che per tutta l'età minore di questo re avendo de' sopraddetti beni o lasciato il possesso a chi l'aveva o dato facoltà di ritenergli fino all'età maggiore del re, o toltigli ad uno per dargli ad un altro, in sostanza non si è riunito nulla alla corona. Solamente Fleming e Coiet si hanno profittato, che per ricognizione godevano la buona grazia del re, ed il primo fu nel suo testamento lasciato gran tesoriere; al che però la nobiltà s'oppose, per l'odio grande che gli portava a causa della stessa riduzione.

Oggi il re, dichiarato maggiore, insiste nelle massime del padre, e di già ha ricuperato tanti beni che bastano per il mantenimento di tre compagnie di cavalli d'Upland, e le sei di Aschemberg nella Vestrogozia ne saranno anche formate: nell'Ostrogozia e in Finlandia ne hanno ricuperato una parte, il che fa molto stridere e fa de' mal contenti. Il re ci è portato dal gran tesoriere, dai due Guldenstiern, da Rolamb, Gripenhielm, Lindenschiuld, i quali non avevano aùto niente e non hanno gran bisogno. Il consiglio sussiste sempre, e s'è fatto più in un anno che non s'era fatto in quindici.

Ma tornando alla regina, il primo e principal motivo dell'abdicazione della medesima fu il seducimento maneggiato da Pimentelli e da Montecuccoli. Questo fu spedito dalla corte di Vienna con due commissioni: la prima, di far rinunziare la regina e far eleggere il re Carlo Gustavo, la seconda, d'istigare sotto mano gli Svezzesi a pigliar Brema; l'un'e l'altra mirava a dar degl'imbarazzi alla Svezia. La regina, dipinta in Spagna da Pimentelli quale gliela mostrava la sua passione e assistita dalla prudenza del cancelliere, faceva apprender per sommo vantaggio della casa d'Austria se un giorno escisse del Regno lasciandolo al cugino, dalla di cui apparente debolezza si promettevano in primo luogo di vedere la caduta del gran cancelliere, e che governando da se medesimo darebbe materia di interni disturbi alla Svezia. La caduta di Brema tendeva a fare allarmare, col sacrifizio della sola Brema, tutta l'Alemagna, e ad unirgliela contro in lega, e specialmente gli principi vicini e della religione luterana. L'uno e l'altro seguì, ma niuna delle macchine sortì l'effetto suo, poiché l'assedio di Brema si fece e poco dopo anche la pace con vantaggio degli Svezzesi, e senza odio, ed il re Carlo Gustavo fu re ma li fece tremare.

È da sapersi la vita del re Carlo Gustavo essere stata sommamente dissimulata. Nelle sue stanze non si vedevano libri, non piante di piazze, ma bensì bicchieri e pipe, e ogn'altra cosa che li potesse servire per un'estrema affettazione d'ignoranza, disapplicazione e scapigliatura infinita. Apprendeva egli il cervello del gran cancelliere, e l'indole e doti naturali de' due suoi figliuoli, uno de' quali s'era una volta lusingato poter dar per isposo alla regina: credette che il modo di ripigliar tutti, e lui in particolare, fusse il farsi considerare per un uomo da abbandonarsi a' piaceri e da lasciarsi tutto in braccio al senato. Dichiarato che fu successore alla corona per la nomina della regina e per l'approvazione degli stati, si ritirò subito a Borchemborg nell'isola d'Oeland, dove aveva i suoi beni, in compagnia d'alcuni pochi domestici, co' quali a ore strane pigliava informazione delle leggi e dello stato del Regno col chiamar quivi gli uffiziali e soldati, e col tener corte bandita mostrava apparentemente applicare ad ogn'altra cosa. Onde la prima volta che entrò in senato potè, fuor dell'aspettazione d'ognuno, parlare con grandissimo fondamento degl'interessi del Regno, ed in specie esagerò la rovina di esso dipendere dalle profusioni della regina Cristina, sebbene per altro conservò sempre gratitudine verso il gran cancelliere: lo chiamò sempre padre, andando da lui gl'usciva incontro e dopo la sua morte fece cancelliere il figliuolo.

Pimentelli, che era nell'inganno degl'altri, secondava le pratiche di Montecuccoli, e per la renunzia si servì di ragioni adattate alla vanità de' pensieri della regina, imprimendole tanto orrore della Svezia e de' Svezzesi che ella, comparandolo con la figurata delizia ed opulenza de' paesi di Spagna e d'Italia, apprendeva per miglior condizione il viver per esempio prigione a Napoli che regina in Svezia. Leggendo una volta Ovidio, *De Ponto*, disse: «Ecco una bella descrizione del mio Regno».

Mentre ell'era nel fervore di questi suoi pensieri eroici, disse un giorno all'inviato di Danimarca: «A me è lo stesso uscir dal Regno che da quella porta». Egli rispose: «Da quella porta si può ritornare, e nel Regno no». Un'altra volta dimandandole: «Che dirà il mondo di questa mia azione?», rispose: «Ognuno nell'avvenire si servirà del nome di V. M. per autorizzare il disprezzo delle grandezze umane; ma il prezzo di tutto questo è *ut pueris placeas, et declamatio fias*».

È opinione che Pimentelli pigliasse il tempo quando il conte della Gardie fu ammalato d'una febbre quartana che lo distrasse; e seppe così ben maneggiarsi, ed arrivò a tal segno, che ne' viaggi d'Upsalia e d'altri luoghi è certo che Pimentelli stava alloggiato ne' palazzi della regina. L'ordine dell'Amaranta fu instituito in congiuntura d'una festa nella quale si rappresentava la regina sotto nome d'Amaranta, dove gli dei discendevano a fargli un convito. L'impresa dell'ordine sono due A intrecciate insieme, che suppongo che sia Amaranta e Antonio, che è il nome di Pimentelli, col motto: «Dolce nella memoria».

Il conte della Gardie, vedutosi escluso da Pimentelli, parlò più del dovere: e di qui cominciò la sua disgrazia, accalorata anche dal cancelliere Oxenstiern, onde fu allontanato dalla corte e privato d'una parte de' beni che la regina gl'aveva donato. In ogni modo gliene lasciò tanti, che potrebbe dispensarsi dal professare così apertamente una inimicizia irreconciliabile. La prima volta che ella tornò in Svezia gli fece fare quella reversale; la seconda la fece tornare indietro da Norkoping, processandola, per così dire, sopra un prete che menava seco. È da sapersi che da questo incontro lo spirito altiero della regina ne ritrasse motivo di lusingarsi, o almeno di darlo ad intendere, avendo scritto allora in Danimarca che si rallegrava di riconoscersi ancora amata e temuta in Svezia.

Non vi è pericolo che le levino le sue intrate, non essendo mai possibile che tutti gli stati insieme arrivino a tanta indignità di permettere che si riduca alla mendicità una principessa che ha fatto del bene a tanti, benché per altro esca loro il danaro degl'occhi che ella spende in Roma. Di ciò ognuno ne va d'accordo, e parlandosi delle di lei generosità dicono che sono state profusioni.

Ad ogni modo, ciaschedun crede che con essa seco si sia proceduto a proporzione del merito, e con tutti gl'altri si sia profusa: di qui è che all'occasioni la regina non trova mai la dovuta gratitudine; gl'usano però quella di far pubbliche orazioni per lei nelle chiese, acciò il Signor Dio la riconduca nella via della salute.

Ebbe ella pretensione di non aver rinunziato che a favore del cugino e suoi discendenti, ed in mancanza d'essi di ritornare alle sue ragioni; gli convenne però cedere e fare la seconda renunzia, minacciata d'esser ritenuta prigione in qualche parte del Regno. Di qui è che ella, intimorita, quando gli fu fatta la proposizione di restare in Svezia e spender quivi il suo appannaggio, subitamente se ne partì.

La regina averebbe sposato il conte della Gardie, ma il cancelliere Oxenstiern gli s'attraversò per obbligarla a sposare il suo figliuolo, su 'l capitale che faceva dell'autorità che aveva negli stati, senza l'approvazione de' quali è indubitato che ella non poteva maritarsi; e per la medesima ragione non volle mai acconsentire che sposasse Federico, figliuolo di Cristiano IV, re di Danimarca. La cabala poi della Gardie fu quella che gli roppe le sue misure, ond'egli, vedute le difficoltà, non vi s'impegnò di vantaggio. Anche il re Carlo Gustavo dopo la sua elezione, per voglia che effettivamente ei n'aveva, commesse a van der Linde di trattare con essa mentre ella stava per partire.

E' bisogna sapere che la regina, pochi giorni avanti la sua renunzia, aveva mandato van der Linde all'inviato di Portogallo con un viglietto sigillato, in cui dichiarava di non riconoscer più il duca di Braganza che per un usurpatore, e che averebbe lasciato sufficientemente instrutto il suo successore delle ragioni di lasciare ogni pratica ed ogni commercio con esso, ordinandoli che non l'aprisse se non alla presenza .... La regina dunque rispose: «Vediamo se il re ci vuol bene, e quel che sa far per noi. Ditegli che scacci via il portughese e rompa ogni commercio del sale». Il re sentendo questa risposta: «Costei, disse, ci minchiona: lasciamola andare dove vuole, e noi seguitiamo il commercio co' Portughesi».

La diminuzione della potenza di Svezia cominciò in tempo della medesima regina Cristina. Ella, nudrita fra l'adulazioni franzesi, credendosi capace di governare il Regno e promettendosi di quell'abilità che si ricercava, volle aver maggior parte che non sarebbe convenuto nel governo. Cominciò a strapazzare gli uomini grandi e che erano stati ammaestrati degl'interessi del Regno dall'esperienza, e dette credito più del convenevole all'insinuazioni de' giovani, i quali, avendo avanti agl'occhi la Francia, stimavano che sarebbe stato una bellissima impresa il mettere la Svezia in posto di fare le medesime cose, col supposto che per farlo bastasse solamente il provarsi, o piuttosto il volerlo. Così fu introdotto il lusso, ed il conte della Gardie tornando di Francia fu il primo a portarvelo: fece un'entrata solennissima, colla quale occupava tutto il tratto che è fra Jacobsdal e Stockholm. Allora furono introdotte mode, tavole, mobili, carrozze, ed allora pure presero piede le prodigalità della regina: balli, feste e simili cose erano quelle che accreditavano allora alla corte.

Il re Carlo Gustavo proccurò di rimetter la Svezia al suo mestiere e ristabilire la sua gloria, ma non seppe usare in tempo della fortuna: poteva rimanere con tutta la Prussia, e 'l desiderio della Pollonia gliela fece perdere. Alla pace di Roskild poteva rimanere colla provincia di Trondhem in Norvegia, e con Bornholm, che tutte due importano 120 mila talleri d'entrata: la gola di tutta la Danimarca gli fece perdere l'un'e l'altra. Insomma era un giocatore che nella disdetta era capace d'azzardare e di perder tutto, e nella detta non si contentando aspettava sempre che la fortuna mutasse, a risico di lasciare il gioco con perdita. Morto che fu, succedette la reggenza, piena di divisioni, di fazioni e d'interessi privati. Di qui è che s'è distrutto il pubblico, mentre ognuno ha tirato ad aver danari in qualunque modo, né altro è restato che queste poche fabbriche che ora si vedono.

I SENATORI

Il conte Brahe e il conte Wrangle.

Quello che ci resta da dire sono le notizie intorno alle persone de' senatori. E prima cominceremo dal conte Piero Brahe, gran giustiziere del Regno, o vogliamo dire vicerè, il quale può considerarsi per il primo signore di Svezia, e per ragione della carica e per ragione della famiglia e ricchezze. Fu fatto senatore dal re Gustavo più di 40 anni sono, ed ora, come presidente del primo magistrato, è la prima persona dopo il re, il quale ne fa conto più per il posto che per inclinazione. È molto potente negli stati, perché è amato dalla nobiltà piccola, da' contadini e (per esser molto religioso) anche dagl'ecclesiastici. La sua famiglia è la prima di Svezia, tenendo il posto di primo conte, il quale titolo fu ottenuto dalla sua casa 113 anni fa insieme con due altre; ha la sua baronia, con gran parte de' suoi beni, in Finlandia, dove è considerato come se fusse sovrano. Le sue entrate dicono ascendere a più di 70 mila scudi d'entrata, ma io crederei 50 mila in 60 mila: infallibilmente è il più ricco di contanti di tutto il Regno. La sua moglie, che prese vedova del conte Tortenson, gl'ha portato gran beni e particolarmente la casa dove abita; la maggior parte però delle sue ricchezze sono state accumulate da lui medesimo, non fatte col negozio ma messe insieme di mercedi e altri provecci, e più col risparmio ed attenzione. È di maniere soavi, è facile, ma variabile e vanissimo per amore della grandezza della sua casa. Non è né franzese né spagnolo, ma inclinato a quello che crede vantaggioso al suo paese; sostiene i privilegi del senato e dell'antica nobiltà, ama li costumi antichi, odia i nuovi, ama gli Svezzesi e Finlandesi ed odia gli forestieri; è intelligente delle leggi della Svezia, ma non sa nulla degli affari di fuora. È vecchio inchiodato dalla gotta, e non ha figliuoli. Suoi eredi saranno il conte Niccolò Brahe e la sua sorella, maritata al principe Adolfo, figliuoli d'un fratello di lui, già morto: poiché in quel paese son chiamati alla successione anche le femmine; gli feudi passano nel capo di casa, e la sesta parte del rimanente va alle femmine.

Il conte Carlo Gustavo Wrangel, gran contestabile, è di statura grande e di bell'aria, ma fiera; ha intorno a 60 anni, piuttosto più. È malissimo trattato dalla gotta e dalla pietra, ed in tale stato che è quasi inabile a comandar più l'armate per ragione dell'infermità del corpo, benché lo spirito mantiene il suo vigore: ha àuto già due volte vapori alla testa, che l'hanno fatto cadere come morto, ond'è molto pericoloso d'apoplessia. Il cattivo stato di salute in che si trova gli fa apprender la morte e le cose dell'altra vita: di qui è ch'e' s'abbandona molto nelle mani de' preti. Ha religione, anzi si picca di teologo e controversista, conforme era la moda de' suoi tempi in Alemagna. Parla poco né interamente è spedito: è ben creato, magnifico, liberale di sua parola, ma collerico e molto inclinato alle donne. Si diletta di molte cose: ama i libri ed i letterati, benché, per dirne il vero, non sia troppo delicato; non sta mai ozioso, o legge o lavora al tornio, o modella case e fortezze, ed alle volte per divertimento giuoca e a dadi e a carte. Intende perfettamente le fortificazioni, la carta e l'altre cose del mare, così bene, quasi come il comandare in terra: è stato sulle flotte del mar Baltico e governa benissimo il suo *yakt* da se medesimo. Negli affari politici non ha la sua vocazione, ond'è che vi s'impazienta, e si dice che si lasci governare da un suo segretario, che si chiama il signor Cock ed è di Meklemburg. Adesso, secondo l'apparenza, non è contento in vedere che gl'uomini di penna non gli rendano quell'onore che gl'è dovuto; perciò vorrebbe la guerra, alla quale anderebbe in persona, o almeno spera che lo potrebbe fare. Non sta bene col gran cancelliere, quantunque altre volte sieno stati una medesima cosa. Il cancelliere gl'ha grandissimi obblighi: nel tempo della sua disgrazia colla regina Cristina il contestabile disse alla regina che voleva vedere il suo amico, e che, se ella non lo consentiva, lo poteva anche cacciare fuori del Regno.

È tanto amato universalmente quanto è capace la nazione d'amare, che vuol dire non è odiato. Vi sono però di quelli che lo tacciano di troppo ardente e di troppo impetuoso nel comandare. Il fatto sta che vi sono di molti che non vorrebbero fare il loro dovere, e, come che è, non può più far quel bene che faceva altre volte, perché non va nel consiglio di guerra e perché egl'è quasi che posto a sedere: di qui è che quei signori dicono che egl'è impetuoso; è ben vero che in altri tempi non averebbero ardito di dir così. È ricco di 60 mila scudi d'entrata, compresoci le cariche, sebbene può essere che si riducano a 50 mila; non è indebitato e paga benissimo ognuno. Spende in fabbricare: il suo castello di Skokloster è una gran fabbrica, con quattro gran torri di otto faccie poste su quattro angoli, di quattro appartamenti molto nobili. Vi fa presentemente un giardino, che rigirerà da tre parti il palazzo: dalla quarta vi è il lago Meller, sul quale ha fabbricato un porto in figura di mezzo cerchio con balaustri, simile a quello di Carleberg. Questo luogo è lontano una lega da Upsalia. Tiene gran posto, ha gran stalla e gran mobili, e fa grand'onore a quelli che vanno a lui. Con tutto ciò la sua casa non ha apparenza di casa di gran signore, ma di casa d'un principe d'Alemagna, nella quale la magnificenza consiste nella dovizia, nella folla e nel disordine. Due anni sono alloggiò il re con tutta la corte: s'apparecchiò per 400 persone e si posero in punto 100 letti.

Sua moglie era dama di Sassonia, di famiglia antica, conforme egli lo è di Livonia. Un suo figliuolo unico, che era di talenti miserabili, morì in Inghilterra. Ha quattro figliuole: la prima maritata al conte Niccolò Brahe, del quale ha figliuoli; la seconda è maritata al conte di Wittemberg, figliuolo d'un *Feltmarescial*, di quelli della guerra d'Alemagna, fatto conte dalla regina Cristina: egl'ha 6 o 7 mila scudi d'entrata l'anno; la terza e la quarta sono ancor fanciulle, e dopo la morte della madre stanno in casa del conte Nils.

Il conte Stembock.

Il conte Gustavo Ottone Stembock è un cadetto della casa di Stembock. Servì nella guerra vecchia d'Alemagna; nell'ultima di Pollonia era già arrivato alla carica di *Feltmarescial* e, dopo avervi comandato l'artiglieria del re Carlo Gustavo, comandava le truppe del medesimo re nell'isola di Fyen, insieme col principe di Sulzbac, quando furono disfatti e tagliati a pezzi da' Danesi. Egli non sa nulla del mare; è buonissimo uomo, che non direbbe una bugia, ma freddo e sconsiderato; non fa molto fracasso in consiglio, non può niente, e non è più della cabala del cancelliere. Si diletta delle matematiche e de' fuochi artifiziati. È ora molto comodo: sua moglie l'ha fatto ricco col suo risparmio, perché era poverissimo quando la prese: ella governa la casa e, si dice, anche il marito. Ha figliuoli del primo e del secondo letto: questa madamigella di Stembock è sua figliuola della prima moglie, la quale ora ha sposata al suo figliastro, nato della seconda moglie e del conte di Lewenhaupt, suo primo marito.

Il conte della Gardie.

Il conte Gabriel della Gardie, gran cancelliere, è molto conosciuto per il favore eccessivo della regina Cristina, ed anche per esser figliuolo d'un gran contestabile di Svezia, illustre per le cose fatte nella famosa guerra contro i Moscoviti. Egli tornando alla corte dal suo viaggio di Francia, dove aveva guadagnato l'aria e le maniere franzesi, vi fu considerato per il più galante cavalier di quei tempi. Questo gli servì così bene d'introduzione appresso la regina, già divenuta curiosa, che la sua bella presenza e la vivacità del suo spirito, poco comune a' Svezzesi e molto simile a quello della medesima regina, poterono far sì che ella l'amasse a tal segno, che se l'ardire del cancelliere fusse stato uguale all'inclinazione della regina, ella gl'averebbe posto in capo la corona, secondo ciò che asseriscono quelli i quali allora si ritrovavano in corte. Gli fu dato un reggimento di cavalleria finlandese, e nell'assedio di Riga fu impiegato come generale della cavalleria finlandese. Tornato in Svezia, fu fatto gran ciambellano della regina e tenne il primo posto fra quanti goderono il favore della medesima, del quale favore profittò straordinariamente, per le generosità seco praticate sì di danari come di beni. Fu poi mandato ambasciatore in Francia, dove fece una grandissima spesa, e donde tornato fu il primo (di che egli si pregia) ad introdurre il lusso in Svezia: al suo ritorno fece un'entrata così solenne, che quando li primi del suo seguito erano arrivati a Stockholm, gl'ultimi si trovavano ancora a Jacobsdal. Fatto senatore e tesoriere, governò in tal modo le finanze che se ne risentono ancora gli pregiudizi. Si maritò con una sorella del re Carlo Gustavo, il quale essendone poco sodisfatto trattava il cognato sempre di poltrone. Verso il fine della reggenza della regina s'ammalò d'una febbre quartana, la quale lo ridusse in un pessimo stato: ciò dette il principale impulso alla sua disgrazia, ed il pretesto ne fu preso (come che le malattie dieno della fantasticaggine) dall'aver voluto riformare molte cose introdotte alla corte nel tempo ch'ei non l'aveva frequentata. Allora fu allontanato, e la regina se lo recò tanto a noia, ed ebbe tanta voglia di rovinarlo che domandò la sua depressione al re Carlo Gustavo, suo successore, in ricompensa della corona che gli lasciava. Tornò però alla corte per l'incoronazione del re suo cognato, il quale lo fece generalissimo di Livonia: quivi esercitando la sua carica, la sua armata fu battuta e interamente fu disfatta, di che rigettò la colpa sul marescial di campo Lewenhaupt, suo cognato. Sostenne l'assedio di Riga contro i Moscoviti con molta gloria, sebbene v'è chi dice che l'averebbe resa senza Helmfelt. Dopo se n'andò in Pollonia con 10 mila uomini sotto il suo comando, chiamatovi dal re, dal quale fu lasciato suo luogotenente generale in Prussia, e poi per suo testamento fu fatto gran cancelliere del Regno.

Al tempo della Triplice Lega egli non vi concorse, ma fino da che si ruppe il trattato con *monsieur* di Pompona si ritirò in campagna, disgustato (il che non gli ha portato alcun avvantaggio, ma sibbene de' pregiudizi), né tornò all'esercizio della sua carica se non richiamatone dal re dopo la conclusione del trattato. La cagione di tal mutazione nel senato procedé da uno chiamato Bierenklou, il quale era stato maestro del gran cancelliere e da lui avanzato fino ad essere fatto senatore. Ma come che gl'uomini portano mal volentieri il peso delle grandi obbligazioni, e volentieri pigliano pretesti da sottrarsene, essendosi un giorno il cancelliere adirato seco in senato, quantunque dal medesimo e' riconoscesse l'essere, ei si credette allora dispensato da ogni gratitudine, ed a suo dispetto fece questo trattato. Le condizioni fatte a' Svezzesi nella Tripla Allianza furono che se gli pagassero 4 mila scudi l'anno, ed in caso di guerra 180 mila, ogni trimestre anticipati, a' patti che assistessero con un esercito di 16 mila uomini. I primi furono pagati dalla Spagna per una sol volta: gli altri, non essendo dichiarato chi gli dovesse pagare, gli Spagnoli pretesero d'addossargli agli Olandesi, e questi agli Spagnoli, tanto più che il caso del bisogno non si dette. Il trattato fu fatto all'Aia: quivi si trovavano due ambasciatori svezzesi, Dona e Fleming, mandati per negoziare la pace tra l'Inghilterra e l'Olanda. Mentre stavano aspettando la ratificazione, l'Olanda propose alla Francia di fermare i progressi dell'armi in Fiandra; con essa s'unì l'Inghilterra. Gl'ambasciatori svezzesi parlarono in termini generali, mostrando però disposizione a mescolarvisi: gli Olandesi ne scrissero in Svezia, dove la cosa fu ben sentita. Il cancelliere s'oppose, si riscaldò e si ritirò dalla corte; l'altro sposò il negozio, lo promosse, lo sostenne e lo condusse a fine.

Il cancelliere è sicuramente il più bell'uomo del mondo, di spirito vivace e d'una naturale eloquenza: parla la lingua latina, italiana, franzese, tedesca e olandese, sa più che ragionevolmente le storie, non è digiuno della filosofia, intende benissimo le materie politiche ed è benissimo informato degl'affari d'Europa. Si dice che non è troppo costante, collerico, e che nella collera si lasci trasportar più di quel che vorrebbe, cosa che ne' maneggi gli ha portato pregiudizio più d'una volta. È il più cattivo economo del mondo e 'l maggiore spenditore in ogni cosa: tiene gran servitù, fa gran tavola e spende in mobili, giardini e fabbriche. Si discorre che fa fabbricare in 40 o 50 luoghi nel medesimo tempo, e come ch'e' spende di molto, bisogna che cerchi d'approvecciarsi per riparare al tutto: ha però della generosità, e tratto più nobile della maggior parte degli Svezzesi. È in concetto d'avere il valsente di 600 mila scudi in terreni, con moltissimi debiti, ma ciò gli dà poco fastidio, poiché in quel paese non si trova la via a farsi pagare da personaggi di quella condizione: i suoi debiti sono con diversi mercanti del Regno, con sua sorella maritata al grand'ammiraglio, e, si dice, col conte di Konigsmarck, insomma ha da dare a ognuno. Ama i figliuoli, ama la moglie e da essa è corrisposto, ha amato assai le donne e non ha favoriti. Fa cortesie a' preti, ond'essi gli voglion bene: parla molto d'Iddio con esso loro e fa ostentazione di religione; della quale aver gran fondo, generalmente parlando, in quel paese non è troppo la moda, in alcuni per ignoranza, e in altri perché se ne parla tanto famigliarmente che se ne perde la venerazione. La sua carica gli conferisce grandissim'autorità, mediante la quale ha l'intera direzione degl'affari stranieri, e per la sua esperienza si rende necessario al re ed al senato. La sua inclinazione è molto ben conosciuta, per la quale serve di vincolo l'origine della sua famiglia.

Quelli della sua cabala, e che lo sostengono vivamente, sono: Pontus, suo fratello, il conte Nils, Gustavo Sparr, il suo figliuolo. Gli più dichiarati contro di lui, più ostinati, e che gli vogliono peggio sono: il gran tesoriere, Rolamb, Kanut Kureck, Giovanni Guldenstiern, Gripenhielm, che non è tanto violento, Lindenschiuld; ed alle volte il *Richsdrost*, il grand'ammiraglio e qualche altro.

Il barone Bielke.

Il barone Stenone Bielcke sono due anni che è gran tesoriere: è grande di statura e di bell'aspetto; ha intorno a 60 anni, e sebbene patisce un poco di gotta e di renella, è da potere campare un pezzo. È una delle migliori teste del senato: di suavi maniere, trattabile, e con qualche tintura d'erudizione: dice di quand'in quando sentenze latine, ma un poco grossolanamente, non essendo di genio troppo delicato. Non è soldato, non avendo servito che in mare, dove è arrivato sino al posto d'ammiraglio. Fece un viaggio in Portugallo, capitano d'un di quei vascelli che portano il sale: dopo condusse un vascello che la regina Cristina donò alla regina di Francia, e sopra di esso il conte della Gardie quando v'andò ambasciatore; in ultimo fu maggiore nell'ammiralità. Il suo forte è nella politica, e per essere stato lungo tempo nella cancelleria è benissimo informato degl'affari del Regno e di quelli di fuora. Ha di molto credito, senza che apparisca mescolarsi nelle cabale. La regina lo fece senatore, ed il re Carlo Gustavo ne faceva tanta stima che lo volse far cancelliere dopo la morte del conte Arrigo Oxenstiern; ma il contestabile s'oppose, dicendo che non conveniva tor lui all'ammiralità essendo egli impegnato nel comando dell'armate di terra. Così e' fu fatto solamente consigliere della cancelleria, dove col tempo essendo arrivato al secondo posto, da ciò gliene risultò gran credito nel tempo della minorità: e come che e' fusse ordinato dagli stati che niun senatore potesse ritener più d'una carica oltre quella di senatore, e' rinunziò allora quella d'ammiraglio. È stato impiegato ancora in diversi maneggi fuori del Regno, come in Sassonia ed alla corte di Vienna, Pollonia e Danimarca. Nell'ultime guerre con Danimarca fu fatto prigione, il che gli servì di grand'avvantaggio, poiché seppe guadagnarsi la buona grazia del re di Danimarca, e da quello di Svezia gli furono donati beni per 20 mila scudi di valsente. Non è molto ricco, ma è comodo essendo uomo che sa maneggiare il suo. Ama la moglie, quantunque non gli lasci maggiore autorità in casa di quello che si convegna; ha di molti figliuoli.

Andrea Lilliuche.

Andrea Lilliuche è grand'oratore, è stimato dotto ed ha sempre in bocca sentenze di Tacito e di Seneca: co' Franzesi è franzese e co' Spagnoli è spagnolo. Fu colonnello, e poi governò la Prussia nel tempo che il re Gustavo vi aveva la guerra, dove anche intervenne come ambasciatore nel trattato di pace con Vladislao; andò inviato straordinario in Pollonia dopo la fresca invasione del Regno, ma e per questo e per esser troppo timido non diede gusto. È stato gentiluomo della camera e poi gran ciambellano del re Gustavo Adolfo, al testamento del quale fu il primo che s'opponesse, sì come quello che impedì al principe Adolfo d'esser contestabile. Tiene il genio predominante di tutta la nazione, e fra la nobiltà sostiene particolarmente i conti: è baggiano quanto si possa essere, e ricco di 30 mila scudi d'entrata, e più potrebbe essere se negoziasse il suo danaro, il quale tiene al buio per non si fidare e per non l'azzardare. Una sua figliuola fu maritata al principe Adolfo, della quale non ebbe figliuoli, e seco ora ha di gran liti. È maritato colla sorella del conte Nils e ne ha figliuolanza.

Il conte Nils Brahe fu ciambellano del re morto, e si dice che morì nelle sue braccia: in risguardo alla sua famiglia fu uno de' sette senatori nominati nel testamento del detto re. È colonnello senza essere stato soldato, ammiraglio senza essere stato sul mare, uomo di negozio senza essere stato nella cancelleria: è colonnello delle guardie per aver fatto un viaggio in Inghilterra; volendogli dar posto in uno de' collegi del Regno fu fatto ammiraglio, e, secondo ogn'apparenza, nella prima vacanza lo faranno grand'ammiraglio. Passa per affezionatissimo al partito franzese, e si dice che *monsieur* Courtin se n'è valso. È in concetto d'esser geloso della moglie e di dargli pochi danari, essendo molto sordido, sì come sono tutti quelli di casa Brahe.

Helmfelt.

Helmfelt è nato d'un oriuolaio oriundo d'Alemagna, il quale arrivò ad esser borgomastro di Stockholm. Il padre lo messe a di molti mestieri in nessun de' quali riuscì, essendo stato in sua gioventù un gran scapigliato. Fu mandato alla guerra, donde tornò una volta se non più spogliato; fu rimandato di nuovo e, fatto capitano dal conte Tortenson, continuò il servizio nella guerra d'Alemagna ed arrivò ad esser colonnello; dopo la quale guerra esercitò la carica di colonnello dell'arsenale. In quella di Pollonia il re lo fece generale maggiore, e lo mandò alla difesa di Riga subordinato al cancelliere, col quale non unì troppo: si dice che fu per la sua ostinazione che la piazza fu così ben difesa, che per altro il cancelliere l'averebbe resa; il fatto si è che la fu malissimo attaccata, e così si rese facile ad esser difesa. Fatta la pace fu mandato governatore a Narva, sotto pretesto che la sua presenza vi fosse necessaria, ma veramente con intenzione d'allontanarlo: e forse più lontano non lo potevano mandare. In ultimo, per sodisfarlo, fu fatto generale dell'artiglieria del Regno. Ebbe grand'ambizione di diventar senatore, cosa che gli fu affatto impossibile durante la reggenza, e che ha conseguita dal re dopo che ha assunto il governo, sì come ancora d'esser fatto marescial di campo. Il contestabile ha consigliato di mandarlo in Pomerania, sì per la stima del suo sapere come perché crede di potere intendersi meglio con esso lui che con qualsivoglia altro di questi capi. È stimato bravissimo, uomo di spirito, di buon senso, e da sapere benissimo comandare l'infanteria e l'artiglieria: finora però non ha comandato armate. Non ha niuna dependenza considerabile, non ha figliuoli: solamente ha due sorelle, una stata maritata al vescovo di Reval e l'altra che tiene camera locanda in Stockholm.

Il conte Tott.

Il conte Claudio Tott è figliuolo del *Feltmarescial* Tott, abbastanza conosciuto. Tornato da' suoi viaggi conseguì il favore della regina Cristina: fu fatto suo gran ciambellano e, di 24 anni, senatore, cosa molto rara. Si battè in duello col principe Adolfo innanzi la risegna, sebbene il re era di già destinato principe successore. Al principio della guerra di Pollonia egli levò un reggimento di cavalli e fu fatto generale maggiore, benché non fosse mai stato alla guerra; alla fine della quale arrivò il posto di tenente generale della cavalleria. Si trattò così generosamente che fin quando era sul paese nemico spendeva del suo, per lo che molto s'indebitò. Il senato nel tempo della reggenza lo creò marescial di campo, ed essendo stimato uno de' principali senatori e per essere uno de' più vecchi, dopo l'ambascerie di Francia fu fatto governatore della città di Stockholm: in ultimo lasciò questa carica, come poco utile e di gran brighe.

Il conte Carleson.

Il conte Carleson è persona ordinarissima e che non ha nulla. Sua madre fu sviata dal re mentre era principe, condottagli di consenso, come si crede, di Brita Allertz, sua madre. Ora questa vecchia va per le case de' gran signori e ne cava, come per limosina, la sua sussistenza; la figliuola presentemente è maritata a una spezie di fittuario di terre della corona: il titolo della sua contea datogli dal re è Biuremburg in Finlandia; adesso è della vedova di Gustavo Horn, già contestabile di Svezia, quello che perdé la battaglia di Norlinga e fu fatto contestabile mediante il matrimonio con la figliuola del conte Axel Oxenstiern, gran cancelliere.

Claudio Rolamb.

Claudio Rolamb è d'una famiglia nuova, della quale il suo nonno fu il primo ad esser fatto gentiluomo. S'è benissimo imparentato, sì come ancora suo padre: di qui è che gl'è ricevuto fra la nobiltà vecchia, che vuol dire stimato e considerato. Il re morto l'impiegò in Pollonia, e mi pare che fosse mandato alla Porta per fare attaccare la medesima Pollonia. Dopo fu fatto governatore d'Uplandia, dove sarebbe restato se e' non fusse stato dell'autorità che gl'era nelle diete, non tanto per la sua sodezza quanto per il suo ardire e petto: onde così gli suoi parziali, come quelli che non si curavano di avere nella dieta un uomo che parlava con tanta libertà e sosteneva così bene le sue ragioni, contribuirono a farlo far senatore, toccando al senato ad eleggere i senatori nel tempo della minorità del re. Il matrimonio di sua figliuola con Gripenhielm gl'ha procacciato la carica di governatore della città, rinunziata per cabala da Axel Sparr. È uomo che sa, ha di molte notizie e dello studio, ma ruvidissimo, in concetto di tristo e che faccia cattivi uffizi: si dice che non sappia durare in un'amicizia; è impetuoso, infingardo, ed in lui finalmente alle occasioni non si trova che mediocrità.

Giovanni Gyllenstiern.

Giovanni Gyllenstiern è buono svezzese: erudito, bravo, regolato ed incorruttibile, di grande spettazione per il suo talento, capace di trattare e governare gl'affari del re e d'abbandonarsi totalmente nel suo servizio; perciò fa gran figura al senato. Ha viaggiato per tutto; è di età di 40 anni in circa, non ha moglie e solamente un fratel maggiore, che è un buonissimo uomo, e forse troppo buono.

Kanut Kureck.

Kanut Kureck ha viaggiato e ne' viaggi ha speso tanto che, indebitatosi con un'olandese, gli convenne sposarla. Ell'era vedova del van der Not: la sposò in Olanda e poi la condusse qua. Fu messo in credito alla corte dal conte Axel Oxenstiern, del quale era nipote; così fu impiegato e fatto marescial di corte dalla regina Maria, madre della regina Cristina, la quale morì intorno a 22 anni sono, verso il qual tempo ancora morì il vecchio Oxenstiern. Di poi fu fatto governatore di provincia, ed il re Carlo morendo l'incluse nel numero di quei senatori i quali nominò nel suo testamento. In tutta questa fortuna avendo poca roba, è stato costretto a vivere positivamente. Si dice che durante il primo matrimonio egl'amasse assai freddamente la prima moglie, che gl'avesse più affetto per questa d'oggi, la quale è di casa Bielckenstiern e sua sorella cugina. La verità è che il marito dell'una e la moglie dell'altro morirono quasi nel medesimo tempo, e dopo due o tre settimane si maritarono insieme. Questa gl'ha portato di molta roba. Egl'è uomo di spirito e sensato, il voto del quale è stimato assai in senato: è presidente d'un consiglio di commercio, carica considerabile e che porta buoni emolumenti in quel paese.

Altri senatori.

Gustavo Bannier è stato colonnello nelle guerre d'Alemagna, non ha mai fatto gran cose: è però tenuto capace di gran comandi. Ha due volte fatto debito col re, fino a 40 mila scudi, i quali è convenuto donarglieli per non v'esser modo di cavarne nulla.

Giovanni Gyllenstiern, detto il piccolo, prese per moglie una dama di condizione; ma con essa unì così poco che se n'andò a viaggiare per liberarsene, e tornato fece il divorzio. Ha preso poi un'altra moglie della nobiltà nuova, benché vivesse la prima; e per altre stravaganze s'è ritirato dalla corte. Innanzi che facesse queste scappate era stimato uomo d'ingegno e di letteratura.

Axel Sparr fu cacciator maggiore della regina Cristina, e dalla medesima fu fatto senatore. In risguardo della sua famiglia, per esser povero ed avere di molti figliuoli, fu fatto *Statholder* della città di Stockholm. Mentre era in quel posto espose alla berlina e fece battere pubblicamente un soprintendente de' piccoli tolli, perché non gl'aveva fatto pagar subito una certa provvisione assegnatagli su' medesimi tolli, e fece sì che sott'altro pretesto gli fu levata la carica. Ha fatto di buoni parentadi, né altro ha di considerabile che l'esser nato di quella casa.

Enrico Fleming è stato governatore di Copperberg, adesso è presidente delle miniere; uomo di pochissimi talenti, ma ragionevolmente comodo.

Eralde Stacke ha il governo di Bohus, che il re morto gli diede a vita. È buon capitano di cavalli, ed ha servito nelle guerre d'Alemagna in qualità di generale maggiore: non sa scrivere altro che il suo nome ed appena leggere.

Gustavo Soop, uno de' sette senatori fatti nel testamento del re, è stato della camera de' conti: si disgustò perché non fu fatto gran tesoriere quando morì Seved Boot, e per mostrare il sentimento che ne aveva allora rinunziò la sua carica di consigliere della detta camera. La regina, che ci s'era molto impegnata e gliene aveva dato parola, per contentarlo gli dette la soprintendenza de' suoi beni. La sua ultima moglie gl'ha portato di molta roba.

Arrigo Horn è stato colonnello nelle guerre vecchie d'Alemagna: era generale dell'artiglieria nella battaglia di Fyen nella quale fu fatto prigione; dopo è stato fatto marescial di campo e governator di Brema. Non si mescola nella politica, non è molto raffinato ma è un galantuomo e senza doppiezza.

Stiernescud, senatore per testamento del re, è stato governatore di provincia; e ora è ammiraglio: non credo che abbia mai servito in mare, e non fa gran figura.

Gustavo Posse è senatore per testamento del re, prima governatore di Jonkoping e presidente di quel parlamento. Uomo d'ostentazione e di poco fondo. Il re Carlo Gustavo lo soleva chiamare «uno dei suoi vascelli, che spiegava tutte le vele».

Lorenzo Creuz, anch'esso degl'eletti nel testamento del re, s'intende delle miniere, e dopo che Trondhem fu ceduta agli Svezzesi il re ve lo mandò per regolarle, dove fu fatto prigione nell'ultime guerre. Non ha cognizione delle cose di fuori, ma intende bene il rigiro di quelle di Svezia e per esse ha sufficienti talenti. Presentemente è impiegato nella camera de' conti.

Gustavo Carleson Bannier è dotto nella lingua latina ed è affezionato alle lettere, per le quali ha più premura che per la sua carica; onde non va quasi mai in senato, o sia per infingardaggine oppure perché si dà ad intendere di star sempre male.

Ebbe Wllefeldt è danese, fuggito dal suo paese per non poter pagare i suoi debiti, dove essendo severe le leggi, fu costretto a ritirarsi in Svezia per salvarsi da' suoi creditori. Da questa ritirata il re di Danimarca prese pretesto per levargli il governo di Bornholm, perché contro di lui erano state fatte molte doglianze. In Svezia si trattenne miseramente sino alla pace di Coppenhagen, che il re lo fece senatore per conciliarsi quei di Schonen, della qual provincia egl'è. In Danimarca è stato colonnello, dove si è portato assai bene; in Svezia ha aùto titolo di luogotenente generale della cavalleria, ma non ha mai esercitato. È un briacone senza condotta.

Pontus della Gardie è stato fatto senatore perché è fratello del gran cancelliere. Nelle guerre di Pollonia fu capitan di cavalli e in quella di Danimarca colonnello del reggimento d'Uplandia: ora è luogotenente generale, benché in concetto di poca condotta, ciò nonostante tiene il primo luogo nel consiglio di guerra, non assistendovi per le sue malattie il contestabile, e perché il *Feltmarescial* Bannier non sta quasi mai a Stockholm, che non ha modo di sostentarvisi. È uomo di mezzo sapore: capriccioso, ineguale, disattento estremamente, senz'amici, pontiglioso; ha la sua voce ed ha la sua cera burbera, par che sempre sia in collera; spensierato ed abbandonato al bordello ed al vino, il quale però non gli fa male. Ha due figliuole piccole. Sua moglie è sorella del conte di Konigsmarck, la quale gl'ha portato gran roba: con essa vive poco d'accordo, e con il fratello quando gli torna comodo.

Gustavo Sparr è un pover uomo, che si crede bello perché altra volta era chiamato il bello Sparr. Fu fatto senatore nel tempo della minorità contro la disposizione delle leggi, mentre v'erano altri tre della medesima casa, di che si fece gran romore nella dieta susseguente.

Giorgio Gyllenstiern, fratello di Giovanni, fu fatto senatore per il credito del fratello e del *Richsdrost*; non ha stima. È consigliere del parlamento di Stockholm e presidente del consiglio della riduzione.

Turdt Bonde, il più innocente di tutto il senato, è un pover uomo, che non ha neanche presenza. È stato maggiore di cavalleria e governatore d'una picccola provincia: il tesoriere lo fece far senatore. È consigliere del parlamento di Jonkoping.

Lars Fleming fu governatore di Dorpat in Livonia, il qual luogo lasciò pigliare a' Moscoviti nell'ultima guerra con Danimarca. Fu presidente della camera, carica che risponde a commissario generale, donde ne cavò di buoni approvecci. Non vale gran cosa; è stato fatto senatore per mezzo del tesoriere, suo cognato.

Giovanni Stembock, tornato da' suoi viaggi, guadagnò la stima della regina, la quale lo fece suo governatore. A dispetto del conte di Konigsmarck e d'altri, che ad ogni poco si volevano batter seco, fu fatto senatore: allora rinunziò la prima carica e fu fatto gran maresciallo del Regno. Nasce di casa la Gardie, credo d'una zia del cancelliere, la quale gl'ha messo insieme di molto danaro;

egli stesso è buon economo, ma con decoro.

Gustavo Oxenstiern è stato prima general maggiore, poi generale dell'artiglieria, in ultimo senatore, eletto da questo re, dal quale fu spedito ambasciatore al Moscovita, dove non ha fatto nulla. Il segreto dell'ambasceria è per indurre i Moscoviti ...: il pretesto, l'aggiustamento de' confini ed il commercio, pensiero chimerico del cancelliere. In tutti i consigli fa gran romore: è brutale, povero, e che consuma le sue entrate, secondo la moda degli Oxenstiern.

Milton Keynes UK
Ingram Content Group UK Ltd.
UKHW050715181023
430769UK00009B/299